Les 7 HABITUDES DES ADOS

bien dans leur peau

Titres de Stephen R. Covey

Les 7 Habitudes de ceux qui réalisent tout ce qu'ils entreprennent, First

L'Étoffe des leaders, First

Priorité aux priorités, First

Les 7 Habitudes des familles épanouies, First

Sean Covey

Les 7 HABITUDES DES ADOS
bien dans leur peau

Les clés de la réussite enseignées aux ados

Traduit de l'anglais (États-Unis)
par Maxime Chavanne

First Éditions

Titre original de l'édition américaine : The Seven Habits of Highly Effective Teens.
© 1998 Franklin Covey Company / Franklin Covey and the FC logo and trademarks are trademarks of Franklin Covey Co. and their use by permission.
© Éditions Générales First, 1999, pour l'édition française.

ISBN 2-87691-516-2.
Dépôt légal : 3e trimestre 1999.

Nous nous efforçons de publier des ouvrages qui correspondent à vos attentes et votre satisfaction est pour nous une priorité.
Alors, n'hésitez pas à nous faire part de vos commentaires à :

Éditions Générales First
13-15, rue Buffon
75005 Paris – France
Tél : 01 55 43 25 25
Fax : 01 55 43 25 20
Minitel : 3615 AC3*FIRST
Internet e-mail : firstinfo@efirst.com
En avant-première, nos prochaines parutions, des résumés de tous les ouvrages du catalogue. Dialoguez en toute liberté avec nos auteurs et nos éditeurs. Tout cela et bien plus sur Internet à : www.efirst.com

À MA MÈRE,
POUR TOUTES LES BERCEUSES,
ET POUR TOUTES NOS PETITES
CAUSERIES NOCTURNES

Sommaire

Sommaire

Avant-propos de Stephen R. Covey

AUTEUR DES *7 HABITUDES DE CEUX QUI RÉALISENT TOUT CE QU'ILS ENTREPRENNENT*

À l'attention du lecteur en retraite d'adolescence

Ce livre a été écrit à l'attention des adolescents d'aujourd'hui mais s'adresse également à nous autres, adolescents en retraite : il nous reste tant de choses à apprendre ! C'est vrai pour nous comme pour toute nation : notre plus bel espoir réside dans notre jeunesse. Parent, grand-parent, voisin ou professeur, l'avenir de citoyen de chacun est entre les mains de la génération montante. Alors dans quelle situation se trouvent nos jeunes, et quelles promesses sommes-nous, à titre individuel, en mesure de leur faire? C'est la tête pleine d'espérances et de rêves que nos enfants entrent dans la vie. Hélas, beaucoup d'entre eux les voient peu à peu s'étouffer et finir par se briser sitôt qu'ils abordent les années d'adolescence.

Dans une plus ou moins large mesure, les communautés du monde entier se trouvent confrontées aux mêmes défis. D'un bout à l'autre de la planète, la génération adolescente lutte comme aucune autre n'a eu à lutter auparavant pour faire face à la pression considérable d'un monde en pleine accélération et en constante mutation. Nul d'entre nous n'est à l'abri des forces négatives de l'influence destructrice de la drogue et de l'alcool, de l'implosion de la cellule familiale, de la violence endémique, de la menace d'un manque de soins médicaux ou d'éducation, et de la pénurie d'emplois stables dans une économie mondiale fragile et fluctuante — défis qui, incontestablement, constituent un réel danger pour l'existence de nos adolescents.

En tant qu'individu, famille ou communauté, que pouvons-nous faire pour aider nos enfants à réaliser leurs espérances et leurs rêves, à s'épanouir et à prospérer? C'est précisément pour aborder cette question brûlante que Sean, mon fils, a écrit ce livre, *Les 7 Habitudes des ados bien dans leur peau*. Sean a lui-même ressenti la puissance des principes exprimés dans les 7 Habitudes au cours de son expérience de vie personnelle, et c'est avec ferveur qu'il s'est fixé comme but d'écrire un livre susceptible de donner aux adolescents les clés d'une réussite réelle s'appuyant sur de telles bases. Par son travail remarquable, il a porté les 7 Habitudes à un niveau inédit — un niveau de compréhension pénétrant, très particulièrement approprié aux adolescents eux-mêmes (des centaines de milliers d'ados ont déjà réagi avec enthousiasme à ce livre), ainsi qu'à toute personne exerçant une influence sur leur vie.

J'ai pris plaisir à regarder Sean devenir père. Ses enfants sont encore jeunes, mais je sais que les défis auxquels ils devront faire face le préoccupent. Se percevant comme en retraite d'adolescence, il a cherché des réponses à ces questions. Néanmoins, conscient d'avoir quitté l'adolescence depuis un certain temps, il s'est imposé pour écrire ce livre de consulter les véritables experts : les adolescents d'aujourd'hui. Au cœur des *7 Habitudes des ados bien dans leur peau* se trouvent leurs témoignages, tels qu'ils les ont eux-mêmes rapportés; Sean a conçu ce livre spécifiquement à l'attention des jeunes lecteurs, de façon à les mettre en prise directe avec d'autres adolescents et adolescentes.

S'aventurer dans le monde des ados a été pour Sean une épreuve d'humilité. Il a sillonné des milliers de kilomètres pour aller à leur rencontre, dans des circonstances et des cadres divers, en tête-à-tête ou en groupe. Au total, Sean s'est entretenu avec plus d'une centaine d'entre eux. Il a parlé leur langage et s'est immergé dans leur façon de voir les choses. Résultat : il sait maintenant ce qui les blesse, ce qui les motive et ce qui les fait rire.

Ces nombreux, très nombreux adolescents se sont ouverts avec courage et lui ont confié leurs plus grandes espérances et leurs plus beaux rêves — leurs plus grandes peurs et leurs pires souffrances également. Sean éprouve un amour, une reconnaissance et une responsabilité immenses à l'égard de ces jeunes qui ont généreusement apporté leurs témoignages; ceux-ci confèrent une indubitable puissance aux *7 Habitudes des ados bien dans leur peau*.

J'ai le sentiment que partager avec le monde entier ces témoignages nous permettra à tous d'apprendre, de comprendre, et —

plus important encore — d'apporter à ces adolescents l'aide et le soutien dont ils ont tant besoin. Comme le souligne Sean, certaines adaptations et modifications d'ordre culturel ont été apportées dans cette traduction française, afin de rétablir le sentiment de proximité qui permettra au lecteur de mieux s'identifier et se sentir compris. Ces récits sont authentiques et puissants, et je souhaite que vous recherchiez parmi eux les témoignages reflétant la communauté qui est la vôtre; nombre d'adolescents de votre pays ont un besoin urgent d'être entendus.

En tant que père, je suis à l'évidence fier du travail et de l'implication de Sean. Toutefois — et c'est là le plus important — mon souhait sincère est que la lecture des *7 Habitudes des ados bien dans leur peau* vous permette de mieux comprendre, aimer et accepter nos adolescents d'aujourd'hui : ils rayonnent de bonté, et constituent une force puissante pour l'avenir.

Avertissement de l'auteur

À l'attention du lecteur adolescent

J'ai écrit ce livre pour toi — et pour d'autres ados de tous les âges. Il traite de tes problèmes, des défis auxquels tu te trouves confronté, et de ton monde à toi. Les témoignages que tu vas lire sont authentiques. Ce sont des histoires venues du cœur, vécues par des ados bien vivants qui te ressemblent en tous points. Pour la plupart, ces témoignages ont été recueillis dans le cadre d'entretiens privés menés en tête-à-tête. Mais parce que je tiens à ce que tu te retrouves réellement dans ce livre et que tu le comprennes en profondeur, certains récits, événements, noms et lieux ont été adaptés afin de mieux refléter le contexte et la culture dans lesquels tu vis.

Au fait, plus de 100 ados se sont impliqués pour m'aider à réaliser ce livre, et ça n'a pas été triste. Ça m'a sévèrement donné envie de redevenir ado moi-même. Tes années d'adolescence sont une épreuve à surmonter, c'est indéniable ; mais elles peuvent également devenir les plus belles de ta vie. J'espère que tu apprécieras ce livre. Dans ce cas, ne te gêne pas pour en parler à tes amis. Bonne lecture !

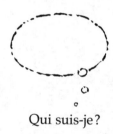

Qui suis-je?

Je suis ta compagne de tous
les instants. Je peux être ta meilleure alliée
comme ta pire entrave. Je peux te propulser
vers la réussite comme te faire rouler dans le
caniveau. Je suis à tes ordres, totalement dévouée.
Délègue-moi la moitié des choses et ne
t'en soucie plus : je les gèrerai avec
rapidité et efficacité.

Montre-toi ferme à mon égard,
et je serai docile. Montre-moi ce que tu veux
avec précision, et en quelques leçons, je pourrai
l'exécuter comme un automate. Je suis au
service de tous les grands de ce monde, ainsi,
hélas, qu'à celui de tous les ratés ! Les
grands, j'en ai fait des grands. Les
ratés, j'en ai fait des ratés.

Je ne suis pas une machine.
Et pourtant, je fonctionne avec toute
la précision d'une machine, l'intelligence
humaine en prime. Utilise-moi comme il te
plaira : à ton avantage, ou pour courir à
ta perte. Cela m'est parfaitement égal.

Prends-moi, cadre-moi, corrige-moi,
et je mettrai le monde à tes pieds.
Laisse-moi faire, et je t'anéantirai.

Qui suis-je?

Je suis
l'Habitude.

PREMIÈRE PARTIE

Les bases

Prends l'habitude
Elle fera ta fortune ou ta ruine

Paradigmes et principes
Tout dépend du regard que tu portes sur les choses

Prends
l'Habitude

ELLE FERA TA FORTUNE OU TA RUINE

Bienvenue! Je m'appelle Sean Covey et je suis l'auteur de ce livre. J'ignore comment tu te l'es procuré. C'est peut-être ta mère qui te l'a offert pour te donner la pêche. À moins que son titre t'ait accroché, et que tu l'aies acheté toi-même avec ton propre argent. Mais quelle que soit la façon dont il a atterri entre tes mains, je m'en félicite. Maintenant, tu n'as plus qu'à le lire.

Les ados lisent beaucoup de livres, mais moi, ça n'a jamais été mon cas (à part une poignée de versions abrégées quand j'étais au lycée). Alors si tu es comme moi, j'imagine que tu dois t'apprêter à ranger ce livre dans un coin. Mais avant, écoute-moi jusqu'au bout. Si tu promets de lire ce livre, moi, je te promets d'en faire une aventure extraordinaire. La vérité, c'est que pour en faire un truc fun, je l'ai bourré d'un bout à l'autre de dessins humoristiques, d'idées astucieuses, de citations magnifiques, et d'authentiques histoires d'ados venues du monde entier… sans parler de quelques autres petites surprises. Alors, tu te laisses tenter?

Tope là? Tope là!

Bon, revenons-en au livre. Ce livre s'inspire d'un autre livre

> Au départ,
> on prend une habitude.
> Ensuite,
> c'est elle qui nous prend.
>
> UN POÈTE ANGLAIS

intitulé *Les 7 Habitudes de ceux qui réalisent tout ce qu'ils entreprennent* que mon père, Stephen R. Covey, a écrit il y a plusieurs années. Bizarrement, ce livre est devenu l'un des plus gros succès de tous les temps. En grande partie — je précise — grâce à mes frères et sœurs et à moi-même. Disons qu'on lui a servi de cobayes... Tous ses tests psy, il les a essayés sur nous; pas étonnant qu'aujourd'hui, mes frères et sœurs souffrent de graves troubles psychologiques (je délire, frangins et frangines!). Par chance, moi, je m'en suis sorti indemne.

Alors pourquoi avoir écrit ce livre? Je l'ai écrit parce qu'aujourd'hui, la vie d'un ado n'est plus franchement une partie de plaisir. On vit en pleine jungle. Et si j'ai bien fait mon travail, ce livre peut te servir de boussole et t'aider à t'orienter. En plus, contrairement au livre de mon père qui a été écrit pour des vieux (et qui par moments est d'un ennui féroce), celui-ci a été écrit spécialement pour des ados, et est toujours intéressant.

Bien que je sois un ado qui ai raccroché les gants, je me souviens des sensations que cela procure. Un jour on a une pêche d'enfer, et le lendemain, c'est la déprime totale. On fait du yoyo en permanence. Avec le recul, je suis franchement stupéfait d'y avoir survécu. Enfin, tout juste. Je n'oublierai jamais la fois où, en sixième, j'ai craqué pour la première fois pour une fille. Elle s'appelait Nicole.

Ado des années 60 ▶

Ado d'aujourd'hui ◀

J'ai demandé à mon ami Clar de lui dire que je l'aimais bien (j'avais trop peur de m'adresser directement aux filles, alors je faisais appel à des intermédiaires). Clar a assuré sa mission, est revenu, et m'a fait son rapport.

« Hé, Sean, je lui ai dit, à Nicole, que tu l'aimais bien. »

J'ai rigolé bêtement : « Et qu'est-ce qu'elle a dit!? »

« Elle a dit : *Beurk! Sean? Ce thon???!* »

Clar était mort de rire. Moi, j'étais anéanti. J'avais envie de ramper jusqu'à un trou et de ne plus jamais en sortir. Je me suis juré de détester les filles pour le restant de mes jours. Par chance, mes hormones ont repris le dessus et je me suis remis à les aimer.

Quelque chose me dit que parmi les luttes dont parlent dans leur témoignage certains ados que j'ai interviewés, certaines te sont familières :

« On a trop de trucs à faire et pas assez de temps. Moi, j'ai les cours, les devoirs, le boulot, les amis, les fêtes, et, pour couronner le tout, la famille. Je stresse un max. Au secours ! »

« Comment voulez-vous que je me sente bien dans ma peau ? Je ne suis pas à la hauteur ! Où que je me tourne, il y a toujours un truc pour me rappeler qu'il y en a une plus intelligente, plus mignonne, ou qui plaît plus que moi. C'est plus fort que moi, je me dis toujours : Si seulement j'avais ses cheveux, ses fringues, sa personnalité, son mec, là je serais heureuse. »

« J'ai l'impression que ma vie a complètement dérapé. »

« Ma famille, c'est grave. Si seulement mes parents pouvaient me lâcher un peu, je pourrais peut-être enfin vivre. J'ai l'impression de les avoir sur le dos en permanence, et ce que je fais, ça ne va jamais. »

« Je sais que la vie que je mène, ça craint. Avec moi, c'est la totale : drogue, alcool, plans sexe… N'importe quoi, quoi. Mais quand je suis avec mes potes, je craque et je fais comme les autres. »

« J'ai attaqué un nouveau régime. Rien que cette année, ça doit être mon cinquième. J'ai sincèrement envie de changer, mais je n'ai pas la volonté pour arriver à me tenir à une discipline. Chaque fois que j'attaque un nouveau régime, j'y crois dur comme fer. Mais la plupart du temps, je fous tout en l'air très vite. Et là, je me sens minable. »

« Je n'assure pas trop en classe, ces derniers temps. Si je ne remonte pas ma moyenne, je ne serai jamais admis à l'université [1]. »

« Je suis mal lunée. Je déprime souvent. Je ne sais plus quoi faire. »

Ce sont là des problèmes bien concrets, et la réalité de la vie, ce n'est pas comme la télé : on ne peut pas l'éteindre. Je n'essaierai donc pas. Au contraire, je vais te fournir une panoplie d'outils pour t'aider à y faire face, à cette réalité de la vie. Lesquels, d'outils ? *Les 7 Habitudes des ados bien dans leur peau.* En d'autres termes, les sept caractéristiques communes aux adolescents heureux qui réussissent, n'importe où dans le monde.

J'imagine qu'à ce stade, tu dois te demander ce qu'elles peuvent bien être, ces habitudes. Alors mettons un terme au suspense. Les voici, suivies d'une courte explication pour chacune :

Habitude n° 1 :   **Sois proactif**
Assume tes responsabilités.

Habitude n° 2 :   **Sache dès le départ où tu veux aller**
Définis ta mission et les objectifs de ta vie.

Habitude n° 3 :   **Donne la priorité aux priorités**
Hiérarchise les choses, et commence par régler ce qui est le plus important.

Habitude n° 4 :   **Joue Gagnant/Gagnant**
Agis en partant du principe que chacun peut réussir.

Habitude n° 5 :   **Cherche d'abord à comprendre, ensuite à être compris**
Écoute les autres. Sincèrement.

Habitude n° 6 :   **Crée un effet de synergie**
Travaille avec les autres, vous serez tous plus performants.

Habitude n° 7 :   **Aiguise tes facultés**
Renouvelle tes ressources régulièrement.

Comme le montre le diagramme ci-contre, les habitudes se nourrissent des précédentes. Les Habitudes n° 1, 2 et 3 traitent de la maîtrise de soi. C'est ce que nous appelons la victoire privée. Les Habitudes n° 4, 5 et 6 traitent des relations humaines et du travail d'équipe. C'est ce que nous appelons la victoire publique. On ne peut être performant au sein d'une équipe qu'à partir du moment où on a trouvé son propre équilibre intérieur. C'est la raison pour laquelle la victoire privée précède la victoire publique. La dernière habitude, l'Habitude n° 7, est celle de la régénération. Elle nourrit les six autres.

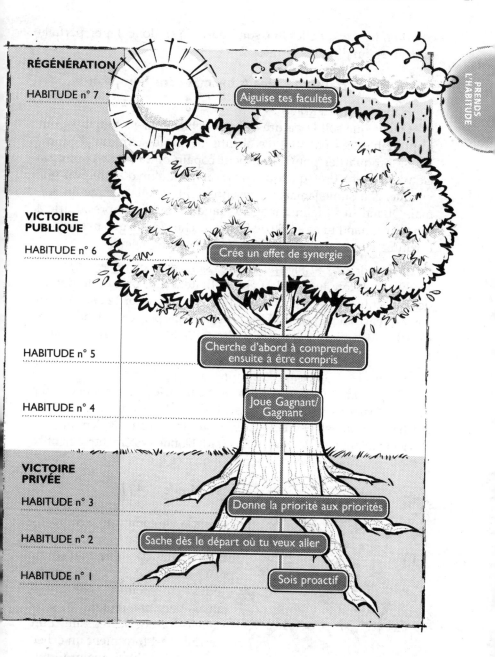

RÉGÉNÉRATION

HABITUDE n° 7 — Aiguise tes facultés

VICTOIRE PUBLIQUE

HABITUDE n° 6 — Crée un effet de synergie

HABITUDE n° 5 — Cherche d'abord à comprendre, ensuite à être compris

HABITUDE n° 4 — Joue Gagnant/Gagnant

VICTOIRE PRIVÉE

HABITUDE n° 3 — Donne la priorité aux priorités

HABITUDE n° 2 — Sache dès le départ où tu veux aller

HABITUDE n° 1 — Sois proactif

Ces habitudes ont l'air plutôt simples, n'est-ce pas? Mais attends de voir l'impact qu'elles peuvent avoir! Un excellent moyen de comprendre en quoi consistent les 7 Habitudes est de comprendre ce qu'elles ne sont pas. Voici donc leurs parfaits contraires. En d'autres termes :

Les 7 Habitudes des Ados mal dans leur peau

Habitude n° 1 : *Réagis*
Quelle que soit la nature de ton problème, tiens toujours pour responsables tes parents, tes abrutis de professeurs ou d'éducateurs, ton quartier pourri, ton petit copain ou ta petite copine, le Gouvernement, bref, quelque chose ou quelqu'un d'autre. Sois une victime. N'assume jamais tes responsabilités. Agis comme un animal. Quand tu as faim, mange. Quand on te hurle après, hurle à ton tour. Quand tu as envie de faire une chose alors que tu sais pertinemment que ce n'est pas bien, fais-la quand même.

Habitude n° 2 : *Lance-toi toujours sans savoir où tu veux aller*
N'agis selon aucun plan établi. Évite à tout prix de te définir des objectifs. Ne pense jamais à l'avenir. Pourquoi se soucier des conséquences de nos actes ? Vis l'instant sans penser au lendemain. Couche avec n'importe qui, déchire-toi la tête, ne pense qu'à faire la fête car demain, on sera tous morts.

Habitude n° 3 : *Donne la priorité aux frivolités*
Ce qui compte le plus dans ta vie, ne le règle jamais avant d'avoir passé suffisamment d'heures à revoir des rediffusions de séries télé, à tchatcher au téléphone, à surfer sur Internet et à flemmarder. Remets toujours tes devoirs à plus tard. Donne systématiquement la priorité à ce qui est secondaire plutôt qu'à ce qui est capital.

Habitude n° 4 : *Joue Perdant/Perdant*

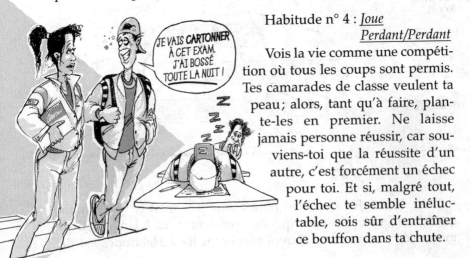

Vois la vie comme une compétition où tous les coups sont permis. Tes camarades de classe veulent ta peau ; alors, tant qu'à faire, plante-les en premier. Ne laisse jamais personne réussir, car souviens-toi que la réussite d'un autre, c'est forcément un échec pour toi. Et si, malgré tout, l'échec te semble inéluctable, sois sûr d'entraîner ce bouffon dans ta chute.

Habitude n° 5 : *Cherche d'abord à parler, ensuite à faire semblant d'écouter*
On naît avec une langue, alors autant s'en servir. Bavarde le plus possible. Exprime toujours ta version des faits en premier. Une fois que tout le monde aura bien saisi ton point de vue, fais semblant d'écouter celui des autres : hoche de temps en temps la tête en ponctuant de « ah oui ? ». Ou alors, si l'opinion de quelqu'un t'intéresse vraiment, parle à sa place.

Habitude n° 6 : *Ne te montre jamais coopératif*
Soyons réaliste : les gens qui sont différents de toi sont bizarres. Alors pourquoi essayer de faire bon ménage avec eux ? Le travail d'équipe, c'est bon pour les médiocres. Comme c'est toujours toi qui as les meilleures idées, travaille dans ton coin, tu as tout à y gagner. Vis enfermé dans ta tour d'ivoire.

Habitude n° 7 : *Va jusqu'à l'épuisement*
Vis à une cadence telle que tu n'as jamais une seconde pour te ressourcer ou t'améliorer. Ne travaille jamais en classe. N'apprends jamais rien de nouveau. Fuis l'exercice physique comme la peste. Et, par pitié, ne t'approche jamais d'un bon livre, de la nature, ou d'une source d'inspiration potentielle.

On le voit, les habitudes énumérées ci-dessus sont des recettes imparables pour foncer droit dans le mur. Et pourtant, beaucoup d'entre nous y cèdent… régulièrement (moi comme les autres). Cela posé, pas étonnant qu'à certains moments, on puisse vraiment être dégoûté de la vie.

⊛ UNE HABITUDE, C'EST QUOI, EXACTEMENT ?

Une habitude est une chose qu'on exécute de façon répétée. Mais, la plupart du temps, sans être véritablement conscient de l'avoir prise. Calée sur pilotage automatique, l'habitude fonctionne de façon autonome.

Certaines habitudes sont bonnes, par exemple :
• Faire de l'exercice régulièrement
• Définir un planning à l'avance
• Respecter les autres

Certaines sont mauvaises, par exemple :
- Avoir un esprit négatif
- Se sentir inférieur
- Rejeter la faute sur les autres

D'autres ne sont ni bonnes ni mauvaises, par exemple :
- Prendre sa douche la nuit
- Manger son yaourt à la fourchette
- Lire les magazines en commençant par la fin

En fonction de leur nature, nos habitudes peuvent faire notre fortune ou notre ruine. Ce que nous faisons de façon répétée, nous le devenons. Dans les termes de l'écrivain Samuel Smiles :

> *Sème une pensée, et tu récolteras un acte;*
> *Sème un acte, et tu récolteras une habitude;*
> *Sème une habitude, et tu récolteras un caractère;*
> *Sème un caractère, et tu récolteras un destin.*

Par chance, nous sommes plus forts que nos habitudes. Par conséquent, nous pouvons en changer. Essaye de croiser les bras, par exemple. Bien. Maintenant, essaie de les croiser dans ton dos. Alors, quelle impression? Bizarre, non? Et pourtant, si tu croisais les bras dans le dos trente jours d'affilée, cela n'aurait plus rien de bizarre. Tu n'aurais même plus besoin d'y penser. Tu en aurais pris l'habitude.

À tout moment, on peut se regarder dans un miroir et se dire : « Hé! Il y a ce truc chez moi que je n'aime pas. » Et là, on peut remplacer une mauvaise habitude par une bonne. Ce n'est pas toujours facile, mais c'est toujours possible.

Les idées de ce livre ne fonctionneront pas forcément toutes pour toi. Mais bon, pas besoin d'atteindre la perfection pour obtenir des résultats. Dans la vie, il suffit parfois de mettre en pratique une habitude de temps en temps pour déclencher des changements inespérés.

Les 7 habitudes peuvent t'aider à :

- Prendre ta vie en main
- Améliorer la qualité de tes relations avec tes amis
- Prendre des décisions plus avisées
- Mieux t'entendre avec tes parents
- T'affranchir d'une dépendance
- Définir tes propres valeurs et ce qui compte le plus pour toi

- Réaliser plus de choses en moins de temps
- Gagner en assurance

- Trouver le juste équilibre entre les cours, le travail, les amis, et tout le reste
- Être heureux.

Une dernière chose. C'est ton livre, alors utilise-le. Prends un crayon, un stylo, un surligneur de couleur et annote-le. N'aie pas peur de souligner, de surligner, ou d'entourer les idées qui te plaisent le plus. Prends des notes dans la marge. Gribouille. Relis les histoires qui t'inspirent. Mémorise les citations qui te donnent espoir. En fin de chapitre, essaie les « Pas de fourmi » : ils ont été conçus pour t'aider à mettre les habitudes en pratique tout de suite. Ce livre te sera beaucoup plus utile si tu le fais.

Rien ne t'empêche non plus d'appeler les Numéros Verts ou d'aller naviguer sur les sites web que j'ai répertoriés à la fin du livre, si tu souhaites obtenir de l'aide ou plus de renseignements.

Si tu es du genre à zapper le texte pour aller directement aux dessins et autres petits amuse-gueule édifiants, pas de souci. Mais à un moment ou un autre, il serait bon que tu lises le livre du début à la fin, car les 7 Habitudes fonctionnent étape par étape. L'une engendre la suivante. Ce n'est pas par hasard que l'Habitude n° 1 précède l'Habitude n° 2 (et ainsi de suite).

Tu es partant ? Alors fais-moi plaisir et lis-le, ce livre !

PROCHAIN ÉPISODE

Tout de suite, nous allons examiner dix déclarations
parmi les plus stupides jamais faites. Un grand moment à ne pas rater.
Alors vas-y, lis !

Paradigmes et Principes

Voici une liste de déclarations qui ont été faites il y a de nombreuses années par des experts en leur domaine. À l'époque où elles ont été prononcées, on les trouvait intelligentes. Avec le recul, elles ont l'air stupides.

Le Top-10 des citations les plus stupides de tous les temps

10 « Il n'y a aucune raison pour que chaque individu ait besoin d'un ordinateur à domicile. »

KENNETH OLSEN, PRÉSIDENT ET FONDATEUR DE DIGITAL EQUIPMENT CORPORATION, EN 1977

9 « Un avion est un jouet intéressant, mais sans aucune valeur militaire. »

MARÉCHAL FERDINAND FOCH, STRATÈGE MILITAIRE FRANÇAIS ET FUTUR GÉNÉRALISSIME DES ARMÉES ALLIÉES DE LA PREMIÈRE GUERRE MONDIALE, EN 1911

Veille à rester lucide et impeccable, car tu es la lucarne à travers laquelle tu observes le monde.

GEORGE BERNARD SHAW, DRAMATURGE ANGLAIS

8 « Quels que soient les progrès de la science dans les années à venir, [l'homme ne marchera jamais sur la Lune]. »

DR LEE DE FOREST, INVENTEUR DU TUBE AUDION ET PÈRE DE LA RADIO, LE 25 FÉVRIER 1967

(7) « [La télévision] n'arrivera jamais à fidéliser un marché, quel qu'il soit, plus de six mois. Les gens se lasseront très vite de regarder tous les soirs une caisse en contreplaqué. »
DARRYL F. ZANUCK, PRÉSIDENT DE LA 20TH CENTURY FOX, EN 1946

(6) « Nous n'aimons pas leur son. Les groupes de guitare sont sur le déclin. »
LES DISQUES DECCA REFUSANT DE SIGNER LES BEATLES, EN 1962

(5) « Pour la majorité des gens, la consommation de tabac a des effets positifs. »
LE DR IAN G. MACDONALD, CHIRURGIEN DE LOS ANGELES, CITÉ DANS NEWSWEEK DU 18 NOVEMBRE 1969

(4) « Ce « téléphone » présente trop d'inconvénients pour être envisagé comme un moyen de communication sérieux. En soi, cet appareil ne présente aucune valeur à nos yeux. »
NOTE INTERNE DE LA WESTERN UNION, EN 1876

(3) « La Terre est au centre de l'univers. »
PTOLÉMÉE, GRAND ASTRONOME ÉGYPTIEN, AU IIe SIÈCLE

(2) « Rien de notable à signaler aujourd'hui. »
ÉCRIT DU ROI GEORGE V D'ANGLETERRE, LE 4 JUILLET 1776[2]

(1) « Tout ce qui peut être inventé a déjà été inventé. »
CHARLES H. DUELL, COMMISSAIRE AUX BREVETS U.S., EN 1899

À la lumière de cette liste-là, laisse-moi te livrer une autre liste de déclarations, faites celles-là par d'authentiques ados exactement comme toi. Ce sont des choses que tu as déjà entendues, tout aussi ridicules que ce que tu viens de lire.

Dans ma famille, personne n'est jamais allé jusqu'en fac. Alors je ne vois pas comment moi, je pourrais y arriver.

Laisse tomber. Mon beau-père et moi, on ne s'entendra jamais. On est trop différents.

Etre intelligent, c'est un truc de bourges.

Mon prof m'a dans le collimateur.

Elle est trop canon; c'est sûrement une enfoirée.

Dans la vie, quand on n'a pas les bonnes connections, on n'arrive pas à avancer.

Moi ? Mince ? Tu débloques ! Y'a que des gros dans ma famille.

Impossible de trouver un emploi dans le coin : personne ne veut embaucher de jeunes.

Alors un paradigme, c'est quoi, au juste ?

Qu'ont en commun ces deux listes de déclarations ? Premièrement, elles ne sont qu'une *perception* de la réalité des événements. Deuxièmement, même si les gens qui les formulent sont convaincus de leur pertinence, elles sont inexactes ou incomplètes.

Pour parler de perception, on peut également utiliser le terme de « paradigme ». Un paradigme, c'est l'idée qu'on se fait d'une chose, notre point de vue, notre cadre de référence ou notre croyance. Comme tu l'as peut-être remarqué, nos paradigmes sont souvent très éloignés de la vérité; par conséquent, ils nous restreignent. Tu es peut-être convaincu, par exemple, que tu n'as pas le niveau requis pour accéder à des études supérieures. Mais souviens-toi que Ptolémée, lui, était tout aussi convaincu que la Terre était le centre de l'Univers.

Prends l'ado persuadée qu'elle ne peut pas s'entendre avec son beau-père. Si tel est son paradigme, crois-tu vraiment qu'elle pourra y arriver un jour ? Sans doute pas, car cette croyance l'en empêchera.

Nos paradigmes sont comme des lunettes. Avoir une perception incomplète de soi-même ou de la vie en général revient à porter des lunettes dont les verres correcteurs ne seraient pas adaptés à notre vue. Et cette correction altère la façon dont nous voyons tout le reste. Résultat : on s'imagine que le monde est tel qu'on le voit. Si tu es convaincu d'être un idiot, cette croyance fera justement de toi un idiot. Si tu es convaincu que ta sœur est une idiote, tu rechercheras des preuves pour étayer cette croyance, tu les trouveras, et à tes yeux, ta sœur restera toujours une idiote. Inversement, si tu te vois comme quelqu'un d'intelligent, cette conviction sera bénéfique à tout ce que tu feras.

Une adolescente nommée Karène m'a confié son amour pour la beauté de la montagne. Un jour, elle est allée voir son médecin ophtalmologiste et a été très étonnée de constater que sa vue était nettement plus altérée qu'elle n'aurait pu le croire. En mettant ses nouvelles lentilles de contact, elle a été éberluée de la netteté avec laquelle elle voyait soudain les choses. « J'ai réalisé à quel point la montagne, les arbres, et même les panneaux de signalisation sur le bas-côté de la route étaient pleins de détails, beaucoup plus que je ne l'avais imaginé. Une impression très étrange. Je n'ai saisi à quel point ma vue était faible que le jour où j'ai concrètement éprouvé la réalité d'une vision claire. » C'est le cas très souvent. Nous regardons le monde à travers des paradigmes tellement faussés que nous n'avons pas idée de ce que nous ratons.

La perception que nous avons de nous-même, des autres, et de la vie en général est assujettie à nos paradigmes. Examinons-les un à un.

⬡ PARADIGMES MODIFIANT NOTRE PERCEPTION DE NOUS-MÊME

Arrête-toi — là, tout de suite — et réfléchis à la question suivante : les paradigmes à travers lesquels tu te perçois t'aident-ils à avancer, ou sont-ils un frein?

Quand Rebecca, ma femme, était en première au lycée de Madison, dans l'Idaho, un formulaire de candidature pour participer à l'élection de Miss Idaho a circulé dans les rangs de sa classe. Comme beaucoup d'autres filles, Rebecca s'est inscrite. Linda, qui était assise à côté de Rebecca, a fait passer la feuille sans signer.

« *Signe, Linda* », *a insisté Rebecca.*

« *Non merci. Pas question.* »

« *Allez. Ça va être rigolo.* »

« *Non, laisse tomber. J'ai pas le profil.* »

« *Évidemment que si. Tu serais même géniale!* », *a scandé Rebecca.*

Rebecca et d'autres ont continué d'insister jusqu'à ce que Linda accepte finalement de s'inscrire.

À l'époque, Rebecca n'a pas prêté grande attention à cet événement. Sept ans plus tard, elle a pourtant reçu une lettre dans laquelle Linda lui décrivait la lutte intérieure qu'elle avait dû mener ce jour-là, et remerciait Rebecca d'avoir fait jaillir l'étincelle qui allait l'aider à transformer sa vie. Linda expliquait que pendant toutes ses années de lycée, elle se faisait une idée déplorable d'elle-même, et que le fait que Rebecca ait pu voir en elle une candidate potentielle pour un événement pareil avait été un choc. Et que c'est uniquement pour se soustraire à la pression qu'exerçaient sur elle Rebecca et les autres qu'elle avait finalement accepté de signer.

Linda précisait que l'idée de devoir prendre part à cet événement lui était si pénible que, dès le lendemain, elle avait pris contact avec le responsable pour exiger que son nom soit rayé des listes. Mais, comme Rebecca, le directeur avait insisté pour que Linda prenne part à l'événement.

Et Linda avait accepté à contrecœur.

Mais cela avait suffi. En osant participer à un événement qui exigeait qu'elle donne le meilleur d'elle-même, Linda a commencé à se voir sous un éclairage nouveau. Dans sa lettre, elle remerciait Rebecca du fond du cœur pour, en substance, lui avoir retiré ses lunettes à verres déformants, pour les avoir jetées à terre et brisées, et avoir tenu à lui en faire essayer une nouvelle paire.

Linda notait que bien que n'ayant décroché ni titre ni prix, elle avait surmonté un obstacle bien plus gros encore : sa piètre estime de soi. Quelques années plus tard, suivant l'exemple de leur grande sœur, ses deux cadettes de présentèrent à leur tour. C'est devenu le grand truc de la famille.

L'année suivante, Linda a été nommée représentante des élèves, et Rebecca raconte qu'elle a développé une personnalité ouverte et enjouée.

Linda avait fait l'expérience de ce qu'on appelle un changement de paradigme. En clair, cela signifie que soudain, on porte un regard neuf sur les choses, comme si on venait d'enfiler une paire de lunettes toute neuve.

De même que les paradigmes négatifs sur soi-même peuvent enfermer dans des limites, les paradigmes positifs peuvent faire ressortir le meilleur de nous-même. Cette histoire du fils de Louis XVI, roi de France, l'illustre bien :

Le roi Louis XVI avait été destitué de son trône, et mis sous les verrous. Son jeune fils, le prince, fut enlevé par ceux qui avaient renversé le roi. Ils partaient du principe qu'en détruisant moralement le fils du roi, héritier naturel de la couronne, celui-ci n'accomplirait jamais le destin noble et supérieur auquel la vie le destinait.

Assigné à résidence à l'écart, le garçon se vit exposé à toutes les dépravations et turpitudes possibles et imaginables. Des mets d'une délicatesse infinie lui étaient présentés, dans l'espoir de le rendre esclave de son appétit. On ne s'exprimait devant lui qu'au moyen d'un langage ordurier. Des femmes lubriques s'offraient lascivement à lui. On flattait ses plus bas instincts, l'incitant à se comporter de façon déloyale. Vingt-quatre heures sur vingt-quatre, il infusait dans un environnement capable de précipiter la plus noble des âmes dans l'enfer de la luxure. Il fut soumis à ce traitement pendant plus de six mois; mais à aucun moment le jeune garçon ne fléchit sous la pression. Après avoir résisté aux pires des tentations, il fut finalement passé à la question. Pourquoi ne s'était-il pas abandonné à toutes ces choses — pourquoi n'avait-il pas cédé ? Elles étaient pourtant de nature à lui procurer du plaisir, à satisfaire ses appétences. C'étaient des choses désirables. Il lui aurait suffi de tendre de la main pour les faire siennes. « Messires, je ne saurais faire ce que vous me demandez, car je suis né pour être roi », dit le garçon.

Le prince Louis s'était tant et si bien imprégné de ce paradigme de lui-même que rien n'était parvenu à l'ébranler. De la même façon, quand on avance dans la vie en regardant à travers des lunettes qui nous disent « Je peux le faire » ou « Je pèse dans la balance », cette conviction imprime sa dynamique positive sur toute chose.

À ce stade, tu te demandes peut-être : « Si mes paradigmes me faussent complètement la perception que j'ai de moi-même, comment faire pour la rectifier ? » Une des techniques possibles consiste à passer du temps avec quelqu'un qui croit en toi, et qui t'insufflera des forces. En ce qui me concerne, cette personne a été ma

mère. Ma mère a toujours cru en moi, tout au long de ma croissance, et notamment aux moments où j'ai pu perdre confiance en moi.
Elle m'a toujours dit des trucs du genre : « Évidemment, Sean, que
tu devrais te présenter pour être représentant des élèves », ou
« Donne-lui donc rendez-vous, à cette fille. Je suis sûre qu'elle
meurt d'envie de sortir avec toi ». Chaque fois que j'avais besoin
d'être remonté, j'allais parler à ma mère, et elle me nettoyait mes
lunettes.

Pose la question à n'importe quelle personne qui a réussi, et la
plupart te diront qu'il y a eu quelqu'un pour croire en eux… un
professeur, un ami, un parent, un éducateur, une sœur, une grand-
mère. Une seule personne suffit, et cette personne peut être quasiment n'importe qui. N'aie pas peur de t'appuyer sur cette personne et de te nourrir de ses conseils. Va la trouver pour lui demander
son avis. Essaie de porter sur toi-même le même regard que cette
personne porte sur toi. C'est fou la différence que peut faire une
nouvelle paire de lunettes! Comme quelqu'un l'a dit un jour : « Si
seulement tu pouvais te visualiser tel que Dieu te voit, tu te lève-
rais et tu serais transformé pour toujours. »

Il y a des moments où l'on n'a pas forcément quelqu'un sur qui
s'appuyer, et où il faut se débrouiller par soi-même. Si tel est ton
cas, porte une attention toute particulière au chapitre qui va suivre.
Tu y trouveras des outils pratiques permettant de renforcer l'image de soi.

⊛ PARADIGMES MODIFIANT NOTRE PERCEPTION DES AUTRES

Il n'y a pas que la perception qu'on a de nous-même qui est asser-
vie à nos paradigmes, il y a également celle qu'on a des autres. Et
là encore, on peut gravement se mettre le doigt dans l'œil. Pour
comprendre le comportement des autres, il est parfois nécessaire
de considérer les choses sous un angle différent :

Babette m'a raconté son changement de paradigme à elle :

*Au lycée, en première, j'avais une copine qui s'appelait Corinne.
Au fond, c'était quelqu'un de gentil, mais plus les mois passaient,
plus on avait de mal à la supporter. Elle faisait la gueule pour un rien
et souvent, elle avait le sentiment d'être exclue. Elle était mal lunée,
limite insupportable. À tel point que mes copines et moi, on l'a de
moins en moins appelée. Jusqu'au jour où on ne l'a plus invitée du
tout.*

Cet été-là, je suis partie pendant une bonne partie des vacances. À mon retour, j'ai tchatché avec une bonne copine pour faire le point sur les dernières news. Elle m'a raconté tous les cancans, les différents plans love — qui sortait avec qui et tout ça — quand tout à coup elle me sort : « Au fait, tu es au parfum pour Corinne? C'est pas cool pour elle en ce moment. Ses parents sont en plein divorce et ça se passe pas très bien. Elle en prend plein la gueule. »

Quand j'ai entendu ça, boum! J'ai vu les choses sous un tout autre angle. Moi qui trouvais Corinne franchement pénible, là, je trouvais mon attitude à moi carrément minable. J'avais le sentiment de l'avoir lâchée juste au moment où elle aurait eu besoin de moi. Il a suffi d'un tout petit élément d'information pour que je change radicalement d'attitude à son égard. On peut dire que cette expérience m'a ouvert les yeux.

Dire qu'il a suffi d'un tout petit supplément d'information pour transformer le paradigme de Babette! On juge trop souvent les gens sans connaître réellement les faits.

Monica a vécu une expérience similaire :

J'habitais le Sud, et j'avais plein d'amis. Et comme j'avais plein d'amis, je ne faisais aucun effort pour aller vers les autres; je me disais que les nouveaux qui débarquaient étaient assez grands pour se trouver des amis tout seuls. Un jour, j'ai déménagé et je me suis retrouvée moi-même « la nouvelle ». J'aurais aimé que quelqu'un s'intéresse à moi et m'invite à me joindre à son groupe d'amis. Aujourd'hui, je vois les choses d'un œil complètement différent. Se retrouver sans aucun ami, je sais ce que ça veut dire.

On peut penser qu'à l'avenir, Monica aura un peu plus d'égards pour les nouveaux, tu ne crois pas? Voir les choses à la lumière d'un nouvel éclairage peut radicalement modifier notre comportement envers les autres.

FRANK & ERNEST ® by Bob Thaves

L'anecdote suivante, relevée dans le *Reader's Digest* (et rapportée par Dan P. Greyling) est un parfait exemple de changement de paradigme :

Sur le point de rentrer en Afrique du Sud après un long séjour en Europe, une de mes amies s'est retrouvée à l'aéroport de Heathrow, à Londres, plutôt en avance. Elle se paie une tasse de café et un petit paquet de cookies, et, croulant sous des tonnes de bagages, rejoint en vacillant une table libre. C'est là que, plongée dans son journal, elle prend conscience d'une présence et d'un bruissement à sa table. De derrière son journal, elle réalise avec stupéfaction qu'un jeune homme élégant est en train de se servir dans ses cookies. Comme elle n'a pas envie de faire un esclandre, elle se penche et se sert un cookie à son tour. Environ une minute se passe. Nouveau froissement. Le type était en train de s'en servir un autre.

Arrivés au dernier biscuit du paquet, elle est folle de rage, mais n'arrive pas à se résoudre à parler. Le jeune homme coupe alors le dernier biscuit en deux, lui en fait glisser une moitié, mange la seconde, et s'en va.

Quand, un moment plus tard, l'appel invitant les voyageurs à se présenter à l'embarquement retentit dans les haut-parleurs, elle fulminait encore. Alors imaginez son embarras quand elle a ouvert son sac et qu'elle est tombé sur son paquet de cookies. C'est elle qui avait mangé les siens.

Note les sentiments de cette femme envers le jeune homme élégant avant le retournement de situation : « Quel mal élevé, ce garçon! Quel sans-gêne! »

Imagine ses sentiments juste après : « Je suis confuse! Et lui qui partage son dernier biscuit avec moi. C'est franchement adorable! »

Tout cela pour dire quoi? Simplement ceci. Nous percevons les choses à travers des paradigmes souvent incomplets, inexacts, voire complètement faussés. Par conséquent, évitons de trop vite porter un jugement, coller une étiquette, ou concevoir une opinion trop rigide des autres ou de nous-même. De notre point de vue limité, nous avons rarement une vision globale des choses, et détenons rarement la connaissance de la totalité des faits.

J'ajoute que nous devrions nous ouvrir l'esprit et le cœur à de nouvelles informations, à de nouvelles idées et à de nouveaux points de vue, et être prêts à modifier nos paradigmes quand il devient clair qu'ils sont erronés.

Mais il y a plus important encore. Il est évident que si nous voulons opérer une transformation radicale de notre vie, il est indispensable de revoir nos paradigmes, c'est-à-dire de changer les verres des lunettes à travers lesquelles nous percevons le monde. C'est la clé de tout. Change d'optique, et tout le reste suivra.

Examine les choses attentivement, et tu t'apercevras que la plupart de tes problèmes (relations avec les autres, image de soi-même, attitude) découlent d'un ou deux paradigmes foireux. Si par exemple le courant passe mal entre, disons, ton père et toi, la raison en est sans doute que chacun a de l'autre un paradigme faussé. Toi, tu le vois peut-être comme quelqu'un de complètement dépassé; et lui, de son côté, te voit peut-être comme un sale gosse trop gâté et ingrat. De fait, on peut penser que vos paradigmes à tous les deux sont incomplets, et qu'ils vous empêchent de réellement communiquer.

Comme tu vas t'en apercevoir, ce livre va mettre en question un certain nombre de tes paradigmes et t'aidera, je l'espère, à en définir de nouveaux, plus pertinents et mieux informés. Alors tiens-toi prêt.

● PARADIGMES MODIFIANT NOTRE PERCEPTION DE LA VIE EN GÉNÉRAL

Non contents de fausser la perception que nous avons de nous-même et des autres, nos paradigmes affectent également notre vision du monde en général. Pour connaître la nature du nôtre, il suffit en général de se poser les questions suivantes : « Qu'est-ce qui me pousse à avancer, dans la vie? », « À quoi est-ce que je pense, la plupart du temps? », « Sur qui, ou sur quoi, est-ce que je fais une fixation? » Ce qui compte le plus pour nous dans la vie devient notre paradigme, autrement dit, nos lunettes ou, comme je dis souvent, notre axe de vie. Parmi les axes de vie les plus courants chez les ados figurent les amis, les objets personnels, le petit copain ou la petite copine, la scolarité, les parents, le sport / les hobbies, les stars, les ennemis, soi-même et le travail. Chacun d'entre eux présente des points positifs mais, d'une façon ou d'une autre, tous sont incomplets. Et, comme je vais le montrer, ils ne feront que te perturber si tu t'alignes exclusivement sur eux. Heureusement, il reste un axe auquel on peut toujours se fier. Gardons-le pour plus tard.

Vie axée sur les amis

Rien ne vaut le sentiment d'appartenir à un super groupe d'amis, et rien n'est pire que de se sentir exclu. Cela dit, les amis, c'est important, mais évite d'axer ta vie sur eux. Pourquoi?
Parce que, vois-tu, il y en a des inconstants. Parfois même des bidon. Certains cassent du sucre sur le dos, ou lient de nouvelles amitiés et oublient la nôtre. Certains sont lunatiques. D'autres déménagent.

En plus, bâtir son identité sur ses amis, sur le fait d'être bien accepté, et sur la cote de popularité dont on jouit auprès d'eux amène rapidement à faire des compromis sur nos propres valeurs, voire même à en changer chaque week-end, histoire de plaire aux uns ou aux autres.

Crois-le ou non mais un jour, tes amis ne seront plus ce qu'il y a de plus important dans ta vie. Quand j'étais au lycée, nous formions un groupe d'amis fabuleux. On faisait tout ensemble — nager dans des canaux interdits, s'empiffrer à des buffets à volonté, faire du ski nautique en pleine nuit, filer rencard aux copines des potes… tout, quoi. On s'adorait. Pour moi, c'était clair : notre amitié durerait toujours.

Et pourtant, une fois que j'ai passé mon bac et que j'ai déménagé, j'ai été sidéré de constater qu'on se voyait très peu. On habite loin les uns des autres, et nos nouvelles relations, notre travail et nos familles nous accaparent. Ado, jamais je n'aurais pu imaginer ça.

Fais-toi autant d'amis que tu veux, mais ne fais pas de tes amis une base sur laquelle construire ta vie. C'est une fondation instable.

Vie axée sur les biens matériels

Il nous arrive de regarder le monde à travers la lunette de nos possessions, autrement dit de nos biens matériels. On vit dans un monde matériel qui nous enseigne que « plus on accumule de jouets, plus on marque de points ». Il nous faut la voiture la plus rapide, les vêtements les plus classe, la dernière chaîne stéréo, la coupe de cheveux la plus tendance, et mille *choses* censées nous apporter le bonheur. Les possessions peuvent également prendre la forme de titres ou d'accomplissements : décrocher le rôle principal dans une pièce ou se faire élire Miss Quelquechose, par exemple, ou encore être nommé major de sa promotion, représentant des étudiants, rédacteur en chef ou meilleur joueur de son équipe.

Il n'y a pas de mal à multiplier les accomplissements ni à retirer du plaisir de nos biens matériels, mais il faut se garder d'axer sa vie sur des *choses*, lesquelles n'ont en soi aucune valeur durable. C'est non pas à l'*extérieur*, mais à l'*intérieur* de soi-même qu'il faut puiser la confiance ; dans la *qualité* de notre cœur, et non dans la *quantité* des choses que l'on possède. Car après tout, on a beau accumuler des possessions toute sa vie et mourir entouré de milliers de jouets... on n'en meurt pas moins.

Un jour, j'ai rencontré une fille qui portait toujours des habits sublimes et hors de prix. Je n'avais jamais vu ça. On la voyait rarement deux fois dans la même tenue. Après avoir fait un peu mieux sa connaissance, j'ai compris que dans une large mesure, elle puisait son assurance dans sa penderie, et qu'elle souffrait de ce que j'appelle le syndrome du yoyo. Elle semblait incapable de discuter avec une autre fille sans la détailler des pieds à la tête pour vérifier si le look de l'autre ne lui faisait pas trop d'ombre, et le plus souvent, cela ne faisait que renforcer son complexe de supériorité. Sa vie entière était axée sur les biens matériels. Moi, ça m'a carrément fait fuir.

Un jour, j'ai lu un proverbe beaucoup plus éloquent que moi sur le sujet : « Si je suis ce que j'ai, et que ce que j'ai, je le perds, alors qui suis-je ? »

Vie axée sur le petit copain (la petite copine)

De tous les pièges, c'est peut-être celui dans lequel on a le plus vite fait de tomber. C'est vrai quoi, qui n'a pas axé sa vie sur son petit copain ou sa petite copine, à un moment ou à un autre ?

Imaginons que William axe sa vie autour de sa copine, Naima. Maintenant, observons l'instabilité que cela induit chez William.

NAIMA AGIT	WILLIAM RÉAGIT
Fait un commentaire grossier :	*« Ma journée est foutue. »*
Flirte avec le meilleur ami de William :	*« Trahison ! Je hais mon pote. »*
« Je crois qu'on ferait mieux de sortir chacun de notre côté » :	*« Ma vie est foutue. Tu ne m'aimes plus. »*

Le plus drôle dans tout ça, c'est que plus on axe sa vie sur une personne, plus on fait fuir cette personne. Comment est-ce possible ? Eh bien, pour commencer, dès lors qu'on bloque sur quelqu'un, on devient d'un accès trop facile. Deuxièmement, l'idée que quelqu'un puisse baser son équilibre psychologique sur nous est irritante. Dans la mesure où cette personne puise son assurance non pas en elle-même, mais en nous, elle éprouve le besoin constant d'être rassurée sur la nature de la relation, et c'est assommant.

> Si je suis
> ce que j'ai,
> et que ce que
> j'ai, je le perds,
> alors qui suis-je ?
>
> ANONYME

Quand j'ai commencé à sortir avec celle qui allait devenir ma femme, un des trucs qui m'attirait le plus, c'est qu'elle n'axait pas sa vie sur moi. Je n'oublierai jamais le jour où elle a décliné (poliment, mais sans s'excuser) un rendez-vous sur lequel je misais beaucoup. J'ai adoré ! Égale à elle-même, elle était animée de sa propre force intérieure. Ses humeurs n'étaient pas suspendues aux miennes.

Dans un couple, quand les partenaires axent leur vie l'un sur l'autre, on le remarque généralement tout de suite, car ils passent leur temps à se quitter et à se remettre ensemble. Leur relation a beau s'être détériorée, leur vie émotionnelle et leur identité sont si enchevêtrées qu'ils n'arrivent jamais à véritablement couper le cordon.

Crois-moi, tu feras une meilleure petite copine ou un meilleur petit copain si tu n'axes pas ta vie sur celle de ton partenaire. L'indépendance plaît beaucoup plus que la dépendance. D'ailleurs, axer sa vie sur quelqu'un ne signifie pas qu'on l'aime, mais qu'on dépend de lui.

SARAH, T'EN AS PAS MARRE, DE TOUJOURS BLOQUER SUR LE MÊME AXE ?

Aie autant de petites copines ou de petits copains qu'il te plaira mais simplement, ne va pas bloquer sur eux, ou axer ta vie sur la leur, car, à quelques rares exceptions près, ces relations-là sont à peu près aussi stables qu'un yo-yo.

Vie axée sur la scolarité

Les ados qui axent leur vie sur leur scolarité sont plus nombreux qu'on ne pourrait le penser. Lisa, une jeune Canadienne, regrette d'avoir fait une fixation sur l'école pendant si longtemps :

J'étais tellement rongée par l'ambition et tellement polarisée sur ma scolarité que j'en ai oublié de profiter de ma jeunesse. C'était non seulement malsain, mais en plus, très égoïste, car je ne m'intéressais qu'à une seule chose : à moi et à ma réussite.

En sixième, je travaillais déjà aussi dur que si j'avais été étudiante à la fac. Je m'étais mis dans la tête de devenir chirurgien spécialisé dans les interventions sur le cerveau, simplement parce que c'était le truc le plus difficile que j'avais pu trouver. Pour y arriver, je me levais à six heures tous les matins, je fonçais au lycée, et je m'astreignais à travailler jusqu'à deux heures du matin. Sinon, pas question de me coucher.

J'avais l'impression de le devoir à mes professeurs et à mon entourage. Quand je n'obtenais pas la note maximum, ils étaient très surpris. Mes parents m'ont incité à lever le pied, mais je plaçais la barre aussi haut que mes profs et que mon entourage.

Je réalise aujourd'hui que j'aurais pu atteindre mon but sans en faire autant, et même en y prenant plaisir.

S'instruire est crucial pour notre avenir et doit figurer en tête de nos priorités. Mais il faut rester vigilant et veiller à ce que la course aux tableaux d'honneur et aux mentions ne régente pas notre vie. Souvent, les ados qui axent leur vie sur la scolarité font une telle fixation sur leur bulletin qu'ils en oublient la vocation première de l'école, c'est l'enseignement. Or, des milliers d'ados l'ont prouvé, il est parfaitement possible d'obtenir de très bons résultats scolaires tout en menant une vie saine et équilibrée.

Dieu merci, la valeur d'un être humain ne se mesure pas à l'aune de ses résultats scolaires.

Vie axée sur les parents

Tes parents constituent ta plus noble source d'amour et de conseils et tu leur dois le respect. Tu dois aussi leur faire honneur. Mais axer ta vie sur eux et ne vivre que pour les satisfaire, au détriment de tout le reste, peut devenir un réel cauchemar. (Ne va pas raconter à tes parents que j'écris des trucs pareils ou ils seraient capables de te confisquer ce livre... Je plaisante!). Lis ce qui est arrivé à cette jeune fille de Montpellier :

J'ai travaillé comme une folle pendant tout le trimestre. Mes parents allaient être comblés, c'était clair : six 18 et un 16 et demi. Mais dans leurs yeux, je n'ai vu que de la déception. La seule chose qui les intéressait, c'était pourquoi le 16 et demi n'était pas un 17. J'en avais les larmes aux yeux. Mais qu'est-ce qu'il leur fallait, bon sang ?

J'étais en seconde et, les deux années qui ont suivi, j'ai tout fait pour qu'ils soient fiers de moi. J'ai joué au basket en espérant qu'ils seraient fiers de moi; ils ne sont pas venus voir un seul match. Chaque trimestre, j'avais une des meilleures moyennes de la classe. Mais ça n'était pas encore assez; à la longue, les 18 et les 19, ça n'impressionnait plus personne. J'avais envie de m'orienter vers une carrière d'enseignante, et donc de faire une fac, mais comme c'est une filière qui ne paye pas trop, mes parents se sont dit que je ferais mieux de bifurquer, ce que j'ai fait.

EUH, CHÉRIE... FAUT VRAIMENT QUE JE PARTE AU BOULOT, LÀ.

Avant de prendre une décision, n'importe laquelle, je me posais trente six mille questions : « Qu'est-ce que ma mère et mon père voudraient que je fasse ? », « Est-ce qu'ils vont être fiers de moi ? », « Est-ce qu'ils m'aimeront toujours ? » Mais quoi que je fasse, ça n'allait jamais. Ma vie était axée sur des objectifs et des espérances que mes parents estimaient justes, et sur rien d'autre. Et moi, ça ne me convenait pas. Ça faisait tellement longtemps que je vivais à travers les attentes de mes parents que je ne maîtrisais plus rien. Je me sentais incapable, inutile et dérisoire.

Finalement, j'ai compris que j'aurais beaucoup de mal à trouver grâce à leurs yeux, et c'est devenu clair : soit je redressais le cap rapidement, soit j'allais finir par m'auto-détruire. Il fallait que j'aligne ma vie sur un axe éternel, immuable, et vrai; un axe qui ne crie pas, qui ne désapprouve pas, et qui ni ne critique pas. Alors j'ai commencé à vivre ma vie, en me basant sur des principes qui me paraissaient susceptibles de pouvoir me rendre heureuse : être intègre (face à mes parents et face à moi-même), avoir foi dans la perspective d'une vie plus heureuse, avoir confiance dans l'avenir, et croire en ma propre valeur en temps qu'être humain. Au début, pour faire croire que j'étais forte, j'ai un peu dû jouer la comédie. Mais à la longue, je le suis effectivement devenue.

Finalement, j'ai fini par m'affranchir et j'ai eu une sérieuse explication avec mes parents. Ça les a obligés à me voir telle que j'étais réellement, et ils m'ont aimée comme ça. Ils se sont excusés pour m'avoir tant mis la pression et m'ont fait part de leur amour. Il a fallu que j'attende l'âge de dix-huit ans pour entendre mon père me dire « Je t'aime », mais ces mots sont les plus doux que j'aie jamais entendus, et l'attente en valait largement la peine. Je prends toujours en ligne de compte ce que peuvent penser mes parents, et leur point de vue pèse toujours dans la balance, mais maintenant, j'assume tous mes choix et tous mes actes. Et avant de vouloir satisfaire quiconque, je m'efforce de me satisfaire moi-même.

Autres axes possibles

On pourrait continuer à énumérer à l'infini la liste des axes de vie possibles. Un autre grand classique, c'est la *vie axée sur le sport ou le hobby.* Combien d'ados ont axé leur vie sur le sport et construit toute leur identité sur la perspective de mener une brillante carrière de pro, pour se voir obligé d'y mettre un terme brusque et définitif à la suite d'une blessure? On voit ça tout le temps. L'infortuné est alors obligé de tout recommencer à zéro. Même remarque s'agissant des passe-temps et centres d'intérêts divers : danse, groupes de discussion, comédie, musique ou cercles divers, pour ne citer que ceux-là.

Et que penser d'une *vie axée sur les stars*? Si tu axes ta vie sur celle d'une star du rock ou d'une vedette de cinéma, d'un grand sportif, ou d'un politicien puissant, que va-t-il se passer si cette personne meurt, fait quelque chose de vraiment stupide, ou finit derrière les barreaux? Qu'est-ce que tu deviens?

Une *vie axée sur les ennemis* se nourrit de la haine d'un groupe, d'un individu ou d'une idée, un peu comme le Capitaine Crochet dont l'existence tout entière ne reposait que sur la haine de Peter Pan. C'est là un phénomène qui existe, et qui est courant entre bandes rivales ou dans le cadre de divorces amers. Bonjour l'axe de vie tordu!

Vivre une *vie axée sur le travail* est une maladie qui affecte plutôt les adultes mais que l'on diagnostique parfois chez certains ados. Le mobile de l'« accro au travail » est généralement un besoin compulsif d'accumuler des possessions telles qu'argent, voiture, position sociale, ou reconnaissance, lesquelles peuvent donner une satisfaction passagère mais jamais totale.

Autre axe de vie largement répandu : celui du nombril. Ceux qui vivent une *vie axée sur l'ego* se figurent que ce sont leurs humeurs et leurs problèmes qui conditionnent la marche du monde. Résultat : souvent, l'intéressé est tellement préoccupé par son propre état qu'il ou elle finit par être insensible à toute autre souffrance.

Comme tant d'autres, on le voit, ces multiples axes de vie ne fournissent pas la fondation stable dont, toi comme moi, nous avons tous besoin dans la vie. Je ne dis pas qu'on ne doit pas faire le maximum pour exceller dans telle ou telle discipline, danse ou discussion par exemple, ni donner le meilleur de soi-même pour développer la relation la plus harmonieuse possible avec ses parents ou avec ses amis. C'est même un devoir. Mais entre nourrir une passion pour quelque chose, et faire de cette passion la base sur laquelle on construit notre existence tout entière, il y a une limite. Et cette limite ne doit pas être franchie.

Vie axée sur les principes — *Respect total!*

Au cas où tu commencerais à en douter, il existe un axe de vie qui fonctionne très bien. Si, si. Lequel? (Roulement de tambour, plize.) Il s'agit de celui qui préside à une *vie axée sur les principes.* Les effets de la pesanteur, tu connais ça par cœur. Jette un ballon en l'air et il retombera. C'est ce qu'on appelle une loi naturelle, ou encore un « principe ». De même qu'il y a des principes qui gouvernent le monde physique, il y a des principes qui gouvernent le monde de l'Homme. Un principe n'est pas lié à une religion. Un principe n'est pas plus français que chinois. Il ne m'appartient pas plus qu'il ne t'appartient. On ne le met pas en question. Un principe s'applique de façon égale à tout le monde, riche ou pauvre, seigneur ou serf, homme ou femme. On ne peut ni l'acheter, ni le vendre. Vis selon tes principes, et tu excelleras. Transgresse-les, et tu échoueras (Hé! Ça rime!). C'est aussi simple que cela.

Voici quelques exemples : l'honnêteté est un principe. Le dévouement est un principe. L'amour est un principe. Travailler dur est un principe. Le respect, la gratitude, la modération, l'impartialité, l'intégrité, la loyauté et la responsabilité sont des principes. Et il y en existe des dizaines et des dizaines d'autres. Ils ne sont pas difficiles à identifier. De même que l'aiguille d'une boussole pointe toujours vers le nord, ton cœur reconnaîtra toujours les principes justes.

Prends par exemple le principe consistant à travailler dur. Quand on n'a pas payé le prix, on peut faire illusion pendant un temps, mais tôt ou tard on se fait rattraper.

Un jour, je me souviens avoir été invité à disputer un tournoi de golf avec mon entraîneur de foot de la fac. C'était un excellent golfeur. Tout le monde, à commencer par lui, s'attendait à ce que je sois un golfeur pointu moi aussi. Après tout, j'étais un sportif de niveau universitaire et un sportif de niveau universitaire est forcément une bête au golf, pas vrai? C'est cela, oui… Au golf, vois-tu, j'étais un gros nul. J'avais dû y jouer une ou deux fois dans ma vie, tout au plus, et c'est à peine si je savais tenir le club correctement. L'idée qu'on découvre mon degré de nullité sur un fairway me rendait fébrile. Surtout de la part de mon entraîneur. J'espérais donc arriver à leur faire croire que j'étais un bon. Un petit attroupement s'était formé autour du premier trou. J'étais le premier au départ. Pourquoi moi? Priant pour qu'un miracle se produise, je me suis mis à l'adresse.

Swooooooossssshhhhhh. Et ça l'a fait! Le miracle total! Incroyable mais vrai! J'avais frappé une balle longue, et elle avait atterri carrément au milieu du fairway.

Je me suis retourné vers la foule et j'ai souri, comme si c'était pour moi un coup normal. « Merci. Merci beaucoup. »

Je les avais tous dupés. Mais le plus dupe dans l'affaire, c'était moi, dans la mesure où la route était encore longue : il me restait encore dix-sept trous et demi à faire. De fait, cinq coups de plus ont suffi pour que tout le monde alentour, y compris mon entraîneur, réalise qu'au golf, j'étais un vrai bouffon. Très vite, mon entraîneur s'est retrouvé à devoir me montrer comment frapper la balle. J'étais démasqué. Ouille !

Impossible de feindre de savoir jouer au golf, accorder une guitare, ou parler l'hébreu quand on n'a pas payé le prix pour être bon. Il n'existe aucun raccourci. Travailler dur, c'est un principe. Comme dit le grand Larry Bird, de la NBA : « Si tu n'as pas fait tes devoirs, oublie les tirs au panier. »

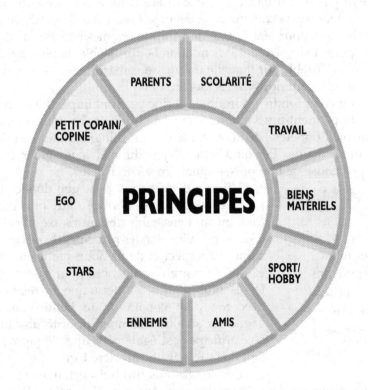

On n'est jamais trahi par les principes

Vivre selon des principes demande de garder la foi, surtout lorsqu'autour de soi, on voit des gens mentir, tricher, se laisser aller, manipuler, et ne penser qu'à eux-mêmes pour avancer. Ce qu'on ne voit pas, en revanche, c'est que *tôt ou tard*, ceux qui transgressent les principes le payent.

Prenons le principe d'honnêteté. Quand on est un gros menteur, on peut arriver à s'en sortir pendant un temps, et même pendant quelques années. Mais on serait bien en peine de trouver un menteur qui ait connu le succès sur le *long terme*. Comme le faisait observer Cecil B. DeMille à propos de son film *Les Dix Commandements* : « Il nous est impossible de briser la loi. Nous ne pouvons que nous briser contre elle. »

Contrairement aux autres axes examinés précédemment, les principes ne nous trahissent jamais. Nos principes ne parlent jamais dans notre dos. Ils ne nous laissent jamais tomber. Ils ne mettent jamais un terme à leur carrière suite à une blessure. Ils n'exploitent pas la couleur de la peau, le sexe, l'état de santé, ou la morphologie pour établir une discrimination. Baser sa vie sur des principes est simplement la fondation la plus stable, la plus solide et la plus durable sur laquelle on puisse construire, et c'est précisément cela dont nous avons tous besoin.

Pour comprendre pourquoi les principes sont imparables, imagine simplement une vie fondée sur leurs parfaits contraires : une vie de malhonnêteté, de fainéantise, d'abus, d'ingratitude, d'égoïsme, et de haine. Personnellement, j'ai du mal à imaginer que quelque chose de bon puisse jamais en sortir. Pas toi ?

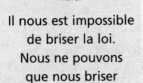

Il nous est impossible de briser la loi. Nous ne pouvons que nous briser contre elle.

CECIL B. DeMILLE,
RÉALISATEUR

L'ironie de la chose, c'est que donner la priorité aux principes permet d'être plus performant sur l'ensemble des autres axes de vie. C'est la clé. Vis selon les principes du dévouement, du respect et de l'amour, par exemple, et il y a de grandes chances pour que tu te fasses plus d'amis, et pour que ta relation avec ton petit copain ou ta petite copine gagne en stabilité. Donner priorité absolue aux principes est également une clé permettant de se forger un caractère fort.

Décide dès aujourd'hui de fonder ta vie sur tes principes. Fais de tes principes ton paradigme. Quelle que soit la situation dans laquelle tu te trouves, pose-toi la question : « Quel est le principe en jeu, là ? » Quelle que soit la nature du problème, recherche le principe susceptible de le résoudre.

Si tu as l'impression que la vie ne te fait pas de cadeau et que tu es au bout du rouleau, essaie le principe d'*équilibre*.

Si tu as le sentiment que personne ne te fait confiance, le principe d'*honnêteté* est peut-être ce qu'il te faut.

Dans cette histoire signée Walter MacPeek, le principe en jeu est le principe de *loyauté* :

Deux frères combattaient en France dans la même compagnie quand l'un deux tomba sous les balles allemandes. Celui qui en réchappa demanda à son officier la permission d'aller récupérer son frère.

« Il est probablement mort, dit l'officier ; Je ne vois pas l'intérêt d'aller risquer ta vie pour ramener son corps. »

Mais au terme d'une plaidoirie qui dura un moment, l'officier céda. Au moment précis où le soldat regagnait les lignes avec son frère sur le dos, le blessé rendit son dernier soupir.

« Tu vois, dit l'officier, tu as risqué ta vie pour rien. »

« Non, répondit Tom. J'ai fait ce qu'il attendait de moi, et j'en ai été récompensé. Quand j'ai rampé jusqu'à lui et que je l'ai pris dans mes bras, il m'a dit : Je savais que tu viendrais, Tom. Je le savais. »

Dans les chapitres qui vont suivre, tu vas découvrir que chacune des 7 Habitudes repose sur un ou deux principes de base. C'est en eux qu'elles puisent leur énergie.

En un mot comme en cent : *Respect aux principes!*

★ ★ ★

PROCHAIN ÉPISODE

Tout de suite, nous allons examiner comment devenir riche,
d'une façon que tu n'as sans doute jamais envisagée. Alors continue!

UN MOT SUR LES « PAS DE FOURMI » Un de nos films préférés, à la maison, c'est *Quoi de neuf, Bob?* avec Bill Murray et Richard Dreyfuss. C'est l'histoire d'un type à problèmes bourré de phobies, immature et qui a un pois-chiche à la place du cerveau. Une limace totale. Il s'attache au Dr Marvin, un psychiatre de renom qui n'a qu'une idée en tête, c'est de se débarrasser de lui, et qui finit par lui offrir un livre qu'il a écrit, intitulé *Baby Steps*. Approximativement : *Pas de Fourmi*. Il lui explique que le meilleur moyen de résoudre ses problèmes et d'atteindre ses objectifs, c'est non pas de mettre les bouchées doubles, mais d'y aller étape par étape, à « pas de fourmi ». Pour Bob, c'est le bonheur! Parcourir le chemin séparant le cabinet du Dr Marvin de son propre domicile, une tâche jusque-là éreintante, devient pour Bob une formalité. Il n'a plus qu'à sortir « pas à pas » du cabinet, puis à se rendre « pas à pas » jusqu'à l'ascenseur, et ainsi de suite.

Donc, à la fin de chaque chapitre, je te donnerai quelques « Pas de fourmis » : des petits pas de rien du tout, faciles, qui te permettront de mettre en pratique immédiatement ce que tu viens de lire. On va d'ailleurs commencer là, tout de suite. Bien que modestes, ces pas de fourmi peuvent devenir des outils puissants pour t'aider à atteindre des objectifs plus ambitieux. Alors vas-y, règle ton pas sur celui de Bob (sacré Bob; on finit par l'adopter, une fois qu'on a accepté ses plans Jo l'Incruste), et fais tes pas de fourmi.

PAS DE FOURMI

1 La prochaine fois que tu te regarderas dans la glace, fais un commentaire positif sur toi-même.

2 Aujourd'hui, intéresse-toi au point de vue d'un autre. Sors un truc du genre : « Hé, pas idiot, ça ! »

3 Pense à un paradigme qui limite la perception que tu as de toi-même, comme par exemple : « Je suis renfermé. » Et aujourd'hui, fais quelque chose qui soit en totale contradiction avec ce paradigme.

4 Pense à un être cher de ta famille, ou à un ami proche, qui s'est récemment comporté de façon inhabituelle. Essaie de comprendre ce qui a pu motiver un tel comportement.

5 Quand tu n'as rien à faire, qu'est-ce qui occupe tes pensées ? Souviens-toi que ce qui est le plus important pour toi (quelle que soit la nature de cette chose) devient ton paradigme, ou l'axe sur lequel tu alignes ta vie.

Qu'est-ce qui occupe mon temps et absorbe mon énergie ?

6 Respect à la Règle d'Or ! Commence dès aujourd'hui à traiter les autres comme tu voudrais qu'ils te traitent. Ne sois pas impatient(e), ne te plains pas des restes, ne casse du sucre sur le dos de personne, sauf si tu souhaites subir le même traitement.

7 Dès que possible, trouve un endroit calme où tu pourras t'isoler. Et réfléchis à ce qui compte le plus pour toi.

8 Écoute attentivement les paroles des chansons que tu écoutes le plus souvent. Demande-toi si elles sont en harmonie avec les principes dans lesquels tu crois.

9 Ce soir, en participant aux tâches de la maison ou au travail, essaie le principe du travail dur. Mets le turbo et fais-en plus que ce qu'on te demande.

10 La prochaine fois que tu te retrouves dans une situation délicate et que tu ne sais pas quoi faire, demande-toi : « Quel est le principe que je pourrais appliquer ici ? » (Ex : honnêteté, amour, loyauté, travail dur, ou patience). Maintenant, applique ce principe et ne reviens pas en arrière.

DEUXIÈME PARTIE

La Victoire privée

Le Compte-Épargne personnel
Commence par te regarder dans un miroir

Habitude n° 1 : Sois proactif
La Force, c'est moi

Habitude n° 2 : Sache dès le départ où tu veux aller
Prends ton destin en main, ou d'autres s'en chargeront à ta place

Habitude n° 3 : Priorité aux priorités
Il y a ceux qui décident, et ceux qui subissent

Le Compte-
Épargne
Personnel

COMMENCE PAR TE REGARDER DANS UN MIROIR

Avant de pouvoir remporter la moindre victoire dans les domaines publics de la vie, tu devras d'abord sortir victorieux de tes propres combats intérieurs. On ne peut espérer de changement nulle part ni chez personne sans d'abord s'être transformé soi-même. Je n'oublierai jamais comment j'ai appris cette leçon.

« Qu'est-ce qui t'arrive ? Tu me déçois beaucoup. Où est passé le Sean que j'ai connu au lycée ? », m'a jeté mon entraîneur avec un regard furieux. « Tu es sûr d'avoir envie de jouer, au moins ? »

J'étais en état de choc. « Bien sûr que j'aie envie de jouer. »

« N'importe quoi ! Tu es ailleurs, le cœur n'y est pas. Bouge-toi, mec, ou alors les jeunes quarterbacks te passeront devant et tu ne joueras jamais ici ! »

J'étais en deuxième année à BYU, la Brigham

> Nous avons
> rencontré
> l'ennemi,
> et c'est
> nous-même.
>
> SAGESSE POPULAIRE

Young University. On préparait la saison de football américain. Mes études secondaires bouclées, différentes universités m'avaient démarché, mais mon choix s'était porté sur BYU parce qu'il y avait là-bas une tradition de quarterbacks d'exception du calibre de Jim McMahon ou Steve Young, lesquels étaient arrivés jusqu'aux pros et avaient mené leur équipe à la victoire au Super Bowl. À l'époque, j'avais beau n'être que le troisième quarterback, j'avais la ferme intention de devenir la prochaine mégastar du football américain !

Quand mon entraîneur m'a sorti que j'étais « vraiment grave », ça a été la douche glacée. J'ai pris une grande claque dans la figure. Le pire, c'était qu'il avait raison. J'avais beau m'entraîner des heures et des heures, je n'étais pas impliqué à 100 %. Je ne donnais pas le meilleur de moi-même et je le savais.

J'avais une grave décision à prendre : ou j'arrêtais tout, ou je triplais mon effort. Les semaines qui suivirent, la guerre a fait rage dans ma tête, et il m'a fallu affronter un grand nombre de doutes et de peurs.

Est-ce que j'avais vraiment la carrure pour devenir premier quarterback ? Est-ce que j'étais suffisamment solide pour supporter la pression ? Est-ce que j'étais assez costaud ? Rapidement, j'ai dû me rendre à l'évidence : j'avais peur. Peur de la compétition, peur de me retrouver sur le devant de la scène, peur de tenter et peut-être d'essuyer un échec. Et toutes ces peurs m'empêchaient de me donner à fond.

J'ai lu une splendide citation d'Arnold Bennett qui dit ceci : « La vraie tragédie, c'est la tragédie de celui qui, à aucun stade de sa vie, ne rassemble ses forces pour fournir l'effort suprême. Celui-là n'atteint jamais son potentiel maximum, et ne prend jamais son envol. »

> La vraie tragédie, c'est la tragédie de celui qui, à aucun stade de sa vie, ne rassemble ses forces pour fournir l'effort suprême. Celui-là n'atteint jamais son potentiel maximum, et ne prend jamais son envol.
>
> ARNOLD BENNETT

N'ayant jamais eu la fibre d'un tragédien, j'ai décidé de rassembler toutes mes forces pour fournir mon effort suprême à moi. Je me suis impliqué au maximum pour donner le meilleur de moi-même. J'ai décidé de me lâcher pour de bon et de jouer mon va-tout. Je ne savais pas si j'arriverais un jour au rang de premier quarterback, mais au moins, si j'échouais, j'aurais tout tenté.

Personne ne m'a entendu dire : « Je fonce. » Personne n'a applaudi. Cette bataille, je l'ai simplement menée à l'intérieur de moi-même, plusieurs semaines d'affilée, et j'en suis sorti vainqueur.

Dès l'instant où je me suis sincèrement impliqué, tout a basculé. J'ai commencé à prendre des risques et à faire de gros progrès sur le terrain. J'y mettais tout mon cœur. Et cela n'a pas échappé aux entraîneurs.

Quand la saison a débuté et que les matches ont commencé à s'enchaîner, j'étais sur le banc de touche. C'était raide, mais j'ai continué à m'entraîner dur et à progresser.

On est arrivé à la mi-saison, avec le grand match de l'année. On devait rencontrer l'Air Force, une équipe de division nationale plébiscitée par la chaîne ESPN, devant 65 000 fans. À une semaine de la rencontre, mon entraîneur m'a convoqué dans son bureau et m'a annoncé que ce serait moi le premier quarterback. Gloups ! Je t'explique : cette semaine-là a été la semaine la plus longue de ma vie.

Finalement, le jour J est arrivé. Au coup d'envoi, j'avais la bouche si desséchée que c'est tout juste si j'arrivais à parler. Mais au bout de quelques minutes, je me suis repris et j'ai amené notre équipe à la victoire. ESPN m'a même élu *Player Of The Game*. Après coup, ils sont tous venus me féliciter pour la victoire et pour ma performance. Sympa de leur part. Mais au fond, ils ne comprenaient pas vraiment.

Ils ne connaissaient pas la véritable histoire. Ils se figuraient que la victoire, je l'avais remportée là, ce jour-là, sur le terrain, en public. Moi, je savais que je l'avais remportée des mois plus tôt, entre moi et moi, le jour où j'avais décidé d'affronter mes peurs, de me jeter à l'eau, et de ramasser toutes mes forces pour fournir l'effort suprême. Mettre la pâtée à l'Air Force avait été un défi bien plus facile à relever que de triompher de moi-même. La victoire privée précède toujours la victoire publique. Comme le dit le proverbe : « Nous avons rencontré l'ennemi, et c'est nous-même ».

AHH, oublie les tables de multiplication. Faisons un peu d'algèbre !

De l'intérieur vers l'extérieur

Avant de se tenir sur deux jambes, on marche à quatre pattes. Avant d'apprendre l'algèbre, on apprend l'arithmétique. Avant de pouvoir corriger les autres, il faut se corriger soi-même. Si tu veux transformer ta vie, c'est par toi-même qu'il faut commencer, et pas par tes parents, ton petit copain, ou ton professeur.

Toute transformation démarre en nous. C'est de l'intérieur vers l'extérieur que cela fonctionne. Pas de l'extérieur vers l'intérieur.

Les écrits d'un évêque anglican me reviennent en mémoire :

> *Encore jeune et libre,*
> *mon imagination était sans limite et*
> *je rêvais de changer le monde;*
>
> *Gagnant en âge et en sagesse,*
> *j'ai réalisé que le monde ne changerait jamais.*
>
> *Alors j'ai décidé de voir un peu moins grand,*
> *et de simplement changer mon pays. Mais là-encore,*
> *les choses semblaient immuables.*
>
> *Abordant le crépuscule de ma vie,*
> *dans un effort ultime et désespéré, je tentai de changer*
> *les êtres qui m'étaient le plus proches : ma famille,*
> *rien de plus. Hélas! Ils ne voulurent*
> *rien entendre.*
>
> *Me voici aujourd'hui sur mon lit de mort,*
> *et je réalise (sans doute pour la première fois) que si*
> *seulement j'avais commencé par me changer moi-même,*
> *j'aurais peut-être donné l'exemple à ma famille.*
> *Et, grâce à leurs encouragements et à leur soutien,*
> *peut-être aurais-je fait de mon pays un pays*
> *un peu meilleur. Et, qui sait, peut-être*
> *aurais-je changé le monde.*

C'est précisément de cela qu'il est question dans ce livre. De changer dans le sens « intérieur vers extérieur », en commençant par l'homme ou la femme que l'on voit dans son miroir. Ce chapitre (Le Compte-épargne personnel) et les suivants, qui traitent des Habitudes n° 1, 2 et 3, te concernent directement, *toi* et ton caractère; c'est la victoire privée. Les quatre chapitres suivants, Le Compte émotionnel suivi des Habitudes n° 4, 5 et 6, concernent *tes relations avec les autres*; c'est la victoire publique.

Mais avant de nous jeter dans l'Habitude n° 1, examinons — là, tout de suite — comment tu pourrais commencer à gagner de l'assurance et remporter une victoire privée.

Le Compte-Épargne personnel

La façon dont on se perçoit constitue en quelque sorte un compte bancaire. Appelons cela notre Compte-épargne personnel (CEP) Selon ce que tu penses, ce que tu dis, et ce que tu fais, tu peux effectuer sur ton CEP des « dépôts » ou des « retraits », exactement comme sur un compte de chèques ou sur un compte d'épargne. Moi par exemple, quand j'ai pris une résolution que je m'y tiens, je sens que je maîtrise. C'est un dépôt. *Ding-ling!* Inversement, quand je trahis une promesse que je me suis faite, je me déçois. C'est un retrait.

Alors je te pose la question. Quelle est la position de ton CEP à toi? À combien se montent tes crédits respectifs, en termes de confiance en soi et d'estime de soi? Es-tu plein aux as ou complètement à découvert? La liste d'indices ci-dessous devrait te permettre d'évaluer ta position :

Indices signalant un CEP probablement débiteur
- Tu cèdes facilement à la pression de ton entourage.
- Tu luttes contre un sentiment de dépression et d'infériorité.
- Tu es très préoccupé(e) par ce que les autres pensent de toi.
- Tu dissimules ton manque d'assurance derrière une attitude arrogante.
- Tu t'auto-détruis par la drogue, les films classés X, le vandalisme ou en te joignant à une bande organisée.
- Tu es vite jaloux(se), surtout devant le succès de tes proches.

Indices signalant un CEP probablement créditeur
- Tu es autonome et tu résistes à la pression de ton entourage.
- Tu te préoccupes peu de ce que les gens pensent de toi.
- Tu vois la vie comme une expérience globalement positive.
- Tu as confiance en toi.
- Tu te fixes des objectifs et tu avances.
- Tu te réjouis du succès des autres.

Si ton Compte-épargne personnel est plutôt à sec, ne te décourage pas. Contente-toi de l'alimenter dès aujourd'hui de petits dépôts d'un montant de 10, 20, 50 ou 100 F. Tôt ou tard, tu finiras par retrouver ton assurance. Le secret d'un CEP sain et bien fourni, c'est de l'alimenter régulièrement en faisant de petits dépôts.

Avec l'aide de différents groupes d'adolescents, j'ai compilé une liste de six dépôts-clé, susceptibles de t'aider à alimenter ton CEP. À chaque dépôt, bien sûr, est associé le retrait équivalent, qui est son exact opposé.

DÉPÔTS SUR TON CEP	RETRAITS SUR TON CEP
Tiens tes résolutions	Ne tiens pas tes résolutions
Aie de petites attentions pour les autres	Sois mesquin
Ne sois pas trop sévère avec toi-même	Sois sévère avec toi-même
Sois intègre	Sois déloyal(e)
Renouvelle tes ressources	Va jusqu'à l'épuisement
Développe tes dons	Néglige tes dons

● TIENS TES RÉSOLUTIONS

Les amis ou les gens avec qui on partage un appartement qui tiennent rarement leurs engagements, ça te dit quelque chose? Qui disent « Je t'appelle » et qui n'appellent jamais? Qui promettent de passer te chercher pour aller au ciné et qui oublient? À la longue, on finit par perdre confiance en eux. Leur parole n'a aucune valeur. Il se passe la même chose quand soi-même, on passe son temps à prendre des résolutions qu'on ne tient pas (genre « Demain, je mets le réveil à six heures » ou : « Sitôt arrivé à la maison, je fais mes devoirs »). Il arrive un moment où on ne se fait plus confiance.

On devrait aborder les résolutions qu'on prend face à soi-même avec le même sérieux que les engagements qu'on prend avec ceux qui comptent le plus dans notre vie. Si tu as le sentiment que tu ne maîtrises plus rien dans ta vie, concentre-toi sur la seule chose que tu peux maîtriser : toi-même. Prends une résolution et respecte-là. Commence par de tout petits engagements à 50 F que tu es sûr(e) de

pouvoir tenir, comme par exemple manger plus sainement aujour-
d'hui. Une fois que tu te seras constitué un capital « confiance en
soi », alors tu pourras tenter des dépôts de 500 F, plus difficiles à
tenir, comme par exemple décider de rompre avec un petit copain
qui te maltraite, ou arrêter de t'en prendre à ta sœur sous
prétexte qu'elle porte tes nouvelles fringues.

● AIE DE PETITES ATTENTION POUR LES AUTRES

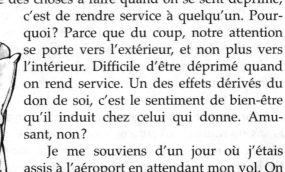

Je me souviens avoir lu la déclaration d'un psychiatre qui disait
que la meilleure des choses à faire quand on se sent déprimé,
c'est de rendre service à quelqu'un. Pour-
quoi ? Parce que du coup, notre attention
se porte vers l'extérieur, et non plus vers
l'intérieur. Difficile d'être déprimé quand
on rend service. Un des effets dérivés du
don de soi, c'est le sentiment de bien-être
qu'il induit chez celui qui donne. Amu-
sant, non ?

Je me souviens d'un jour où j'étais
assis à l'aéroport en attendant mon vol. On
m'avait surclassé en première, et j'étais
tout excité. En première classe, les
fauteuils sont plus larges, les repas sont
comestibles, et le personnel de cabine est
souriant. Si, si. De fait, on m'avait attribué la meilleure place de
tout l'appareil : fauteuil n° 1A. Au moment d'embarquer, j'ai
remarqué une jeune femme, chargée de plusieurs bagages à main
et portant dans ses bras un bébé en pleurs. Je venais justement de
terminer un livre traitant des petits gestes désintéressés, et j'ai
entendu une petite voix. C'était ma conscience : « Enfoiré, va ! Tu
vas lui filer, ton billet, oui ? » Pendant un moment, j'ai tenté de
chasser ces injonctions, mais j'ai fini par céder :

« Excusez-moi, mais j'ai l'impression que ce billet de 1re classe
vous serait plus utile qu'à moi. Voyager avec des gamins, je sais ce
que c'est… Si vous voulez, on échange. »

« Vous êtes sûr ? »

« Sûr et certain. Pour moi, ça ne change pas grand-chose, de
toute façon. Je vais travailler pendant une bonne partie du vol. »

« Bon, comme vous voudrez. C'est très gentil, en tout cas » a-t-
elle dit en me tendant son billet.

Une fois à bord, la voir s'installer à la place n° 1A m'a procuré un sentiment de bien-être auquel je ne m'attendais pas du tout. À vrai dire, dans ce contexte-là, me retrouver en 24B (ou je ne sais plus quel fauteuil, peu importe) n'avait plus rien de dramatique, au contraire. Il y a même un moment où, au cours du vol, j'étais si curieux de voir comment les choses se passaient pour elle que je n'ai pas résisté. Je me suis levé de mon siège, j'ai remonté l'allée centrale jusqu'à la cabine de première classe, et j'ai légèrement écarté le rideau de séparation marquant la limite avec la classe économique, pour jeter un œil. Elle était là, avec son bébé dans les bras, et tous deux dormaient à poings fermés dans leur énorme fauteuil de première classe, tout profond et tout moelleux. J'étais au nirvana. *Ding-ling!* Faut que je continue ces plans-là.

Cette jolie histoire que nous raconte une ado nommée Tania est un autre exemple de la joie qui nous emplit quand on rend service :

> *Dans mon quartier, il y a une fille qui vit avec ses parents dans un F2. Ils ne roulent pas sur l'or. Depuis trois ans, chaque fois que mes vêtements deviennent trop serrés pour moi, ma mère et moi on va les lui porter. Je lui sors un truc style : « Essaie-ça, ça devrait t'aller », ou : « Je me suis dit que tu kifferais bien ça. »*
>
> *Quand je la vois porter des trucs que je lui ai donné, je trouve ça trop cool. Elle me dit « Merci mille fois pour le tee-shirt plissé » et moi, je réponds : « Cette couleur, sur toi, c'est canon. » Je m'efforce d'avoir du tact, pour ne pas la gêner ou lui donner l'impression que je la considère comme quelqu'un de pauvre. Savoir que je lui rends la vie un peu plus agréable, ça me rend heureuse.*

Étonne-toi et va saluer la personne la plus esseulée que tu connaisses. Écris un petit mot de remerciements à quelqu'un qui a compté dans ta vie, un ami, un professeur ou un entraîneur, par exemple. La prochaine fois, au péage, paie pour la voiture qui est juste derrière toi. Donner permet non seulement d'insuffler la vie aux autres, mais également à soi-même. Ces phrases extraites de *The Man Nobody Knows*, de Bruce Barton, illustrent ce point à merveille, et je les adore :

> *Il y a deux mers en Palestine. La première est douce et fraîche, et les poissons s'y ébattent. Ses berges resplendissent d'une verdure éclatante. Plongeant leurs racines pour étancher leur soif dans le*

pouvoir apaisant de ses eaux, des arbres y étendent leurs vastes branches.

... Emmenant ses eaux étincelantes de propreté depuis les collines, le Jourdain forme cette mer. Et cette mer resplendit au soleil. Les hommes élisent domicile à ses abords, et les oiseaux y font leur nid; toutes les formes de vie y prospèrent, comblées d'être là.

Plus au Sud, le Jourdain continue sa course pour se jeter dans une nouvelle mer.

Ici, nul poisson ne bondit hors de l'eau; nulle feuille ne bruisse, nul oiseau ne fait entendre son chant, nul rire d'enfant ne retentit. Le voyageur préfère choisir un autre itinéraire, à moins d'être pressé par des affaires urgentes. Aucun homme, aucune bête, aucun oiseau ne vient jamais se désaltérer dans ses eaux, écrasées sous l'air pesant.

Qu'est-ce qui crée cette formidable différence entre deux mers voisines? Pas le Jourdain, qui déverse ses mêmes eaux bienfaisantes dans l'une et l'autre. Pas la terre dans laquelle elles s'étendent. Pas les pays alentour.

La différence, la voici. La Mer de Galilée reçoit les eaux du Jourdain, mais elle les redistribue. Pour chaque goutte qui s'y déverse, une autre en ressort. Ici, on reçoit et on donne à proportion égale.

La seconde mer manœuvre plus habilement, amassant avec avidité le moindre bénéfice. Un geste généreux est hors de question. Chaque goutte qui y rentre est à jamais engloutie.

La Mer de Galilée vit et donne. L'autre ne donne rien. On l'appelle la Mer Morte.

Il y a deux sortes de gens sur cette Terre. Il y a deux mers en Palestine.

NE SOIS PAS TROP SÉVÈRE AVEC TOI-MÊME

Ne pas être trop sévère avec soi-même signifie beaucoup de choses. Cela signifie ne pas s'imposer d'atteindre la perfection du jour au lendemain. Si, comme beaucoup d'entre nous, tu n'as pris conscience de certaines choses de la vie que tardivement, aie patience et prends le temps de t'épanouir.

Ne pas être trop sévère avec soi-même, cela signifie savoir rire des choses stupides que l'on fait. J'ai un ami, Chuck, qui a une faculté extraordinaire à rire de lui-même et à ne pas prendre la vie trop au sérieux. J'ai toujours été sidéré de voir à quel point cette attitude pleine d'espoir aimantait vers lui des tonnes de nouveaux amis.

Ne pas être trop sévère avec soi-même signifie également apprendre à se pardonner lorsqu'on commet une erreur. Et qui n'en a pas commis ? Nous devons apprendre de nos erreurs, et non pas nous mettre martel en tête lorsqu'il nous arrive d'en faire une. Le passé est le passé, point barre. Essaie plutôt de comprendre comment et pourquoi les choses ont dérapé. Présente des excuses s'il le faut. Ensuite, oublie et passe à autre chose. Et cesse de t'infliger le martyr.

« L'une des clés du bonheur, explique Rita Mae Brown, c'est d'avoir la mémoire courte. »

Un bateau qui est à la mer pendant un certain nombre d'années accumule sur sa carène des milliers de bernaches qui s'incrustent et finissent par l'alourdir. À la longue, sa sécurité s'en trouve menacée. Tôt ou tard, le bateau en question doit se débarrasser de ses bernaches, et la méthode la plus facile et la moins coûteuse consiste à aller mouiller quelque temps dans un port d'eau douce. Les coquillages se désincrustent et tombent alors rapidement d'eux-mêmes. Soulagé de son fardeau, le bateau peut reprendre la mer.

> Mieux vaut être la version originale de soi-même que la version doublée de quelqu'un d'autre.
>
> JUDY GARLAND,
> ACTRICE ET CHANTEUSE

Et toi, tu t'en charries, des bernaches en forme d'erreurs, de regrets, ou de douleurs qui s'incrustent ? Et si tu t'accordais des vacances et que tu allais un peu tremper en eau douce ? Te libérer de ton fardeau et te donner une seconde chance : c'est peut-être ça, le dépôt dont tu as le plus besoin aujourd'hui.

Comme chante Whitney Houston : « Apprendre à s'aimer soi-même, c'est le premier de tous les amours. »

SOIS INTÈGRE

L'autre jour, j'ai cherché le mot « intègre » dans mon dictionnaire des synonymes, et voici un échantillon de ceux que j'ai trouvés : droit, probe, incorruptible, honnête, vertueux, scrupuleux, correct, loyal, consciencieux, fidèle, juste, authentique. Pas mal, d'être associé à une collection de termes pareils, non ?

Il existe diverses formes de loyauté. Tout d'abord, il y a la loyauté envers soi-même. Ce que tu montres aux autres est-il la marchandise réelle, ou te dissimulerais-tu par hasard derrière des écrans de fumée et des jeux de miroirs ? J'ai réalisé qu'à chaque fois que je trompais les gens sur la marchandise en essayant d'être quelqu'un que je ne suis pas, je perdais confiance en moi et cela se soldait par un débit sur mon CEP. J'adore la façon dont la chanteuse Judy Garland l'exprime : « Mieux vaut être la version originale de soi-même que la version doublée de quelqu'un d'autre. »

Et puis il y a la loyauté dans nos actes. Es-tu intègre en classe, avec tes parents, avec ton chef ? Si tu t'es conduit de façon déloyale dans le passé, et il me semble que cela a pu nous arriver à tous, efforce-toi d'être intègre aujourd'hui, et vois le sentiment de plénitude que cela procure. Souviens-toi : quand on se conduit mal, on ne peut pas se sentir bien. L'histoire de Jeff l'illustre parfaitement :

En géométrie, en deuxième année de fac, j'avais trois types pas très doués en maths dans ma classe. Moi, j'étais vraiment bon. Chaque fois que je les aidais à obtenir un partiel, je leur prenais 20 F. Comme c'étaient des questionnaires à choix multiples, il me suffisait de griffonner les bonnes réponses sur un petit bout de papier, et de leur faire passer.

Au début, j'avais l'impression de me faire un peu d'argent. Sympa, comme job. L'idée que ça pouvait nous faire du tort à tous ne m'effleurait même pas. Au bout d'un moment, je me suis rendu compte qu'il fallait que j'arrête. En fait, je ne les aidais pas du tout. Non seulement ils n'apprenaient rien, mais ils allaient avoir de plus en plus de mal. Quant à moi, ce n'est certainement pas tricher qui allait me faire avancer.

Quand autour de nous les autres fonctionnent en trichant aux épreuves de contrôle, en mentant à leurs parents, ou en volant au travail, il faut une sacrée dose de courage pour rester intègre. Mais, ne l'oublie jamais, tout acte loyal est un dépôt porté au crédit de ton CEP et te donnera la force. Comme dit le proverbe : « Mon cœur est pur, donc ma force est décuplée. » L'honnêteté paie toujours, même quand elle n'est pas reconnue.

◉ RENOUVELLE TES RESSOURCES

Il faut prendre du temps pour soi-même, pour se ressourcer et pour se relaxer. Quand on oublie de le faire, on perd son appétit de vivre.

Tu as peut-être entendu parler du film *Le Jardin secret*, inspiré du livre du même nom. C'est l'histoire d'une jeune fille nommée Mary qui perd ses parents dans un accident de la route et qui va habiter chez son oncle, un homme très riche. Depuis la mort de sa femme, survenue plusieurs années plus tôt, celui-ci est devenu froid et renfermé. Tentant désespérément d'échapper aux fantômes du passé, il passe son temps à voyager de par le monde. Il a un fils, malheureux, souffreteux, et cloué sur un fauteuil roulant. Le garçon vit dans une chambre sombre de l'immense manoir.

Après quelque temps passé dans ce contexte déprimant, Mary découvre non loin du manoir un jardin magnifique et luxuriant, fermé à clef depuis des années. Ayant découvert une entrée dérobée, elle s'y rend chaque jour afin d'échapper à son univers. Cela devient son refuge, son jardin secret.

Elle y emmène bientôt son cousin infirme. La beauté du jardin est si grande qu'elle semble l'envoûter ; il réapprend à marcher et retrouve la joie de vivre. Un jour, rentrant de voyage, l'oncle grognon de Mary croit entendre quelqu'un jouer dans le jardin défendu et s'y précipite, fou de rage, pour voir qui cela pourrait bien être. À sa grande surprise, il découvre son propre fils, debout, libéré de son fauteuil roulant, rigolant et batifolant dans le jardin. Bouleversé de surprise et de joie, il éclate en sanglots et étreint son fils pour la première fois depuis des années. La beauté et la magie du jardin avaient ressoudé la famille.

Nous avons tous besoin d'un endroit où nous retirer, une sorte de sanctuaire dans lequel nous pouvons nous ressourcer. Et pas nécessairement un jardin de roses, le sommet d'une montagne, ou une plage de cocotiers. Une chambre ou même une salle de bains peuvent faire l'affaire. L'important est de pouvoir s'y retrouver seul. Theo, canadien, nous parle de son refuge à lui :

À chaque fois que j'étais trop stressé, ou que ça se passait mal avec mes parents, j'allais me réfugier dans la cave. Là, j'avais ma batte de hockey, un palet, et un mur de béton brut sur lequel je pouvais décharger ma colère. Je me contentais de cogner dans le palet pendant une demi-heure, et je remontais, requinqué à bloc. Ça a été tout bénef pour mon jeu, mais encore plus pour mes relations familiales.

Arthur m'a également parlé du sien. À chaque fois qu'il craquait sous la pression, il empruntait une porte dérobée et allait discrètement se réfugier dans le grand auditorium de son lycée. Tout seul dans l'obscurité du grand hall calme et silencieux, il pouvait s'abstraire du bruit et de la fureur, pleurer un bon coup, ou simplement se reposer un moment.

Quant à Aline, elle s'est trouvé un jardin bien à elle :

J'ai perdu mon père dans un accident du travail à l'usine quand j'étais petite. Je ne connais pas très bien les détails, car j'ai toujours eu peur de poser trop de questions à ma mère à ce sujet. Peut-être parce que je me suis fabriqué cette image idéale de lui, et que je ne veux pas qu'on me la brise. Pour moi, il représente l'être humain parfait, un être qui me protégerait s'il était ici. Il est avec moi en permanence, dans mes pensées, et je m'imagine de quelle façon il s'y prendrait pour m'aider s'il était là.

Quand vraiment j'ai besoin de sentir sa présence, je grimpe au sommet du toboggan, sur le terrain de jeu de l'école primaire, pas loin d'ici. C'est idiot mais, plus je monte, plus j'ai l'impression que j'arriverai à me rapprocher de lui. Donc, je monte tout en haut du toboggan et je reste là, allongée. Je me branche sur lui, je lui parle et lui, pareil, je sens qu'il me parle. J'aimerais qu'il me touche, mais bon, je sais bien que c'est impossible. À chaque fois que j'ai un gros souci, je monte là-haut et je partage ma peine avec lui.

En dehors de se trouver un endroit ou un refuge, il existe une infinie variété d'autres moyens permettant de se ressourcer et d'alimenter son CEP. Faire de l'exercice, par exemple : marcher, courir, danser ou frapper dans un sac de boxe. Autres suggestions d'ados : regarder de vieux films, jouer d'un instrument, peindre à mains nues, ou parler avec un ami qui nous inspire. Nombre d'autres sont d'accord pour le dire : pour tenir le choc, rien de tel que de tenir son journal.

C'est l'idée que traite l'Habitude n° 7, « Aiguise tes facultés » : prendre du temps pour régénérer son corps, son cœur, son esprit et son âme. Mais calme, calme… On y arrive. Un peu de patience.

• DÉVELOPPE TES DONS

Se découvrir puis développer un don, un passe-temps, ou un centre d'intérêt est sans doute l'un des plus beaux versements qu'on puisse porter au crédit de son CEP.

Comment se fait-il qu'à chaque fois qu'on parle de dons, on pense aux dons « traditionnels », ceux qui sont les plus en vue, tels que ceux des sportifs, des danseuses, ou des érudits bardés de diplômes ? La vérité, c'est que des dons, il en existe de toutes les formes et de toutes les couleurs.

Ne pense pas « petit ». Tu as peut-être un « truc » pour la lecture, l'écriture ou l'expression orale. Tu as peut-être un don pour créer, apprendre, ou accepter les autres tels qu'ils sont. Tu as peut-être un sens aigu de l'organisation, une oreille pour la musique, ou un tempérament de meneur. Quelle que soit la nature du don en question — que ce soient les échecs, la comédie ou les collections de papillons —, faire quoi que ce soit qu'on aime vraiment et pour lequel on montre du talent est quelque chose de magnifique. C'est une forme d'expression personnelle. Et l'estime de soi s'en trouve renforcée, comme en atteste cette fille :

Vous allez être morts de rire quand je vais vous raconter que j'ai un véritable don, et une grande passion, pour… l'herbe. Et je ne parle pas de celle qu'on fume, mais de l'herbe et des fleurs qui poussent un peu partout. J'ai réalisé un truc, c'est que les autres ne pensaient qu'à les cueillir et que moi, je me contentais de les examiner.

J'ai donc commencé à les cueillir et à les faire sécher, pour finalement en faire de super tableaux, des cartes postales ou des objets d'art. J'ai remonté le moral d'un paquet de gens, avec mes petites cartes personnalisées. On me demande souvent de venir réaliser des arrangements floraux, ou enseigner ma technique de séchage et de conservation des plantes. Depuis que j'ai découvert que j'ai ce don (et qu'on le reconnaît), surtout pour un truc qui échappe à la plupart des gens, ça m'a donné un maximum de satisfaction, et énormément d'assurance. Ça va même plus loin que ça. J'ai appris énormément. Maintenant, je me dis que s'il y a tant de choses à découvrir derrière un simple brin d'herbe, alors qu'est-ce ce qui peut bien se dissimuler derrière chacune des choses de la vie? Je ne m'arrête plus à la surface des choses. Maintenant, j'explore. Et pourtant, je ne suis qu'une jeune fille tout à fait normale.

Mon beau-frère, Bryce, m'a raconté comment il a exploité un don qui lui a permis de reprendre confiance en lui, et de se trouver une carrière dans laquelle il a pu se réaliser. Son histoire se passe dans la chaîne montagneuse du Teton, laquelle se dresse majestueusement au dessus des plaines de l'Idaho et du Wyoming. Grand Teton, le sommet le plus élevé de cette chaîne, culmine à 4 199 m au-dessus du niveau de la mer.

Ado, Bryce avait un swing de baseball redoutable. Jusqu'à son tragique accident. Un jour, en jouant avec une carabine à air comprimé, Bryce s'est accidentellement blessé à l'œil. Redoutant qu'une opération chirurgicale ne lui laisse des séquelles à vie, les docteurs ont décidé de lui laisser le projectile dans l'œil.

Quand Bryce s'est remis au baseball, des mois et des mois plus tard, il s'est mis à foirer chacun de ses coups. Il avait perdu la notion des distances et ne voyait quasiment plus d'un œil. Résultat : il n'arrivait plus à évaluer la trajectoire de la balle. Commentaire de Bryce : « L'année d'avant, j'étais au top; et là, c'est tout juste si j'arrivais à frapper la balle. J'étais fini, c'était clair. Mon assurance en a pris un sacré coup. »

Ses deux ainés étaient doués dans pas mal de domaines mais Bryce, lui, se demandait vraiment vers quoi il allait bien pouvoir se tourner, étant donné son nouveau handicap. Comme il habitait à proximité de la chaîne des Tetons, c'est sur la varappe que son choix s'est porté. Il s'est rendu au surplus du coin, a investi dans de la corde de nylon, des mousquetons, des coinceurs, des pitons, et autres accessoires pour la grimpe. Il s'est plongé dans des livres traitant du sujet et s'est familiarisé avec l'art de faire les nœuds, de se sangler dans un baudrier, et de descendre une paroi en rappel. Sa première véritable expérience d'escalade, ça a été la descente en rappel de la cheminée d'un de ses amis. Et ça n'a pas traîné : bientôt, on l'a vu prendre d'assaut les petits pics autour de Grand Teton.

Bryce l'a vite compris : il était doué pour ça. Contrairement à beaucoup de ses camarades d'escalade, il était de constitution robuste mais son corps était léger. Il semblait parfaitement bâti pour l'alpinisme.

Après s'être entraîné pendant plusieurs mois, Bryce a fini par défier le Grand Teton en solo. Deux jours d'expédition au total. Et réaliser cet objectif-là lui a permis de retrouver une grande assurance.

Comme les partenaires d'escalade n'étaient pas légion, Bryce a commencé à s'entraîner en solo. Il prenait sa voiture, roulait jusqu'aux Tetons, rejoignait son camp de base au pas de course, réalisait son escalade puis, toujours en courant, redescendait. À force de répéter l'exercice, il est devenu très bon. Un jour, un de ses amis, Kim, lui lance : « Hé! Pourquoi tu n'essaierais pas de battre le record du Grand Teton? »

Il donne à Bryce tous les détails. À l'époque, le record était détenu par un ranger du nom de Jock Glidden, qui l'avait établi en faisant l'aller-retour jusqu'au sommet en courant en quatre heures et onze minutes. « Impossible. Absolument impensable, se dit Bryce. J'aimerais bien qu'on me le présente, ce type, un jour. » Mais Bryce continue à s'entraîner sur des parcours similaires, et devient de plus en plus performant sur ses temps. Kim, lui, martèle : « Vas-y, bats-le, ce record. Tu *peux* le faire. »

Bryce trouve finalement l'occasion de rencontrer le fameux Jock, le superhéros au record imbattable. Bryce et Kim, lui-même un alpiniste de renom, sont assis sous la tente de Jock lorsque Kim lance à Jock : « Tiens. Je te présente un type qui envisage de pulvériser ton record. » Jock toise Bryce et ses 57 kilos, et s'esclaffe de rire, l'air de dire : « Sérieux? Hé, le nain de jardin, arrête de rêver! » Bryce accuse le coup, mais se ressaisit rapidement. Kim, lui, ne désarme pas : « Tu *peux* le faire. C'est clair. Tu *peux* le faire. »

Le 26 août 1981, de bon matin, vêtu d'une veste légère et un petit sac à dos orange sur le dos, Bryce triomphe au pas de course du Grand en trois heures, quarante-sept minutes et quatre secondes aller-retour. Il a fait deux haltes : la première pour enlever des cailloux qui s'étaient glissés dans ses chaussures; la seconde, au sommet, pour signer le registre attestant qu'il l'avait bien atteint. Il exulte. Incroyable mais vrai! Record battu!

Quelques années plus tard, Bryce reçoit un coup de fil impromptu. C'est Kim. « Bryce, tu es au courant? Ton record vient d'être battu. » Et dans la foulée, il ajoute : « Il faut que tu le retentes. Tu *peux* le faire. » Un type nommé Creighton King, récent vainqueur du célèbre marathon du Mt. Pike, dans le Colorado, avait vaincu le sommet dans le temps record de trois heures, trente minutes et neuf secondes aller-retour.

Le 26 août 1983, deux ans après son dernier assaut de la montagne, et dix jours après que son record eût été battu, Bryce se prépare sur l'aire de parking de Lupine Meadows, au pied de Grand Teton. Chaussé d'une paire de baskets flambant neuves, il est fin prêt — et fermement décidé — à enfoncer le record établi par King. Des amis, sa famille et Kim l'accompagnent, ainsi qu'une équipe de tournage de la chaîne de télévision locale venue filmer le défi.

Comme toujours, il le sait, la partie la plus délicate de l'escalade est une question de mental. Il n'a aucune envie de devenir l'une des deux ou trois victimes qui trouvent la mort chaque année en tentant de défier le « Grand ».

Le journaliste sportif Russell Weeks décrit la course au Grand en ces termes : « Arrivé sur l'aire de parking, il faut s'apprêter à un parcours d'une quinzaine de kilomètres, constitué de sentiers tout en montées et en descentes, d'un canyon, de deux moraines glaciaires, de deux cols et d'un gouffre coincé entre deux pics, parcours qui se termine par une paroi de 200 mètres menant par l'ouest jusqu'au sommet du « Grand ». Depuis Lupine Meadows jusqu'au sommet, puis retour, le dénivelé cumulé est d'environ 15 000 pieds (4 572 m). Selon le *Guide de l'alpiniste dans la chaîne du Grand Teton*, de Leigh Ortenburger, les 200 derniers mètres représentent à eux seuls une escalade de trois heures. »

Bryce s'élance. Son cœur martèle et ses jambes sont en feu. Il prend de l'altitude, plus d'altitude, et encore plus d'altitude. Concentration maximum. Gravissant les 200 derniers mètres en douze minutes, il rejoint le sommet en un total d'une heure et cinquante-trois minutes, et glisse sa carte-témoin sous une pierre. La seule façon de battre le record établi par King, il le sait, c'est de le griller sur la descente. La pente est si raide que, par instants, il fait des bonds de 3 à 4,50 m. Il croise des amis en chemin. Plus tard, ils l'informeront que son visage avait tourné au violet, suite au manque d'oxygène. Il dépasse un autre groupe de grimpeurs, apparemment au courant de sa nouvelle tentative, qui lui lancent : « Vas-y, fonce! »

Trois heures, six minutes et vingt-cinq secondes après son départ, accueilli par des ovations, Bryce rejoint Lupine Meadows, genoux en sang, baskets défoncées, et pris d'un violent mal de tête. Il a réalisé l'impossible !

La nouvelle s'est répandue comme une traînée de poudre et rapidement, Bryce a acquis la réputation de meilleur grimpeur de la région. « Ça m'a permis de me trouver, explique Bryce. On rêve tous d'être reconnu pour quelque chose qu'on a accompli, et c'était mon cas. Découvrir que j'étais doué pour la grimpe, ça m'a permis de me fixer un objectif et de travailler pour l'atteindre. Au niveau de l'estime de soi, ça a été fabuleux pour moi. C'est ma façon à moi de m'exprimer. »

Aujourd'hui, Bryce dirige une prospère entreprise de sacs à dos de haute performance pour la grimpe et la randonnée, dont il est le fondateur. Mais le plus important, c'est qu'il gagne sa vie en faisant un travail qu'il aime et pour lequel il est doué ; en exploitant un don, il a ensoleillé sa propre vie et celle de nombreux autres.

Au fait ! J'oubliais ! Son record n'a toujours pas été battu (que ça ne te mette pas des araignées dans la tête pour autant). Et Bryce se trimballe toujours avec son projectile dans l'œil.

Conclusion, mes amis : que ceux qui ont besoin de reprendre confiance en eux commencent dès aujourd'hui à effectuer des versements sur leur CEP. Les résultats se feront sentir instantanément. Et souvenez-vous : on n'est pas obligé de vaincre un sommet pour effectuer un dépôt. Il existe mille et une autres façons bien moins risquées de le faire.

★ ★ ★

PROCHAIN ÉPISODE

Tout de suite, nous allons nous pencher sur les nombreux facteurs qui font que, ton chien et toi, vous êtes très différents. Continue à lire, et tu comprendras de quoi je cause !

Tiens tes résolutions

1 Lève-toi trois jours d'affilée à l'heure que tu t'es fixée.

2 Identifie une tâche facile dont tu dois t'acquitter aujourd'hui : faire tourner une machine de linge, par exemple, ou lire un livre en préparation d'un devoir de Français. Décide de l'heure pour le faire. Maintenant, tiens parole et passe à l'acte.

Rends de petits services désintéressés

3 À un moment ou un autre de la journée, fais quelque chose d'anonyme. Écris un mot de remerciements, par exemple, sors les poubelles, ou fais le lit de quelqu'un.

4 Regarde autour de toi et vois ce que tu pourrais faire pour te rendre utile. Ramasse les papiers qui traînent au jardin public du coin, par exemple, offre tes services dans une maison de retraite, ou va faire la lecture à quelqu'un qui en a besoin.

Développe tes dons

5 Identifie un don que tu aimerais développer cette année et mets-le par écrit. Détermine les différentes étapes que tu comptes franchir pour y réussir.

Don que j'aimerais développer cette année

Différentes étapes pour y réussir :

6 Dresse la liste des dons que tu admires le plus chez d'autres.

Nom :   Dons que j'admire chez cette personne :

Ne sois pas trop sévère avec toi-même

(7) Pense à un domaine de la vie dans lequel tu éprouves un sentiment d'infériorité. Inspire profondément et dis-toi : « Allez, ce n'est pas la fin du monde ! »

(8)  Essaie de passer une journée entière sans te dénigrer. Chaque fois que tu te surprendras à te rabaisser, remplace par trois pensées positives à ton sujet.

Renouvelle tes ressources

(9) Pense à une activité amusante susceptible de réellement t'inspirer, et fais cette chose aujourd'hui même. Par exemple, mets de la musique et danse.

(10) Tu te sens amorphe ? Lève-toi — là, tout de suite — et fais le tour du pâté de maisons d'un pas énergique.

Sois intègre

(11) La prochaine fois que tes parents te demanderont des détails sur ce que tu fais, donne-leur la version intégrale des faits. N'omets aucune information visant à les induire en erreur ou à maquiller la réalité.

(12) Pendant une journée complète, essaie de ne ni exagérer, ni embellir. Juste une journée !

HABITUDE N° 1

Sois Proactif

- La Force c'est Moi

Grandir dans la famille où j'ai grandi n'a pas toujours été une partie de plaisir. Pourquoi? Parce que, quoi que je fasse dans la vie, mon père m'a toujours mis face à mes responsabilités.

Chaque fois que je disais un truc du genre « Papa, ma copine me fait tourner en bourrique », mon père me balançait : « Arrête, Sean. Personne ne peut te faire tourner en bourrique sans que tu sois d'accord. C'est toi qui décides. Si tu tournes en bourrique, c'est que tu l'as *choisi*. »

> On est plus ou moins heureux selon qu'on a plus ou moins *envie* d'être heureux.
>
> ABRAHAM LINCOLN,
> PRÉSIDENT DES
> ÉTATS-UNIS

Ou si je disais « Mon nouveau prof de biologie est un gros naze. Je n'apprendrai jamais rien, avec lui », mon père me sortait : « Pourquoi tu ne vas pas le trouver pour lui faire quelques suggestions? Change de prof. Fais-toi aider s'il le faut. Si tu n'apprends rien en biologie, Sean, assume, mais ne mets pas ça sur le dos de ton prof. »

Il ne me lâchait jamais. À chaque fois, il me mettait au pied du mur et faisait en sorte que, quoi que je fasse, je ne puisse rejeter la faute sur personne. Heureusement que ma mère m'autorisait à tenir responsable qui je voulais, d'autres gens ou d'autres trucs, sinon j'aurais tourné psychopathe.

Souvent je lui répondais en hurlant : « Faux, Papa! Je n'ai rien choisi du tout. C'est ELLE, ELLE, *ELLE* qui me fait tourner en bourrique! Alors lâche-moi deux secondes et arrête de m'ennuyer! »

Pour l'adolescent que j'étais, je dois dire que l'idée de mon père selon laquelle on est responsable de chacun ses actes dans la vie était une pilule difficile à avaler. Mais, avec le recul, je perçois la sagesse de sa méthode. Il voulait m'enseigner que dans la vie, il y a deux sortes de gens : les proactifs, et les réactifs. Ceux qui assument leurs choix, et ceux qui rejettent la faute sur les autres. Ceux qui prennent l'initiative, et ceux qui subissent.

L'Habitude n° 1, « Sois proactif », est la clé qui permet de déclencher toutes les autres habitudes, ce qui explique qu'elle arri-

ve en première position. L'idée de l'Habitude n° 1 est la suivante :
« La Force, c'est moi. Le commandant de bord de ma vie, c'est moi.
Mon attitude est le fruit d'un choix qui m'appartient. Je suis responsable de mon bonheur ou de mon malheur. Je ne suis pas un
simple passager, je suis installé aux commandes ; c'est moi qui pilote ma propre destinée. »

Être proactif, c'est la première étape vers la victoire privée. Tu
imagines, faire de l'algèbre sans avoir appris à additionner et à
soustraire ? Oublie ! Il en va de même pour les 7 Habitudes. Impossible d'avancer sur les Habitudes n° 2, 3, 4, 5, 6 et 7 sans être passé
par la case de l'Habitude n° 1. Tout simplement parce que dans la
vie, tant qu'on ne comprend pas qu'il faut assumer ses choix, rien
n'est vraiment possible. Si ? Hmmmmm…

Proactif ou Réactif…
À toi de choisir

Chaque jour, nous avons toi et moi
une centaine d'occasions de choisir
d'être plutôt proactif, ou plutôt réactif. Il y a toujours un truc qui
ne va pas : le temps est pourri, tu n'arrives pas à te trouver un boulot, ta sœur t'a taxé ton chemisier, on ne veut pas de toi comme
capitaine d'équipe, un ou une amie t'a cassé du sucre sur le
dos, tu t'es fait insulter, tes parents t'interdisent de prendre la
voiture (rien que pour t'ennuyer), tu t'es pris un PV sur le
campus, tu te plantes à un examen et ainsi de suite. Alors, tu
fais quoi ? Tu prends l'habitude de *réagir* face à ce genre
de petits tracas quotidiens, ou tu choisis d'être
proactif ? C'est toi qui vois. Tu es entièrement   Réactif ▼
libre. Rien ne t'oblige à réagir comme tout
le monde, ou comme tout le monde
pense qu'on devrait le faire.

Au volant, on te fait une queue de
poisson, et tu es obligé de piler net.
Ça arrive tout le temps, non ? Alors,
tu fais quoi ? Tu traites le type de tous
les noms ? Tu lui fais un bras d'honneur ? Tu acceptes que toute ta journée
soit foutue en l'air ? Tu pètes une
durite ?

▲ Proactif

Ou alors tu prends les choses avec philosophie ? Tu en rigoles. Et tu passes à autre chose.

Tu as le choix.

Les réactifs basent leurs choix sur des impulsions. Un peu comme une boisson gazeuse. Ils se font un peu chahuter par la vie, la pression monte, et boum! Ils explosent.

Hé, fils d'enfoiré! Casse-toi, tu vois pas que t'es dans la mauvaise file?

Les proactifs, eux, basent leurs choix sur des valeurs. Ils *réfléchissent* d'abord, et ils agissent ensuite. Ils reconnaissent qu'ils n'ont pas prise sur tous les événements, mais qu'en revanche, ils peuvent agir sur la *façon de les aborder.* Contrairement aux réactifs qui sont saturés de bulles, les proactifs sont semblables à l'eau plate. On peut les secouer dans tous les sens et même les décapsuler, rien ne se passe. Pas de *pschiiit*, pas de remous, pas de pression. Ils restent calmes et maîtres d'eux-mêmes. Tranquilles.

Pas question de laisser ce type m'excéder et me ruiner ma journée.

Pour saisir le mécanisme de l'esprit proactif, il existe une redoutable technique consistant à comparer, dans des situations courantes, les réactions proactives d'une part, et les réactions réactives d'autre part.

Scène 1
Tu entends ta meilleure amie dire du mal de toi en public. Elle ignore que tu as capté la conversation. Il n'y a pas plus de cinq minutes, vous n'étiez que toutes les deux, et elle te disait plein de choses gentilles. Tu te sens blessée et trahie.

Attitude réactive
- Tu lui passes un bon savon. Ensuite tu frappes.
- Tu sombres en pleine déprime : ses mots t'ont trop blessée.
- Tu lui colles une étiquette de menteuse et tu la mets en quarantaine pendant deux mois.
- Tu fais courir de méchants bruits sur elle. Après tout, c'est elle qui a commencé.

Attitude proactive
- Tu lui pardonnes.
- Tu vas calmement la trouver et tu lui fais part de ce que tu ressens.
- Tu ne relèves pas, et tu lui laisses une seconde chance. Tu réalises qu'elle a ses faiblesses, tout comme toi. Toi aussi, il t'arrive de dire du mal d'elle, sans forcément vouloir lui causer du tort.

Scène 2

Cela fait maintenant plus d'un an que tu travailles dans ce magasin. Tu t'es investi(e) à fond et tu as fait preuve de sérieux. Il y a trois mois, un nouvel employé a rejoint vos effectifs. Et récemment, on lui a confié la tranche horaire très convoitée du samedi après-midi, sur laquelle tu avais justement des vues.

Attitude réactive

- Tu passes le plus clair de ton temps à te plaindre à qui veut bien t'entendre (sans oublier le chien) que c'est injuste.
- Tu surveilles de près le nouvel employé en te focalisant sur la moindre de ses faiblesses.
- Tu te mets dans la tête que ton chef de rayon ourdit un complot visant à t'éliminer.
- Tu commences à tirer au flanc.

Attitude proactive

- Tu vas trouver ton chef de rayon pour lui demander pourquoi cette tranche-là a été confiée au nouveau venu.
- Tu ne baisses pas les bras, tu continues à travailler dur.
- Tu vois ce que tu peux faire pour être plus performant.
- Si tu en arrives à la conclusion que ce job est pour toi une impasse, tu te mets en quête d'un nouvel emploi.

ÉCOUTE TON LANGAGE

On distingue en général le proactif du réactif grâce au type de langage employé. Un réactif va par exemple s'exprimer en ces termes :

« Je suis comme ça. On n'y peut rien. » En réalité, le message qu'il cherche à faire passer est le suivant : *Je ne suis pas responsable de mes actes. Je ne peux pas changer. J'ai été programmé comme ça.*

« Si je n'avais pas un tel enfoiré comme chef, les choses

se passeraient différemment. » En clair, le message est le suivant : *La cause de tous mes problèmes, c'est mon chef. Pas moi.*

« Sympa. Tu viens de me foutre ma journée en l'air. » Le véritable message est ici : *Je n'ai pas la maîtrise de mes propres humeurs. C'est toi qui en décides.*

« Si seulement j'allais à une autre école, si seulement j'avais de meilleurs amis, si seulement je gagnais plus d'argent, si seulement j'habitais dans un autre appartement, si seulement j'avais un petit copain... je pourrais être heureuse. » Comprendre : *Ce n'est pas moi qui suis aux commandes de mon propre bonheur, mais les « choses ». J'ai besoin de posséder pour être heureuse.*

Tu remarqueras qu'avoir recours à un langage réactif nous dépossède de notre force, pour l'attribuer à quelqu'un ou à quelque chose d'autre. Avoir un comportement réactif, comme l'explique mon ami John Bytheway dans son livre *Ce que j'aurais bien aimé savoir au lycée*, c'est en quelque sorte passer la télécommande de sa propre existence à quelqu'un d'autre, et lui dire : « Tiens, vas-y, zappe. Décide de mon humeur comme tu le sens. » Utiliser un langage proactif, en revanche, te permet de reprendre le contrôle de ta télécommande. Et là, tu es libre de choisir la chaîne sur laquelle tu veux te caler.

LANGAGE RÉACTIF	LANGAGE PROACTIF
Je vais essayer de...	*Je vais...*
Je suis comme ça	*Je peux m'améliorer*
Je ne peux rien faire	*Examinons toutes les possibilités*
Je suis obligé de...	*J'ai décidé de...*
Impossible	*Il y a sûrement moyen*
Tu m'as gâché ma journée	*Pas question que ta mauvaise humeur déteigne sur moi*

LE SYNDROME DE LA VICTIME

Certains sont atteints d'un virus contagieux que j'appelle le syndrome de la victime. Tu en as peut-être déjà rencontré. Les gens qui souffrent de cette maladie sont persuadés qu'on leur en veut, et pensent que le monde leur doit des comptes... ce qui n'est nullement le cas. L'écrivain Mark Twain l'exprime joliment : « Ne va pas t'imaginer que c'est le monde qui te doit la vie. Le monde ne te doit rien du tout. Il était là avant toi. »

Au lycée, je jouais au foot avec un type qui, hélas, avait attrapé ce virus-là. Ses commentaires me rendaient dingue :

« *Normalement, je devrais être premier, mais les entraîneurs ont quelque chose contre moi.* »

« *J'étais sur le point d'intercepter le ballon, mais on m'a fait une queue de poisson.* »

« *J'aurais fait un meilleur temps au 100 m, mais mes lacets se sont défaits.* »

À chaque fois, j'avais envie de lui répondre : « T'as raison. Et moi, si mon père était pas chauve, je serais à l'Élysée. » Pas étonnant qu'il ne jouait jamais. Dans sa tête, c'était clair : c'était toujours la faute de quelqu'un ou de quelque chose d'autre. Jamais il ne lui venait à l'idée que le problème, c'était peut-être son attitude à *lui*.

N'deye, une étudiante en licence de Lyon, a grandi dans une famille empoisonnée par le syndrome de la victime :

Je suis Black et fière de l'être. La couleur de peau des gens n'a jamais été un critère pour moi, et j'apprends tout autant de mes professeurs et de mes conseillers d'orientation, qu'ils soient blancs ou noirs. À la maison, en revanche, c'est une autre histoire. Ma mère a cinquante ans et règne sur la famille. Originaire du Sénégal, elle se comporte toujours comme si l'esclavage venait tout juste d'être aboli. Elle voit dans ma réussite scolaire une menace, une assimilation au « Toubab ». Elle en est encore à ressasser des trucs style : « Le Blanc nous empêche de faire ci et ça. Il nous a enfermé dans une cage et il a jeté la clé. »

Moi, je réplique toujours : « La seule personne qui t'empêche de faire des choses, c'est toi-même, et personne d'autre. Justement parce que tu penses comme tu penses. » Même mon petit copain tombe dans l'attitude « c'est-la-faute-au-Blanc-si-je-fais-du-sur-place ». Récemment, il a voulu s'acheter une voiture et la transaction n'a pas abouti. Conclusion, il a crisé. « Le Blanc veut nous interdire l'accès à tout », voilà ce qu'il s'est dit. J'ai failli péter les plombs et j'ai essayé de lui faire prendre conscience de l'absurdité de ce type de raisonnement. Résultat : il a eu le sentiment que je prenais la défense du Blanc.

Je reste convaincue que la seule personne qui puisse nous empêcher d'avancer, c'est nous-même.

Outre le fait de se voir en victime, l'individu réactif :
- Se vexe facilement
- Rejette la responsabilité sur les autres
- S'énerve et dit des choses qu'il regrette par la suite
- Gémit et se lamente
- Attend que les choses lui arrivent
- Ne change que lorsqu'il ne peut pas faire autrement

❂ ÊTRE PROACTIF PAIE TOUJOURS

Les proactifs, eux, appartiennent à une espèce très différente. L'individu proactif :
- Se vexe rarement
- Assume la responsabilité de ses choix
- Réfléchit avant d'agir
- Rebondit en cas de problème
- Se donne toujours les moyens d'arriver à ses fins
- Se concentre sur les choses sur lesquelles il a prise, et ne se préoccupe pas des autres

Je me souviens avoir pris un nouveau job et m'être retrouvé à travailler avec un certain Randy. J'ignore quelle était la nature de son problème mais bon, il était clair que ce type ne m'aimait pas et qu'il tenait à me le faire savoir. Il me balançait des torrents d'insultes, me taillait des costards en permanence, et essayait de monter tout le monde contre moi. Je me souviens qu'un jour, en rentrant de vacances, un ami m'a dit : « Gaffe, Sean. Randy balance un max sur toi… À ta place, je me méfierais. »

J'ai été tenté à maintes reprises de lui faire sa fête, mais bizarrement j'ai réussi à garder mon calme et à ignorer ses vannes débiles. À chaque fois qu'il m'insultait, je mettais un point d'honneur à le traiter poliment en retour. J'avais la certitude qu'en agissant ainsi, les choses finiraient par s'arranger.

En l'espace de quelques mois, les choses ont commencé à évoluer. Randy avait réalisé que je n'entrerais pas dans son jeu et il a commencé à lever le pied. Un jour, il m'a même dit : « J'essaie de te vexer, mais tu ne te vexes jamais. » Au bout d'un an à travailler ensemble, nous sommes devenus potes, et un respect mutuel a fini par s'installer. Une chose est sûre : si j'avais obéi à mes instincts de prédateur et réagi à ses attaques, nous ne serions pas amis aujour-d'hui. Souvent, pour qu'une amitié naisse entre deux personnes, il suffit qu'une seule le décide.

Marie a découvert les vertus de l'attitude proactive :

Au lycée, j'avais suivi un cours où on nous avait parlé de proactivi-té, et je me demandais comment mettre tout ça en pratique. Un jour, j'étais à ma caisse en train de passer les achats d'un type et soudain, le type me sort que la marchandise que j'étais en train de saisir n'était pas à lui. Ma première réaction a été de claquer la barrette de sépara-tion « Client suivant » sur le tapis roulant et de lui lancer : « Abruti, va! Tu pouvais pas le dire plus tôt? » Donc, j'annule tout, et j'appelle mon chef de rayon pour faire valider. Et l'autre qui reste piqué là, mort de rire. La tension monte et moi, je commence à être franchement aga-cée. Pour couronner le tout, le type ose mettre en doute le prix que j'ai saisi en caisse pour son brocoli.

Et là, je découvre avec horreur qu'il a raison. J'avais rentré le mau-vais code pour son brocoli. Du coup, ça me met deux fois plus en colè-re et je me prépare à lui tomber dessus à bras raccourcis, histoire de masquer ma faute. Mais là, ça fait tilt dans ma tête et je me dis : « Sois proactive. »

Du coup je lui dis : « Vous avez raison, Monsieur. Autant pour moi. Un instant, je vous prie; je vais rectifier le prix. » Comme je me suis éga-lement souvenu qu'adopter une attitude proactive, ça ne veut pas dire être une carpette, je lui ai rappelé qu'à l'avenir, pour éviter ce genre d'incident, il fallait bien qu'il positionne la barrette « Client suivant » entre ses achats et ceux du consommateur derrière lui.

C'était le bonheur. J'avais reconnu mes torts, mais j'avais égale-ment dit ce que j'avais à dire. C'est un petit truc de rien du tout, mais ça m'a permis de complètement me transformer à l'intérieur, et d'adopter cette nouvelle habitude en toute confiance.

J'imagine qu'arrivé à ce stade, tu dois avoir envie de m'en col-ler deux et de me dire : « Hé, du calme, Sean. Tu sais bien que ce n'est pas si facile que ça. » Je n'entrerai pas dans ce genre de débat. C'est tellement plus facile de perdre son calme. C'est tellement plus facile d'être réactif. Pas besoin de se contrôler. Et puis geindre et se lamenter, c'est tellement facile également. Pas l'ombre d'un doute : la voie supérieure, c'est l'attitude proactive.

Mais bon, personne n'a dit qu'il fallait être parfait. En réalité, on n'est jamais ni complètement proactif, ni complètement réactif.

En général, on se situe quelque part à mi-chemin. Alors l'idée, c'est de prendre l'habitude d'être proactif, de se caler sur pilotage automatique, et de ne même plus y penser. Si tu choisis d'être proactif chaque jour dans 20 situations sur 100 en moyenne, essaie de monter à 30. Puis à 40. Ne sous-estime jamais la différence colossale que peut faire un tout petit changement.

⁂ ON NE MAÎTRISE VRAIMENT QU'UNE SEULE CHOSE

Un fait est certain, c'est qu'on ne peut pas agir sur tout ce qui nous arrive. On ne peut agir ni sur la couleur de notre peau, ni sur les finales de la NBA, ni sur notre lieu de naissance, ni sur la personnalité de nos parents, ni sur les frais de scolarité de la rentrée prochaine, ni sur la façon dont on nous traite. En revanche, il y a une chose sur laquelle nous pouvons *réellement* agir, c'est *comment* nous réagissons aux événements. Et c'est cela qui compte! Arrêtons donc de nous préoccuper des choses sur lesquelles nous n'avons *pas* prise, pour commencer à nous intéresser à celles sur lesquelles nous *pouvons* agir.

Imagine deux cercles. Le cercle intérieur est notre cercle d'influence. Il englobe les choses sur lesquelles nous pouvons agir, telles que nous-même, notre attitude, nos choix, ou notre façon d'appréhender les événements auxquels nous sommes confrontés. Le cercle des préoccupations englobe le cercle d'influence. Il comprend les milliers de choses sur lesquelles nous ne pouvons absolument pas exercer notre influence.

Bien. Que se passe-t-il alors si nous gaspillons notre temps et notre énergie à nous préoccuper de choses sur lesquelles nous ne pouvons pas agir, les insultes sexistes, les erreurs du passé, ou le temps qu'il fait, par exemple? Dans le mille! Nous nous sentons encore plus désemparé, encore plus victime. Si par exemple ta sœur te tape sur le système et que tu passes ton temps à te plaindre de ses faiblesses (chose sur laquelle tu n'as aucune prise), cela ne corrigera en rien le problème. La seule chose qui va se passer, c'est que tu vas la tenir responsable de tes propres problèmes, et que tu vas te vider de ta force.

L'histoire que m'a racontée Rosanna illustre bien ce point. Une semaine avant son match de volley, il lui est revenu aux oreilles que la mère de l'une des joueuses de l'équipe d'en face avait mis en doute ses talents de volleyeuse. Plutôt que d'ignorer ses commentaires, Rosanna l'a mal pris et a passé la semaine à ruminer sa

colère. Le jour du match, elle n'avait qu'une seule idée en tête : prouver des choses à la mère en question. Bref, son jeu a été particulièrement médiocre, elle a passé le plus clair de la rencontre sur le banc de touche, et son équipe a essuyé une défaite. Elle avait fait une telle fixation sur un événement dont elle ne pouvait infléchir le cours (ce qu'on avait dit d'elle), qu'elle a fini par perdre la maîtrise de la seule chose sur laquelle elle avait prise : elle-même.

L'individu proactif, lui, canalise son énergie ailleurs… vers ce qu'il *peut* influencer. Il acquiert ainsi une paix intérieure qui lui donne une plus grande maîtrise de soi. Il apprend à garder le sourire et à accepter les innombrables choses sur lesquelles il ne peut pas agir. Ce n'est pas qu'il y adhère, c'est qu'il a simplement compris qu'il est vain de s'en préoccuper.

◈ **TRANSFORMER SES ÉCHECS EN TRIOMPHES**

La vie nous réserve bien des épreuves difficiles et c'est à nous d'apprendre à maîtriser nos réactions. Chaque revers peut être l'occasion d'un nouveau triomphe, ainsi qu'en atteste ce témoignage de Brad Lemley dans le magazine *Parade* :

« Ce qui compte, ce n'est pas ce qui nous arrive dans la vie, c'est la leçon qu'on en tire. » C'est là ce que prétend W. Mitchell, un *self made man* devenu millionnaire, conférencier demandé, ex-maire, et féru de rafting et de parachutisme en chute libre. Toutes choses qu'il a réalisées postérieurement à ses accidents.

Quand on voit Mitchell, on a peine à le croire. En effet, le visage de cet homme n'est qu'un patchwork de morceaux de peau greffés, les doigts de ses mains — ceux qui restent en tout cas — ne sont plus que de vagues moignons. Quant à ses maigres jambes paralysées, elles ne sont plus qu'un accessoire inutile flottant sous son pantalon trop large. Mitchell explique que parfois, les gens essaient de deviner dans quelles circonstances il a été blessé. Accident de voiture? Guerre du Viêt-nam? Sa véritable histoire dépasse de loin tout ce qu'on pourrait imaginer. Le 19 juin 1971, Mitchell est le roi du pétrole. Il vient de se payer une sublime moto toute neuve. Le matin même, il a réussi sa première chute libre en solo. Il est jeune, célèbre, et en pleine santé.

« Cet après-midi-là, j'ai enfourché ma moto pour me rendre à mon travail, se souvient Mitchell, lorsque j'ai percuté une camionnette de blanchisserie à une intersection. La moto s'est couchée, m'a éclaté le coude et fracturé le bassin, et le bouchon du réservoir a sauté. L'essence a commencé à se répandre sur l'engin brûlant et a pris feu. Je me suis retrouvé brûlé sur 65 % de la surface du corps. » Par chance, un homme qui passait par là a le réflexe de bondir de sa voiture et lui sauve la vie en l'arrosant à l'aide d'un extincteur d'incendie.

Mitchell n'en avait pas moins le visage entièrement brûlé. Ses doigts noircis étaient carbonisés, tordus, et il ne restait plus de ses jambes que des chairs à vif, rougeoyantes. Il n'était pas rare que ceux qui venaient lui rendre visite pour la première fois s'évanouissent. Après être resté dans le coma pendant deux semaines, Mitchell s'est finalement réveillé.

En l'espace de quatre mois, il dut subir 13 transfusions, 16 greffes de peau, et diverses autres interventions chirurgicales. Quatre ans plus tard, après des mois de rééducation et des années d'apprentissage pour s'adapter à ses nouveaux handicaps, l'impensable se passa. Mitchell fut victime d'un atroce crash aérien, et fut paralysé de toute la moitié inférieure du corps. « Quand je raconte qu'il y a eu deux accidents distincts, explique-t-il, les gens ont du mal à le supporter. »

Après le crash qui l'avait paralysé, Mitchell se souvient avoir rencontré un patient de dix-neuf ans à la salle de sport de l'hôpital. « Ce type avait lui aussi été paralysé. C'était un alpiniste, un skieur, un fou d'activités en plein air, et il était persuadé que sa vie était finie. Finalement, je suis allé le trouver et je lui ai dit : *Tu sais quoi ? Avant qu'il m'arrive tout ça, j'avais la possibilité de faire 10 000 trucs. Aujourd'hui, il ne m'en reste plus que 9 000. Je pourrais passer le restant de mes jours à ruminer sur les 1 000 dont je suis privé, mais j'ai choisi de me concentrer sur les 9 000 qui me restent.* »

Mitchell déclare que son secret est double. D'abord, l'amour et le soutien de ses amis et de sa famille. Ensuite, une philosophie personnelle glanée à diverses sources. Il a compris que rien ne l'obligeait à se soumettre à l'idée admise dans notre société, en vertu de laquelle il faudrait être beau et bien portant pour être heureux. « Je suis aux commandes de mon propre vaisseau spatial, déclare-t-il avec fougue. Je monte. Je descends. J'ai le choix : soit je vois cette situation comme une impasse, soit comme un nouveau point de départ. »

Helen Keller l'exprime en des termes que j'aime bien : « Tant de choses m'ont été données. Je n'ai pas le temps de m'apesantir sur celles dont j'ai été privée. »

La plupart des revers que nous essuierons n'auront certes pas la gravité de ceux de Mitchell, mais chacun de nous en prendra pour son grade : une copine qui te jette, une place de capitaine d'équipe qui te passe sous le nez, une bande organisée qui te dépouille, un dossier d'inscription rejeté, une maladie grave… J'espère et je sais que tu seras proactif dans ces moments déterminants.

Je me souviens d'avoir personnellement essuyé un échec cuisant. À la fac, deux ans après être devenu le premier quarterback de mon équipe, je me suis sérieusement blessé le genou, j'ai traîné la patte, et j'ai fini par perdre mon titre. Je revois comme si c'était hier mon entraîneur me convoquer dans son bureau, juste avant le début de la saison, et m'annoncer qu'ils avaient confié la position à un autre.

VOIS ÇA COMME UNE OCCASION DE REBONDIR

J'en étais malade. Atteindre cette position avait été le travail de toute une vie. C'était ma dernière année. C'était cruel et injuste.

J'étais confronté à un choix. Je pouvais râler, débiner le nouveau, et m'apitoyer sur mon sort. Ou alors… Tirer parti de la situation au mieux.

Par bonheur, j'ai décidé d'affronter le problème. Certes, je ne marquerais plus les buts, mais il y avait d'autres façons de se rendre utile. Alors j'ai mis ma fierté dans ma poche et j'ai joué le jeu : j'ai soutenu le nouveau et l'équipe tout entière. Je me donnais à fond et je préparais chaque nouveau match avec autant de passion que si j'avais été en pole-position. Et, plus important encore, j'ai gardé la tête haute.

Si ça m'a été facile ? Pas vraiment, non. J'ai maintes fois eu le sentiment d'être un raté. Être mis sur la touche quand on a été le premier quarterback, c'était trop la honte. Alors pour garder une attitude positive, je devais batailler ferme.

Si j'ai fait le bon choix ? Affirmatif. J'ai beau avoir eu le cul vissé sur un banc de touche toute l'année, j'ai soutenu l'équipe à ma manière. Et surtout, j'ai assumé la responsabilité de mon attitude. Je ne te raconte même pas comment cette simple décision m'a permis d'avancer dans la vie.

⊛ SURMONTER LES MAUVAIS TRAITEMENTS

Garder la tête haute face à l'humiliation de mauvais traitements est l'un des défis les plus éprouvants qui soient. Je n'oublierai jamais la matinée que j'ai passée avec un groupe d'ados victimes d'abus sexuels au cours de leur enfance, de viol par connaissance, ou d'autres violences physiques ou psychologiques.

Halima m'a raconté l'histoire suivante :

J'ai été victime d'un viol à l'âge de quatorze ans. Cela s'est passé lors d'une fête foraine. Un garçon de mon école est venu vers moi et m'a dit : « Il faut absolument que je te parle. Viens avec moi deux minutes. » Comme ce garçon était un copain et qu'il avait toujours été gentil avec moi, je ne me suis doutée de rien. Il m'a emmenée faire un grand tour à pied et nous nous sommes retrouvés dans les sous-sols du lycée. C'est là qu'il m'a agressée et violée.

Il n'arrêtait pas de me dire : « Si tu parles, personne ne te croira. De toute façon, tu l'as bien cherché. » Il m'a aussi dit que mes parents auraient la honte. Je me suis tue pendant deux ans.

Un jour, j'ai participé à une table ronde avec d'autres victimes d'abus sexuels. Chacun racontait son histoire. Tout à coup, une fille s'est levée et a raconté une histoire qui ressemblait à la mienne. Lorsqu'elle a prononcé le nom du violeur, je me suis mise à pleurer; c'était celui du garçon qui m'avait agressée. Au bout du compte, on a découvert que six d'entre nous avions été ses victimes.

Halima est heureusement en bonne voie de guérison. Elle puise aujourd'hui une force immense dans son activité au sein d'un groupe d'ados qui s'efforce d'aider d'autres victimes d'agressions sexuelles. En offrant son aide, elle a évité à d'autres individus d'être à leur tour victime du même garçon.

L'histoire de Brigitte est hélas très banale :

À l'âge de cinq ans, j'ai été victime de violences sexuelles. L'agresseur était un membre de ma famille. Paralysée par la peur d'en parler à quiconque, je me suis efforcée d'avaler ma douleur et ma colère. Maintenant que j'ai réglé mes comptes avec le passé et que je regarde en arrière, je m'aperçois combien ça a pesé sur tout le reste. J'avais essayé de dissimuler quelque chose d'horrible mais en réalité, c'est moi-même que j'avais fini par mettre entre parenthèses. Il a fallu que treize années s'écoulent avant que j'arrive enfin à affronter mon cauchemar d'enfance.

Beaucoup ont vécu la même expérience ou une expérience similaire. La plupart s'en cachent. Pourquoi ? Certains ont peur pour leur vie. D'autres veulent se protéger ou protéger quelqu'un. Mais quelle qu'en soit la raison, passer les choses sous silence n'est pas une solution. Cela ne fait que laisser une blessure à l'âme si profonde que rien au monde ne semble pouvoir la guérir. La seule façon de permettre à cette déchirure atroce de cicatriser un jour, c'est d'affronter le problème. Il faut trouver quelqu'un à qui en parler, quelqu'un auprès de qui on se sent bien, et en qui on a confiance. Le processus est long et pénible, mais ce n'est qu'en le menant à son terme qu'on peut recommencer à vivre.

Si tu as été victime de violences sexuelles, ce n'est pas de ta faute. Et il faut que la vérité soit dite. Car s'il y a une chose qui favorise les abus de ce genre, c'est bien de les passer sous silence. En en parlant à quelqu'un, tu divises instantanément ton problème par deux. Confie-toi à un de tes proches ou à un(e) ami(e) en qui tu as confiance, joins-toi à un groupe de discussion, ou consulte un thérapeute professionnel. Si la première personne à laquelle tu fais part de tes problèmes ne te semble pas réceptive, ne renonce pas; continue jusqu'à trouver quelqu'un qui le soit. Partager son secret est une étape importante dans le processus de guérison, et de pardon. Choisis d'avoir une attitude proactive. Prends l'initiative de le faire. Inutile de ployer sous ce fardeau un jour de plus. (Pour plus d'information, reporte-toi en fin de livre à la liste des Numéros Verts et sites Internet concernant les abus et mauvais traitements.)

⊛ DEVENIR UN ACTEUR DU CHANGEMENT

Un jour, j'ai posé à un groupe d'adolescents la question suivante : *Qui est votre modèle?* Une fille a répondu : ma mère. Une autre a parlé de son frère. Et ainsi de suite. Un garçon restait remarquablement silencieux. Je lui ai demandé qui il admirait. « Je n'ai pas de modèle », m'a-t-il simplement répondu. Son unique préoccupation, c'était de ne pas ressembler à ceux qui auraient dû lui servir de modèles. C'est hélas le cas d'un grand nombre d'ados. Ils grandissent dans des familles à problèmes et manquent parfois d'un modèle sur lequel se calquer.

Le plus effrayant, c'est que les mauvaises habitudes telles qu'infliger des sévices, boire, ou vivre aux crochets de l'État se transmettent souvent de génération en génération. Il en résulte que les familles à problèmes se perpétuent. Les statistiques montrent par exemple qu'un individu victime de violences sexuelles sera susceptible d'en infliger à son tour. Il faut parfois remonter plusieurs générations pour identifier la source du problème. Tu es peut-être issu d'une famille frappée par une longue tradition d'alcoolisme ou de dépendance à la drogue. Ou aux aides de l'État. Tu viens peut-être d'une famille où personne n'a jamais suivi d'études universitaires, ni même secondaires.

La bonne nouvelle, c'est que le cycle peut être stoppé. En adoptant une attitude proactive, tu peux bloquer l'engrenage de ces habitudes qui te sont transmises. Tu peux devenir un « acteur du changement » et transmettre cette fois de *bonnes* habitudes aux générations suivantes, en commençant par tes propres enfants.

Une jeune fille tenace nommée Helena m'a confié comment elle était devenue un

Je ne peux attribuer mon échec ou ma réussite à personne d'autre qu'à moi-même. La Force, c'est moi.

ELAINE MAXWELL

acteur du changement au sein de sa famille. Chez elle, on n'avait jamais accordé aucun crédit à l'éducation, et elle en voyait les conséquences. Elle nous l'explique : « Ma mère travaillait comme couturière à l'usine pour un salaire dérisoire, et mon père touchait tout juste le Smic. Je les entendais se disputer pour des histoires d'argent, comment on allait payer le loyer et tout ça. À l'école, ils n'étaient jamais allé au-delà du primaire. »

Helena s'en souvient parfaitement : lorsqu'elle était enfant, son père ne pouvait pas l'aider à faire ses devoirs, car il ne savait pas lire le français. Dur pour elle.

Helena était au collège quand sa famille a quitté la Belgique pour revenir s'installer au Portugal. Elle s'est vite rendu compte que là-bas, les options étaient limitées pour le type d'études qu'elle voulait mener. Elle a donc exprimé le vœu de revenir habiter en Belgique, et de vivre chez sa tante. Les années qui ont suivi, Helena a dû faire d'énormes sacrifices pour pouvoir continuer son école.

« Me retrouver empilée dans une seule pièce avec mon cousin, explique-t-elle, avec un seul lit pour deux et, en plus de mes études, un job à assurer pour payer mon loyer, c'était limite. Mais je ne l'ai pas regretté. Je me suis mariée et j'ai eu un enfant alors que j'étais encore au lycée, mais j'ai tenu le coup : j'ai continué mon école et gardé mon travail afin de pouvoir terminer ma formation. Qu'importe le prix à payer, je voulais prouver à mon père qu'il avait tort d'affirmer que personne dans notre famille ne ferait jamais une grande école commerciale. »

Helena obtiendra bientôt son diplôme de troisième cycle dans la finance. Et elle tient à transmettre à ses enfants sa foi en la valeur de l'éducation : « Aujourd'hui, chaque fois que j'en ai la possibilité, je m'assieds sur le canapé avec mon fils et je lui fais la lecture. Je lui apprends à parler le français et le portugais. J'essaie de mettre de l'argent de côté pour pouvoir lui payer des études. Un jour, il aura besoin d'aide pour faire ses devoirs, et je serai là pour l'aider à lire. »

J'ai également eu un entretien avec un garçon âgé de seize ans nommé Stefan, du canton de Berne, en Suisse. Lui aussi est devenu un acteur du changement dans sa famille. Stefan vit avec ses parents et deux frères et sœurs dans une cité, à la périphérie de la ville. Bien que ses parents vivent toujours en couple, ils passent leur temps à se disputer et à s'accuser d'avoir des relations extra-conjugales. Son père, un routier, n'est jamais à la maison. Sa mère fume des joints avec sa sœur âgée de douze ans. Son frère aîné a redoublé deux fois au lycée avant de finalement laisser tomber. À un moment, Stefan avait perdu tout espoir.

Il croyait avoir touché le fond quand il s'est mis à fréquenter un cours de développement personnel (où l'on enseignait les 7 Habitudes) au lycée. Là, il s'est rendu compte qu'il y avait certaines choses sur lesquelles on pouvait agir pour infléchir le cours de sa vie et bâtir un avenir.

Par chance, le grand-père de Stefan était propriétaire de l'appartement situé à l'étage supérieur de celui où vivait sa famille. Moyennant un loyer mensuel de 600 F, celui-ci a accepté que Stefan y emménage. Il dispose maintenant de son propre sanctuaire, et se tient désormais à distance de tout agissement auquel il ne souhaite pas être mêlé à l'étage du dessous, comme il l'explique : « Pour moi, la situation s'est améliorée. Maintenant, je prends soin de moi et je me respecte. Dans ma famille, on n'a pas beaucoup de respect pour soi-même. Personne n'a jamais fait d'études supérieures, mais ça ne m'a pas empêché d'être admis dans trois universités différentes. Désormais, je concentre tous mes efforts vers mon avenir. Mon avenir à moi sera différent. Moi par exemple, je ne resterai pas assis chez moi à fumer des joints avec ma fille de douze ans. »

Qu'importe ce qui t'a été transmis, tu as en toi la force de le surmonter. Déménager à l'étage du dessus pour y échapper, comme l'a fait Stefan, n'est pas toujours possible. Mais dans ta tête, rien ne t'empêche — au sens figuré — de passer au niveau supérieur. Aussi critique que soit ta situation, tu peux devenir un acteur du changement, et réinventer non seulement ta vie, mais tout ce qui en découlera.

❖ DÉVELOPPER SES MUSCLES PROACTIFS

Le poème qui suit est un splendide résumé de ce que signifie « assumer la responsabilité de ses actes », et comment, étape par étape, on peut passer d'un état d'esprit réactif à un état d'esprit proactif.

AUTOBIOGRAPHIE EN
CINQ COURTS CHAPITRES

Extrait de *There's a Hole in My Sidewalk*
de Portia Nelson

I
Je marche dans la rue.
Il y a un gros trou dans le trottoir.
Je tombe dedans.
Je me sens perdue... Impuissante.
Ce n'est pas ma faute.
Je mets un temps fou pour m'en sortir.

II
Je reprends la même rue.
Il y a un gros trou dans le trottoir.
Je fais semblant de ne pas le voir.
Je retombe dedans.
Pas possible, ça recommence !
Mais ce n'est pas ma faute.
Je mets encore très longtemps pour m'en sortir.

III
Encore la même rue.
Il y a un gros trou dans le trottoir.
Je le vois nettement.
Je tombe quand même dedans. L'habitude...
J'ai les yeux ouverts.
Je sais où je me trouve.
C'est de ma faute. Je m'en sors immédiatement.

IV
Toujours la même rue.
Il y a un gros trou dans le trottoir.
Je l'évite.

V
Je prends une autre rue.

Toi aussi, en faisant jouer tes muscles proactifs, tu peux assumer la responsabilité de tes actes et éviter les ornières. Voilà une habitude « révolutionnaire » qui te permettra de te sortir d'un mauvais pas plus souvent que tu ne pourrais l'imaginer !

L'ESPRIT BATTANT

Être proactif, cela veut dire deux choses. D'abord, assumer la responsabilité de ses actes. Ensuite, avoir l'esprit « battant ». Ce qui est très différent de l'esprit « battu d'avance ». Jette un œil :

LE BATTANT	LE BATTU D'AVANCE
Prend l'initiative pour que les choses avancent	Attend qu'il se passe quelque chose pour lui
Envisage des solutions et des variantes à ces solutions	Pense aux problèmes et aux obstacles
Agit	Subit

Quand on a l'esprit battant et qu'on fait preuve d'imagination et de persévérance, c'est fou tout ce qu'on arrive à réaliser. Étudiant, on m'avait soutenu que j'étais « obligé » de suivre un certain cours dans le cadre du cursus obligatoire de langues. Ce cours était pour moi dénué de sens et ne m'intéressait absolument pas. Au lieu de m'inscrire à ce cours, j'ai donc décidé de me concevoir moi-même un cours sur mesure. J'ai dressé une liste d'ouvrages à lire, je me suis fixé un programme d'exercices et j'ai trouvé un professeur pour me parrainer. Ensuite, je suis allé présenter mon dossier auprès du conseiller principal d'éducation, et j'ai plaidé ma cause. Mon idée l'a convaincu, et j'ai bouclé mon cursus obligatoire en langues en suivant mon propre programme.

L'aviateur américain Elinor Smith a dit un jour : « J'ai compris depuis longtemps que ceux qui réalisent leurs projets restent rarement calés dans leur fauteuil à attendre que les choses viennent à eux : ils se bougent, et c'est eux qui vont créer l'événement. »

Affirmatif. Dans la vie, pour atteindre ses objectifs, il faut prendre l'initiative. Si personne ne t'invite à sortir et que cela te mine, ne reste pas là à bouder dans ton coin, fais quelque chose pour y remédier. Va à la rencontre des gens, trouve des moyens. Sois aimable et essaie de sourire un maximum. Fais le premier pas. C'est à *toi* de tendre des perches. Les gens ne connaissent pas forcément ta valeur.

N'attends pas que le job miracle te tombe du ciel, va le chercher. Envoie ton CV, établis un réseau de relations, fais du bénévolat.

Dans un magasin, si tu as besoin d'aide, n'attends pas qu'un vendeur vienne te trouver : va le trouver toi-même.

Certains s'imaginent à tort qu'avoir l'esprit battant implique un comportement lourd, agressif ou même odieux. Faux. Avoir l'esprit battant exige du courage, de la persévérance et de l'intelligence. D'autres pensent qu'un battant est un individu qui enfreint les règles établies, pour imposer les siennes. Inexact. Le battant est créatif, entreprenant, et bourré de ressources.

Pia, une de mes collaboratrices, m'a confié l'histoire suivante. Elle ne date pas d'hier, mais le principe de l'esprit battant est le même :

J'étais jeune journaliste à plein temps pour l'agence de presse mondiale UPI, et j'exerçais dans une grande ville d'Europe. Ayant peu d'expérience professionnelle, j'avais toujours peur de ne pas satisfaire les attentes d'un staff de pros, constitué en majorité d'hommes tous beaucoup plus âgés que moi, et avec qui ça ne rigolait pas. Les Beatles allaient débarquer en ville et, à ma grande surprise, c'est moi qu'on avait envoyé pour couvrir l'événement (mon rédacteur en chef ignorait l'ampleur de leur popularité). À l'époque, ils défrayaient la chronique d'un bout à l'autre de l'Europe. Il leur suffisait d'apparaître pour que les filles tombent en syncope; et moi, j'allais couvrir leur conférence de presse !

La conférence de presse était passionnante et j'étais absolument ravie d'être là, mais j'ai réalisé qu'on allait tous écrire le même article. Il me fallait un « plus », quelque chose de plus substantiel, susceptible de faire la une. C'était une occasion en or, et je ne pouvais pas la laisser passer. Un à un, tous les reporters chevronnés sont partis rédiger leur article, et les Beatles sont remontés dans leur chambre. Moi, je suis restée là à me dire qu'il me fallait absolument trouver le moyen de choper ces types. Sans perdre un instant.

Alors, je me dirige vers la réception de l'hôtel, je décroche le combiné du téléphone intérieur, et je chiffre le numéro de la suite du dernier étage. C'est leur manager qui décroche. D'un ton assuré (qu'est-ce que j'avais à perdre ?), je lance : « Pia Jensen, United Press, à l'appareil. J'aimerais monter m'entretenir quelques instants avec les Beatles. »

Et là, incroyable mais vrai, la voix me répond : « Montez, je vous en prie. »

Tremblant comme une feuille, j'entre dans l'ascenseur menant aux suites royales de l'hôtel avec l'impression d'avoir décroché le jackpot. On m'emmène dans un salon de la taille d'un étage tout entier — et ils étaient là, assis tous les quatre : Ringo, Paul, John et George. Gloups ! J'ai ravalé ma nervosité et mon manque d'expérience et j'ai fait de mon mieux pour me la jouer grand reporter.

J'ai passé les deux heures qui ont suivi à rigoler, écouter, parler et écrire et à m'amuser comme jamais je ne m'étais amusée. Ils m'accordaient toute l'attention du monde. C'était royal !

Le lendemain matin, mon article s'étalait sur cinq colonnes à la une du plus grand quotidien de tous les États-Unis. Et dans les jours qui ont suivi, mes interviews plus approfondies de chacun des Beatles étaient reprises dans les pages intérieures des quotidiens du monde entier. Quand ce fut au tour des Rolling Stones de débarquer, devinez qui on a envoyé ? Moi, une journaliste femme, jeune et sans expérience ! J'ai utilisé la même approche avec eux, et ça a fonctionné une nouvelle fois. J'ai vite réalisé toutes les choses que je pourrais réussir en faisant preuve de persévérance, sans forcing. J'avais mis en place un schéma dans ma tête et maintenant, c'était clair : tout était possible. Grâce à cette approche, je finissais le plus souvent par avoir la meilleure matière pour mes articles, et ma carrière de journaliste a pris un nouvel essor.

Le dramaturge anglais George Bernard Shaw, qui en connaissait un brin sur la question, disait ceci : « On met toujours tout sur le dos des circonstances. Je n'y crois pas, moi, aux circonstances. Les gens qui réussissent dans ce monde sont ceux qui se lèvent et partent en quête des circonstances qu'ils recherchent. Et quand ils ne les trouvent pas, ils les créent. »

Regarde bien comment Sophie a trouvé le moyen de créer les circonstances qu'elle recherchait :

Cela peut paraître bizarre pour une adolescente d'avoir envie de travailler dans une bibliothèque, mais je voulais absolument ce job. Je n'avais jamais désiré quelque chose avec autant d'ardeur — mais ils n'embauchaient pas. Je me rendais à cette bibliothèque tous les jours pour lire, passer un moment avec mes amis, parfois même simplement pour me changer de la maison. Quel meilleur endroit pour travailler qu'un endroit où on a déjà ses habitudes ? Je n'avais pas de poste là-bas et pourtant, peu à peu, j'ai fait la connaissance de toute l'équipe. Je me suis proposée comme bénévole à l'occasion d'événements spéciaux et, au bout d'un moment, je faisais partie des réguliers. Ça a fini par payer. Quand un poste s'est finalement libéré, j'étais en pole-position, et j'ai trouvé là un de mes meilleurs emplois.

APPUIE SIMPLEMENT SUR LA TOUCHE PAUSE

Au fait, quand quelqu'un est grossier avec nous, où trouver la force de ne pas être grossier à notre tour ? Pour commencer, contente-toi d'appuyer sur la touche pause. Si, si. Lève simplement le bras, appuie sur le bouton pause, et mets ta vie sur « pause », exactement comme tu procèderais sur ta télécommande (si je me souviens bien, la touche pause est située quelque part au milieu du front).

À force de vivre à 100 à l'heure, on finit par réagir comme un automate. Simplement par habitude. Quand tu auras appris à te mettre sur pause, à te contrôler, et à réfléchir à la meilleure façon de réagir, tu prendras des décisions plus avisées. C'est vrai, ton enfance, tes parents, tes gènes et ton environnement peuvent t'*inciter* à faire certaines choses. Mais rien de tout ça ne t'y *oblige*. Tu n'es pas déterminé, tu as la liberté de choix.

Maintenant que tu as calé ta vie sur pause, ouvre ta boîte à outils (celle avec laquelle tu es venu au monde) et sers-toi tes quatre outils propres à l'homme pour t'assister dans tes choix. Les animaux ne sont pas dotés de tels outils : c'est la raison pour laquelle tu es plus intelligent que ton chien. Ces outils, ce sont la conscience de soi, l'éthique, l'imagination, et la volonté indépendante. Tu peux les appeler tes outils de pouvoir, si ça te dit.

CONSCIENCE DE SOI :   *Je peux prendre du recul sur moi-même et observer mes pensées et mes actes.*

ÉTHIQUE :   *Je peux écouter ma voix intérieure et distinguer le bien du mal.*

IMAGINATION :   *Je peux envisager de nouvelles possibilités.*

VOLONTÉ INDÉPENDANTE :   *J'ai la force de choisir.*

Mettons ces outils en scène en imaginant une adolescente, nommée Elsa qui part promener son chien, Ouf.

« Alors, le chien ? Toi vouloir promener ? », lance Elsa au chien qui bondit de joie en frétillant de la queue.

La semaine a été pénible pour Elsa. Non seulement elle vient de quitter son petit copain, Éric, mais c'est tout juste si sa mère et elle s'adressent encore la parole.

Tout en se baladant sur le trottoir, Elsa se met à penser à la semaine qui vient juste de s'écouler. « Tu sais quoi ?, se dit-elle intérieurement, quitter Éric, ça m'en a fichu un sacré coup. C'est sans doute pour ça que j'ai été si dure avec Maman. J'ai reporté toute ma colère sur elle. »

Tu vois ce qu'Elsa est en train de faire ? Elle prend du recul sur elle-même et évalue, soupèse, la portée de ses actes. Ce processus est appelé **conscience de soi***. C'est un outil dont tout humanoïde est doté à la naissance. Grâce à l'utilisation de sa conscience de soi, Elsa arrive à reconnaître que la séparation avec Éric altère sa relation avec sa mère. Cette observation est la première étape vers un changement d'attitude vis-à-vis de sa mère.*

Pendant ce temps, Ouf repère un chat au loin et, obéissant à ses instincts, démarre au quart de tour pour lui foncer dessus.

Ouf a beau être un chien fidèle, il n'a aucune conscience de lui-même. Il ne sait même pas qu'il est un chien. Il est incapable de prendre du recul sur lui-même et de se dire : « Tu sais quoi ? Depuis que Folie (sa copine chienne, celle du voisin) a déménagé, je reporte ma colère sur tous les chats du quartier. »

Tout en continuant sa petite promenade, Elsa commence à laisser libre cours à ses pensées. Elle a hâte d'être déjà le lendemain, au concert de l'école, où elle doit se produire en solo. La musique, c'est sa vie. Elsa se voit au concert en train de chanter. Elle se voit en train d'éblouir le public, puis de s'incliner sous ses ovations, debout et applaudissant à tout rompre. Tous ses amis, tous ses professeurs… sans oublier, bien sûr, les garçons les plus mignons.

*Dans cette scène, Elsa utilise un autre de ses outils propres à l'homme, **l'imagination**. C'est un don remarquable. Il nous permet de nous échapper des circonstances de l'instant présent, et de concevoir de nouvelles possibilités dans notre tête. Grâce à lui, il nous est possible de visualiser notre avenir et de concevoir en rêve ce que nous aimerions devenir.*

Tandis qu'Elsa a des visions de grandeur, Ouf est très occupé à creuser le sol pour déterrer un ver.

Ouf a à peu près autant d'imagination qu'un caillou : zéro. Il ne peut pas penser plus loin que l'instant présent. Impossible pour lui d'imaginer de nouvelles possibilités. Tu imagines Ouf se dire : « Un jour, je vais mettre une telle dérouillée à Lassie qu'il y en aura partout sur les murs. » ?

« Salut, Elsa. Qu'est-ce que tu fabriques ? » lui lance Julie en se garant à sa hauteur, contre le trottoir.

« Oh, salut, Julie, répond Elsa un peu ahurie, en essayant de reprendre ses esprits. Tu m'as surprise. Rien de spécial, je promène Ouf, c'est tout. »

« Hé, on m'a dit, pour toi et Éric. Les boules. »

Elsa est agacée. Julie lui parle d'Éric alors que ça ne la regarde pas. Elle aurait très envie d'être cassante mais elle sait que Julie, une nouvelle au lycée, essaie désespérément de se faire des amis. Au fond d'elle-même, Elsa sent qu'adopter une attitude chaleureuse et amicale serait plus juste.

« Ouais, pas évident, la rupture. Et toi, Julie, pas de souci ? »

*Elsa vient de se servir d'un outil propre à l'homme appelé **éthique**. L'éthique est une « voix intérieure » qui, en toute circonstance, nous apprend à distinguer le bien du mal. Chacun de nous en a une. Celle-ci peut s'épanouir ou faire peau de chagrin, selon que nous suivons ses injonctions ou pas.*

Pendant ce temps, Ouf se soulage contre la clôture de bois fraîchement repeinte en blanc de M. Martin.

Ouf est dénué du moindre sens moral et ne distingue pas le bien du mal. Après tout, Ouf est juste un chien. Et un chien obéit à ses instincts, n'importe lesquels.

Elsa et Ouf ont presque fini leur promenade. Le seuil de la maison à peine franchi, elle entend sa mère lui hurler depuis la pièce d'à côté : « Mais tu étais passée où, Elsa ? Je te cherche partout ! »

Elsa s'est mise en condition pour ne pas perdre son calme face à sa mère. Donc, plutôt que de lui hurler en retour : « Oh ! Tu me lâches, deux secondes ? », elle répond calmement : « Je suis juste allée promener Ouf, M'man… »

« Ouf ! Ouf ! Reviens ici tout de suite », s'écrie Elsa tandis que le chien bondit comme une flèche hors de la maison à la poursuite du facteur sur son vélo.

*Tandis qu'Elsa fait appel au quatrième de ses outils propres à l'homme, la **volonté indépendante**, pour maîtriser sa colère, Ouf, à qui l'on a pourtant interdit de japper après le facteur, est incapable de résister à ses pulsions. La volonté indépendante est le pouvoir d'agir. Elle nous rappelle que nous avons la liberté de choisir, de maîtriser nos émotions, de surmonter nos habitudes et de ne pas céder à nos instincts.*

Comme tu le vois dans l'exemple ci-dessus, chaque jour de notre vie, nous utilisons — ou nous oublions d'utiliser — nos quatre outils propres à l'homme. Plus nous nous en servons, plus leur puissance augmente, et plus nous avons la force d'être proactif. Toutefois, si nous négligeons de nous en servir, nous avons tendance à *réagir* impulsivement, tel un chien, plutôt qu'à *agir* en fonction de nos choix, tel un être humain.

● LES OUTILS PROPRES À L'HOMME EN ACTION

Victime d'une crise familiale, Dermell Reed m'a confié un jour comment, grâce à son attitude proactive, il a réussi à infléchir le cours de sa vie. Quatrième d'une famille de sept enfants, Dermell Reed a grandi dans l'une des cités les plus dures d'East Oakland, en Californie. Personne dans la famille Reed n'avait jamais mené d'études supérieures, et ce n'est pas avec Dermell que cela risquait de changer. Il se posait des questions sur son avenir. Sa famille était défavorisée. Des bandes organisées et des dealers râtissaient le quartier. Pourrait-il s'en sortir un jour ? Une paisible nuit d'été, l'année juste avant sa terminale, il était chez lui quand soudain, une série de coups de feu a éclaté.

« Des coups de feu, on en entend tous les jours, explique Dermell Reed. Alors je n'ai pas spécialement réagi. »

Soudain, un de ses amis, touché d'une balle à la jambe, fait irruption dans la pièce et se met à brailler que Kevin, le petit frère de Dermell Reed, vient de se faire descendre au cours d'une fusillade organisée.

« J'étais bouleversé, j'avais la haine, j'étais meurtri et j'avais perdu quelqu'un que je ne reverrais plus jamais de ma vie, confie Dermell Reed. Il n'avait pas plus de treize ans. Et c'est pour une histoire de rixe minable qu'il s'est fait descendre. Je ne vous raconte pas les dégâts. À partir de ce moment-là, la famille tout entière a sombré. »

La réaction instinctive de Dermell Reed a été de refroidir le meurtrier. Après tout, il avait grandi dans les quartiers et à ses yeux, c'était la seule véritable façon de venger la mort de son frère. La police essayait en vain d'appréhender un suspect, mais Dermell Reed, lui, savait. Une nuit poisseuse d'août, quelques semaines après la mort de Kevin, il s'est procuré un calibre .38 et a pris la rue pour aller punir Tony Davis, alias *Fat Tone*, le dealer de crack qui avait tué son frère.

« Il faisait nuit noire. Davis et ses amis ne pouvaient pas me voir. Il était là, assis, à tchatcher, rigoler, et à s'amuser. Et moi, je me trouvais à une quinzaine de mètres de lui, accroupi derrière une voiture, un calibre chargé au poing. Assis là, je me disais : *Je n'ai qu'à titiller cette petite gâchette, et boum ! Je dégomme l'assassin de mon frère.* »

Grave décision.

Arrivé à ce stade, Dermell Reed appuie sur la touche pause et se reprend. À l'aide de son **imagination**, il revoit son passé et envisage son avenir. « En l'espace de quelques secondes, j'ai vu défiler ma vie. J'ai soupesé les options possibles. J'ai évalué mes chances de m'en sortir, de ne pas me faire serrer, je voyais la police sur mes traces. J'ai repensé à Kevin quand il venait me voir jouer au foot. Il me disait toujours : un jour, tu passeras pro. J'ai pensé à mon avenir, à mes études. Et à ce que je voulais faire de ma vie. »

Toujours calé sur pause, Dermell Reed a écouté son **éthique**. « J'étais là avec un calibre dans les mains, tremblant de peur, quand il m'a semblé entendre ma bonne moitié me dire : relève-toi, rentre chez toi, et retourne au lycée. Me venger, ça revenait à jeter mon avenir à la poubelle. À ce tarif, je ne valais pas mieux que le type qui avait tué mon frère. »

Armé de sa **volonté indépendante**, plutôt que de céder à sa colère et de jeter sa vie à la poubelle, Dermell Reed s'est levé, a marché jusqu'à chez lui, et a juré qu'il irait jusqu'au bout de ses études. En mémoire de son frère.

Neuf mois plus tard, Dermell Reed figurait sur la liste des meilleurs élèves de son établissement et était reçu au baccalauréat. Au lycée, personne n'arrivait à le croire. Cinq ans plus tard, son diplôme en poche, il était devenu une star du circuit universitaire de football américain.

Tout comme ce garçon, chacun de nous sera appelé au cours de son existence à relever un ou deux formidables défis. Et deux options s'offrent à nous : prendre la décision de relever ces défis, ou accepter d'en devenir la marionnette. C'est un *choix* qui nous revient.

Elaine Maxwell résume plutôt bien tout ça : « Je ne peux attribuer mon échec ou ma réussite à personne d'autre qu'à moi-même. La Force, c'est moi. Soit je renverse les obstacles qui se dressent sur mon chemin, quelle que soit leur nature, soit je me perds dans un dédale. C'est mon choix. Ma responsabilité. Je gagne ou je perds, mais la seule à détenir les clés de mon destin, c'est moi. »

Ça me rappelle ces vieilles pubs Volkswagen. « Sur l'autoroute de la vie, il y a ceux qui pilotent, et les autres : les passagers… C'est de pilotes dont on a besoin ! »

Alors juste une question : à bord de ta vie, es-tu commandant de bord, ou simple passager ? Dans la superproduction de ta vie, es-tu réalisateur, ou simple figurant ? Es-tu plutôt du genre boisson gazeuse, ou plutôt eau plate ?

Au moins les choses sont claires : *c'est toi qui choisis !*

PROCHAIN ÉPISODE

Au cours du prochain chapitre, je t'embarque avec moi pour une balade inoubliable appelée Le Grand Éveil. Allez, rapplique. Frissons garantis !

PAS DE FOURMI

① La prochaine fois qu'on t'adresse un geste obscène, réponds avec le V du signe de la paix.

② Aujourd'hui, sois bien à l'écoute de ton vocabulaire. Compte le nombre de fois où tu auras recours à un langage réactif, du style « Tu me fais... », « Je suis obligé(e) de... », « Si seulement ils... » ou « Impossible de... »

Langage réactif auquel j'ai le plus fréquemment recours :

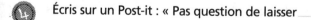

③ Aujourd'hui, fais quelque chose dont tu as toujours rêvé, sans jamais oser le faire. Sors de ton petit cocon et lance-toi. File rencard à quelqu'un, lève le doigt en classe, ou inscris-toi dans une équipe.

④ Écris sur un Post-it : « Pas question de laisser

décider de mon humeur à ma place. » Colle-le dans ton casier, sur ton miroir, ou sur ton emploi du temps, et relis-le régulièrement.

⑤ À la prochaine fête, ne reste pas assis(e) dans un coin en attendant que les choses se passent toutes seules, crée l'occasion toi-même. Lève-toi et va te présenter à quelqu'un que tu ne connais pas.

⑥ La prochaine fois que tu recevras une note que tu estimes injuste, plutôt que d'aller te répandre ou te lamenter, prends rendez-vous avec le professeur, parles-en avec lui, et vois la leçon que tu peux en tirer.

HABITUDE 1

PAS DE FOURMI

7 Si tu te disputes avec un parent ou un(e) ami(e), présente des excuses en premier.

8 Identifie quelque chose figurant dans le cercle de tes préoccupations mais que tu rumines en permanence. Décide de laisser tomber tout de suite.

Chose sur laquelle je ne peux pas agir mais que je rumine en permanence :

_____

_____

9 Appuie sur le bouton pause avant de réagir quand on te bouscule dans un couloir, quand on te lance une insulte, ou quand on te passe devant dans la file d'attente.

10 À l'aide de ton outil nommé conscience de soi — là, tout de suite — demande-toi : « Quelle est ma plus mauvaise habitude ? » Décide d'agir pour y remédier.

Ma plus mauvaise habitude : _____

_____

Mon plan pour y remédier : _____

_____

_____

_____

Sache dès le **Départ où Tu veux aller**

Prends Ton Destin en Main,

OÙ D'AUTRES S'EN CHARGERONT À TA PLACE

« **Pourrais-tu** m'indiquer dans quelle direction je dois partir? »

« Cela dépend largement de l'endroit où tu veux te rendre »,

répondit le Chat.

« Je ne m'en soucie guère », dit Alice.

« Dans ce cas, toutes les directions sont bonnes », dit le Chat.

EXTRAIT D'*ALICE AU PAYS DES MERVEILLES*

Imagine. On te demande de reconstituer un puzzle. Des puzzles, tu en as déjà fait tellement que tu brûles d'envie de démarrer là, tout de suite. Tu renverses les 1 000 pièces sur une grande table et tu les étales sur toute la surface. Tu soulèves alors le couvercle de la boîte pour examiner l'image que tu es censé reconstituer. Mais il n'y en a pas! Rien du tout! Et tu te demandes comment tu vas bien pouvoir faire pour arriver à reconstituer ce truc sans modèle. Si seulement tu pouvais voir ce que c'est, ne serait-ce qu'une fraction de seconde. Juste une! Ça changerait complètement la donne! Mais là, tu ne sais même pas par où commencer.

Alors pense aux 1 000 pièces de ta vie à toi. As-tu une destination en tête? As-tu une idée claire de la personne que tu voudrais être d'ici un an? D'ici cinq ans? Ou alors pas la moindre?

L'idée de l'Habitude n° 2, « Sache dès le départ où tu veux aller », est de t'aider à déterminer précisément ce que tu comptes faire de ta vie. Cela implique de choisir tes valeurs et de te fixer des objectifs. L'Habitude n° 1 établit que tu es calé dans le fauteuil du pilote aux commandes de ta propre vie, et non pas un simple passager. L'Habitude n° 2, puisque tu es calé dans le fauteuil du pilote, t'incite à te fixer une destination et à établir une carte qui te permettra de l'atteindre.

Tu vas me dire « Hé, doucement, Sean! Je n'en sais rien du tout, moi, où je veux aller. Et ce que je veux faire dans la vie, encore moins! » Si cela peut te rassurer, moi qui suis un adulte, je ne sais toujours pas non plus. Quand je dis « Sache dès le départ où tu veux aller », je ne parle pas d'organiser ton avenir dans les moindres détails, de choisir un métier, de décider avec qui tu veux faire ta vie, etc. Je parle simplement de voir un peu plus loin, de ne pas te contenter de vivre au jour le jour. L'idée, c'est de te fixer un cap afin que chaque fois que tu avances, tu avances dans la bonne direction.

Ce que je veux dire par : « Sache dès le départ où tu veux aller »

Tu ne t'en rends pas forcément compte, mais c'est un truc qu'on fait tout le temps. Je veux dire : savoir dès le départ où on veut aller. Avant de construire une maison, il faut dessiner des plans. Pour faire un gâteau, il faut suivre une recette. Avant de rédiger une dissertation, tu élabores un plan (j'espère, en tout cas). Ça fait partie de la vie.

En nous servant de notre outil nommé imagination, livrons-nous à une petite expérience illustrant ce thème. Là, tout de suite. Trouve un endroit pour t'isoler, un endroit où personne ne viendra te déranger.

Bien. Maintenant, fais le vide dans ta tête. Ne pense plus ni à tes cours, ni à tes copains, ni à ta famille, ni à ce point noir que tu as au milieu du front. Concentre-toi simplement avec moi, inspire profondément, et sois réceptif.

Utilise ton œil intérieur et visualise la scène : quelqu'un apparaît au coin de la rue et marche à ta rencontre. Tu ne distingues pas tout de suite qui c'est. Et là, incroyable mais vrai, tu réalises au fur et à mesure que la silhouette se rapproche que cette personne, c'est toi-même. Mais ce n'est pas toi *aujourd'hui*, c'est toi *tel que tu te vois* dans un an.

Et maintenant, concentre-toi profondément.

Qu'as-tu fait de ta vie pendant l'année qui vient de s'écouler?

Comment te sens-tu au fond de toi?

À quoi ressembles-tu?

Quels sont les traits qui te caractérisent? (Souviens-toi, il s'agit de toi *tel que tu te vois* dans un an.)

Reviens maintenant doucement à la réalité. Si tu as joué le jeu et que tu t'es livré à l'expérience avec sincérité, il y a de grandes chances pour que tu te sois connecté(e) à ta nature profonde. Grâce à ton intuition, tu as pu te faire une idée de ce qui compte vraiment pour toi et de ce que tu aimerais réaliser cette année. Savoir dès le départ où on veut aller, c'est précisément cela. Et c'est vraiment facile à faire.

Savoir dès le départ où on veut aller est un outil puissant qui permet de transformer ses rêves en réalité. Jacques l'a découvert :

J'ai découvert un truc qui m'aide vraiment quand je suis énervé ou déprimé. Je m'isole dans un endroit où je peux être tranquille, je ferme les yeux, et je visualise dans ma tête ce que je veux être, et quelle direction je veux suivre, une fois arrivé à l'âge adulte. J'essaie de me faire l'idée la plus précise possible de la vie idéale — et de là, je réfléchis automatiquement à ce qu'il faut faire, et changer, pour pouvoir y arriver. J'utilise cette technique depuis l'âge de 14 ans et aujourd'hui, certaines de ces visions sont sur le point de se concrétiser.

De fait, regarder un peu plus loin et ne pas se contenter de vivre au jour le jour peut être une expérience tout à fait stimulante permettant de prendre ses responsabilités. Cette élève de terminale le confirme :

Je n'avais jamais planifié un seul truc à l'avance. Avant, je prenais les choses au fur et à mesure, comme ça se présentait. Savoir dès le départ où on veut aller, c'est une idée qui ne m'avait jamais effleuré. Et je dis bien jamais. Quelle leçon de vie! Aujourd'hui, au lieu de vivre au jour le jour comme avant, je me surprends à voir plus loin, à anticiper. Non seulement j'ai établi un plan pour mes études, mais en plus, je réfléchis à la façon dont j'ai envie d'élever mes enfants, au type d'éducation que je veux leur donner, et dans quel contexte familial je veux qu'ils grandissent. Bref, je m'assume. Fini le bouchon ballotté au gré des flots!

Savoir dès le départ où on veut aller, c'est donc si important? Oui, pour deux raisons majeures. La première, c'est que tu te trouves aujourd'hui à un carrefour crucial dans ta vie, et que la route sur laquelle tu choisis de t'engager aujourd'hui peut déterminer ta vie tout entière. La seconde, c'est que si tu ne donnes pas toi-même une direction à ta vie, quelqu'un d'autre le fera pour toi.

◈ LES CARREFOURS DE LA VIE

Examinons la première raison majeure. Donc voilà. Tu es jeune. Libre. Tu as la vie devant toi. Tu te trouves à un carrefour de ton existence et il faut choisir ta direction :

Tu comptes t'arrêter au DEUG ou aller jusqu'à la licence ?

Quelle attitude tu vas choisir face à la vie ?

Tu t'y inscris, dans cette équipe, ou pas ?

Ton style d'amis, c'est quoi ?

Tu comptes te joindre à une bande organisée ?

Avec qui vas-tu sortir ?

Tu comptes avoir des rapports avant le mariage ?

Est-ce que tu vas boire, fumer, ou te droguer ?

Quelles valeurs vas-tu choisir ?

De quel genre de relations as-tu envie avec ta famille ?

Quelles idées vas-tu défendre ?

Que vas-tu faire pour soutenir ta communauté ?

Les chemins sur lesquels tu choisis de t'engager aujourd'hui façonneront ta vie tout entière. Devoir prendre des décisions aussi cruciales, quand on est si jeune et si bouillonnant d'hormones, c'est à la fois très excitant et très effrayant. Mais bon, c'est la vie. Imagine une corde de quatre-vingt mètres déroulée devant toi. Chaque mètre correspond à une année de ta vie. L'adolescence n'en représente pas plus de sept. Un tout petit bout de corde. Mais ces sept années-là conditionnent, en bien ou en mal, les soixante et unes restantes. Et en profondeur !

Et les amis ?

Prends les amis que tu t'es choisis et réfléchis. Tu te rends compte de l'influence majeure qu'ils exercent sur ton attitude, ta réputation, et tes choix d'orientation ! Se faire accepter par un groupe et s'y intéger est un besoin puissant. Mais on a trop tendance à baser nos choix sur ce critère-là. Et cela n'est pas toujours très bon. Pour être accepté par les ados qui se droguent, par exemple, la seule chose requise, c'est de se droguer soi-même.

C'est dur mais parfois, mieux vaut passer une période sans amis du tout que de se tromper d'amis. Choisis mal tes fréquentations et tu pourrais bien te retrouver embarqué sur des chemins dont tu te serais volontiers passé. Surtout que faire machine arrière peut devenir un interminable chemin de croix. J'ai un ami proche qui, heureusement pour lui, a eu suffisamment de bon sens pour tourner le dos à ses anciens amis et s'en choisir de nouveaux. Il nous raconte son histoire :

L'été juste avant ma terminale, j'avais un très bon pote qui s'appelait Joseph. Un mois avant la rentrée, il est parti à Amsterdam et en est revenu avec du haschish. Ni l'un ni l'autre nous n'avions jamais essayé aucune drogue. Au début, il m'a invité à me joindre à lui et à ses « nouveaux » amis pour y goûter. Ensuite, il a lancé ses « Soirées 6 × 4 » : on s'asseyait tous en cercle et chacun devait descendre ses 24 canettes de bière, des 50 cl, jusqu'à la dernière goutte. Pour moi, c'était clair : tous ces trucs menaient à une impasse et si ça continuait, il allait finir par s'auto-détruire. Le problème, c'est que c'était mon meilleur pote depuis l'école primaire et que les bons amis, je pouvais les compter sur le bout de mes doigts. Je n'avais pas envie de me retrouver tout seul, mais d'un autre côté, je n'avais pas envie non plus d'accompagner Joseph dans sa chute, puisque c'est comme ça que je voyais les choses.

J'ai fini par prendre ma décision (pas évident) : continuer à zoner avec Joseph, c'était trop risqué. Résultat : arrivé en terminale, il a fallu que je recommence à zéro pour me faire de nouveaux amis. Au début, je me suis retrouvé tout seul, comme un con. J'étais gêné aux entournures, je n'arrivais pas à trouver mes marques. Mais au bout de quelques mois, je me suis lié d'amitié avec des gens avec qui on partageait les mêmes valeurs, et avec lesquels, en plus, on a bien déliré.

Mon vieux pote Joseph est tombé dedans complètement. Il a péniblement atteint le bac, et a fini noyé dans une piscine, raide défoncé. Ça m'a fait un choc, mais je me suis félicité : j'avais eu le cran de prendre la bonne décision et de voir à long terme, à un moment décisif de ma vie.

Si tu as du mal à te faire de bons amis, souviens-toi de ceci : on n'est pas obligé d'avoir des bons amis qui ont forcément le même âge que nous. Un jour, j'ai parlé à un type qui semblait avoir très peu d'amis à l'école, mais ce qu'il avait, en revanche, c'est un grand-père qui l'écoutait vraiment, et qui était pour lui un véritable ami. Dans une certaine mesure, ça comblait le vide que ce garçon ressentait au niveau de l'amitié. Bref, pour résumer, je dirais ceci : fais preuve de discernement en choisissant tes amis car, dans une large mesure, ton avenir dépend des gens avec lesquels tu traînes.

Et le sexe ?

Oui, et le sexe ? Dans le genre décision importante aux conséquences énormes, bonjour ! Quand on attend d'être en plein dans le « feu de l'action » pour décider de la direction à prendre, il est trop tard. La décision a déjà été prise. Alors décide maintenant : là, tout de suite. L'état de santé, l'image de soi, la vitesse à laquelle on grandit, la réputation, la personne avec qui on va faire sa vie, ses futurs enfants et beaucoup, beaucoup d'autres choses : tout cela est fonction de la direction prise à ce niveau. Muris ta réflexion... sagement. Une des techniques possibles consiste à imaginer dans quel état d'esprit tu voudrais être le jour de ton mariage. Quel genre de vie espères-tu que ton futur partenaire mène aujourd'hui ?

Une étude menée récemment a fait ressortir que le passe-temps favori des ados était le cinéma. Je comprends d'autant mieux que moi, le cinéma, j'adore ça. En revanche, je serais plutôt du genre à me méfier des valeurs qu'on y vante. Le cinéma nous ment, et plus particulièrement au sujet du sexe. Collectionner les partenaires et coucher n'importe quand avec n'importe qui nous y est présenté comme une attitude très « glamour », au mépris des risques et des conséquences que cela engendre. Au cinéma, on ne nous montre pas comment une vie peut être brisée par le virus du SIDA ou les MST, ni par tous les bouleversements qui peuvent résulter d'une grossesse non désirée. Au cinéma, on ne te montre pas ce que c'est que de vivre avec le minimum vital une fois qu'on a été contraint d'arrêter le lycée (alors que le père de l'enfant s'est carapaté depuis longtemps et qu'il n'envoie pas un centime). Ni ce que c'est que de passer ses week-ends à changer des couches et à faire du baby sitting, au lieu d'aller s'éclater à soutenir son équipe favorite sur un terrain de basket, à faire la fête, et à vivre une adolescence normale.

Nous sommes libres de choisir de nous engager dans telle ou telle direction. Mais ce que nous ne maîtrisons pas, ce sont les conséquences de ces choix. L'Aquaboulevard de Paris, tu connais ?

D'accord, tu choisis ton toboggan ; mais une fois lancé, tu peux toujours chercher les freins. Il faut assumer… jusqu'au bout. Voici la confession d'une ado du Québec :

J'ai passé une année noire — ma première année de fac. La totale : alcool, drogue, des plans sexe avec des types plus âgés que moi, zoner avec des lourds, etc. En fait, je crois que j'avais la haine et que je me sentais malheureuse. Ça n'a pas duré plus d'un an, mais j'en paie encore les conséquences aujourd'hui. Les gens n'oublient jamais, et assumer un passif dont on n'est pas vraiment fière, c'est franchement dur. J'ai l'impression que ça va me hanter toute ma vie. Aujourd'hui encore, des tas de gens sortent à mon chum[3] des trucs style : « Alors comme ça, ta copine, elle boit, elle fume, et elle s'envoie en l'air ? » Ce genre de trucs, quoi. Mais le pire, c'est que systématiquement, à chaque fois que j'ai un problème, n'importe lequel, je me dis : « Peut-être que si je n'avais pas fait ci ou ça, y'aurait pas de souci. »

Et l'école ?
Ton approche de la scolarité peut également exercer une influence majeure sur ton avenir. L'expérience de Justine montre bien comment, dans le contexte d'une scolarité, savoir dès le départ où on veut aller est une politique qui porte ses fruits :

Quand j'étais en première, j'ai décidé de m'inscrire à un cours accéléré d'Histoire. L'idée, c'était de pouvoir me présenter en fin d'année aux examens reconnus au niveau national, pour obtenir mon diplôme.

Pendant toute l'année, le prof nous a bombardés de devoirs à faire à la maison. J'avais du mal à suivre, mais j'étais déterminée d'une part à bien travailler en cours, d'autre part à obtenir mon équivalence en fin d'année. Avec cet objectif bien en tête, ça devenait facile de donner le meilleur de moi-même à chaque nouveau devoir.

L'un en particulier prenait des heures. Chaque étudiant devait visionner une série documentaire sur la Révolution française, puis rédiger un compte-rendu sur les différents volets de la série. Chaque volet durait deux heures, et la série s'étalait sur dix jours. Difficile de caser ce truc dans mon emploi du temps déjà surchargé mais bon, je l'ai fait. En rendant ma copie, j'ai découvert que j'étais l'une des rares à avoir effectivement visionné la série.

Et puis le jour des examens est arrivé. Les étudiants étaient sur les nerfs et l'ambiance carrément lourde. J'ai inspiré profondément, et le

surveillant a décacheté l'enveloppe : *Questionnaire à choix multiple. À chaque nouvelle question, je prenais un peu plus d'assurance. Incroyable : je connaissais les réponses! J'avais même coché toutes mes cases plusieurs minutes avant le signal fatidique de fin d'épreuve.*

Épreuve suivante : dissertation. Le surveillant nous a distribué les sujets et, le cœur battant, je les ai parcourus à toute vitesse. L'un deux concernait la Révolution française et pour le traiter, je me suis autant servi de références acquises dans mes livres que dans la fameuse série documentaire. Une fois l'épreuve passée, j'étais sereine et confiante.

Quelques semaines plus tard, j'ouvre ma boîte aux lettres. Mes résultats y étaient : j'étais admise!

⚜ QUI OUVRE LA MARCHE?

La seconde raison majeure pour laquelle il est nécessaire d'avoir une vision à long terme est que si tu n'y veilles pas toi-même, quelqu'un d'autre s'en chargera. Comme dirait Jack Welch, devenu cadre supérieur dans les affaires : « Prends ton destin en main, ou quelqu'un d'autre s'en chargera. »

Tu vas me dire : « Et qui ça? »

Tes amis, tes parents, peut-être même les médias. Vas-tu laisser tes amis décider pour toi des idées que tu veux défendre? Et tes parents? Aussi merveilleux qu'ils puissent être, as-tu envie de les laisser décider de ton avenir à ta place? Si ça se trouve, vos centres d'intérêts divergent en tous points. Et tes valeurs? Est-ce que tu as envie d'adopter celles que véhiculent les séries télé, les magazines et les films au cinéma?

À ce stade, tu commences peut-être à te dire : « Oui mais moi, je n'ai pas envie d'y penser en permanence, à l'avenir. Moi, ce que j'aime, c'est vivre l'instant et laisser venir. » D'accord avec toi pour la première partie. « Vivre l'instant » et ne pas passer à côté des bons moments est quelque chose de très important, c'est vrai. Mais pour ce qui est de « laisser venir », là, je ne te suis plus. En général, quand on se laisse porter par le courant, on suit la tendance naturelle du courant, laquelle emporte naturellement vers le bas. Et on finit le plus souvent par s'embourber dans la vase, à vivre une vie malheureuse. On finit par faire comme tous les autres, ce qui n'est pas forcément, voire pas du tout, ce qu'on a *soi-même* choisi de vivre. « À se laisser aller n'importe où, on finit par se retrouver nulle part. »

Quand on s'embarque sans avoir personnellement décidé de sa destination, on est prompt à emboîter le pas du premier qui l'aura décidé pour nous. Quitte à ne pas aller bien loin. Cela me rappelle une expérience lors d'un 10 km auquel j'ai participé. J'attendais le départ en compagnie d'une poignée d'autres coureurs, mais personne ne savait exactement où se trouvait la ligne de départ. C'est alors que quelques uns se sont engagés dans une direction. Apparemment, eux savaient. Tous les autres, moi y compris, leur ont immédiatement emboîté le pas. On se disait qu'ils savaient où ils allaient, sans se poser plus de questions. Au bout d'un bon kilomètre de marche, on a tous réalisé au même moment : tels le troupeau de moutons moyen, nous étions lamentablement en train de suivre un abruti qui faisait n'importe quoi. En fait, la ligne de départ se trouvait exactement à l'endroit d'où nous étions partis.

Ne pars jamais du principe que le troupeau sait où il va car, le plus souvent, il ne le sait pas.

**La charte
personnelle** Bon, alors si c'est aussi important que ça, de savoir dès le départ où on veut aller, comment on s'y prend? La meilleure technique que j'ai trouvée consiste à établir sa propre charte. Une charte personnelle, c'est en quelque sorte une devise ou un credo qui t'est propre et qui exprime le sens de ta vie. Une sorte de plan ou d'ébauche. Les États ont leur constitution, laquelle fonctionne exactement comme une charte. La plupart des entreprises, comme Microsoft ou Coca-Cola, ont leur charte également. Mais c'est encore avec l'individu que la charte fonctionne le mieux.

Alors qu'est-ce que tu attends pour rédiger la tienne? De nombreux ados l'ont déjà fait. Il y en a pour tous les goûts, tu vas voir. Chacun la sienne. Certaines sont courtes, d'autres longues. On trouve des poèmes, et même des chansons. Certains ados ont simplement adopté leur citation préférée. D'autres ont jeté leur dévolu sur un tableau ou une photographie.

Examinons ensemble quelques chartes personnelles d'ados.

La première est signée par une fille nommée Elisabeth :

*D'abord et avant tout,
je serai fidèle à mon Dieu. Pour toujours.*

Je ne sous-estimerai pas la force d'une famille soudée.

*Je ne négligerai jamais mes amis, mais je veillerai
aussi à préserver mon intimité.*

*Je m'occuperai de chaque problème en temps et en lieu
(diviser pour mieux régner).*

*J'aborderai chaque défi avec optimisme,
et non pas assaillie de doutes.*

*En toute circonstance, je veillerai
à garder une image positive de moi-même
et à me tenir dans la plus haute estime, car je sais
que la façon dont je m'évalue conditionne
chacune de mes intentions.*

Chloé, elle, a emprunté sa charte personnelle à une chanson de Sinéad O'Connor intitulée *The Emperor's New Clothes*. Voilà :

Je vivrai selon mes préceptes à moi.
Je dormirai la conscience en paix.
Je dormirai en paix.

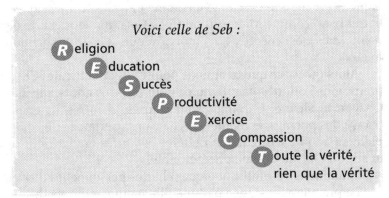

Voici celle de Seb :

Religion
Education
Succès
Productivité
Exercice
Compassion
Toute la vérité,
rien que la vérité

J'ai fait la connaissance d'un ado familier des 7 Habitudes nommé Adam, originaire de Saskatoon, très « chaud » sur ses plans d'avenir. Comme par hasard, il avait rédigé sa charte, et il nous la soumet :

C HARTE *P* ERSONNELLE

- Fais confiance à ton entourage comme à toi-même.
- Sois aimable, poli et respectueux envers tous.
- Fixe-toi des objectifs raisonnables.
- Ne perds jamais de vue les objectifs que tu t'es fixés.
- Ne va pas croire que les choses simples de la vie te sont dues.
- Sache apprécier les autres dans toutes leurs différences, et vois tout ce que ces différences ont de merveilleux.

- Pose des questions.
- Bats-toi tous les jours pour acquérir ton indépendance.
- Souviens-toi qu'avant de pouvoir changer les autres, il faut d'abord se changer soi-même.
- Ne parle pas, agis.
- Prends le temps qu'il faut pour aider ceux qui ont moins de chance que toi, ou qui rament.
- Révise tes 7 Habitudes chaque jour.

Consulte cette charte chaque jour.

Alors qu'est-ce que ça peut t'apporter, d'élaborer une charte? Énormément de choses. La plus importante, c'est que ta charte va t'ouvrir les yeux sur ce qui compte vraiment pour toi dans la vie, et donc t'aider à prendre des décisions en ce sens. Une élève de terminale nous raconte combien l'élaboration de sa charte a transformé sa vie :

En première, j'avais un petit copain, et je n'arrivais à me concentrer sur rien. Je voulais faire le maximum pour le rendre heureux, et puis, un jour, la question de coucher ensemble a fini par surgir. Je n'y étais absolument pas préparée, et c'est devenu obsessionnel. Toutes les autres me disaient : « Ne te pose pas de questions, vas-y, fonce » mais au fond de moi, je n'étais pas prête.

Et puis un jour, j'ai suivi un cours de développement personnel au lycée. On y enseignait comment rédiger sa charte personnelle. Je me suis mise à écrire, et à écrire, et à écrire encore. Je n'arrêtais pas de rajouter des trucs. Ça m'a permis de me fixer un cap et de le tenir. J'avais tout à coup l'impression de savoir où j'allais, ma vie prenait un sens. Ça m'a vraiment aidée à suivre la ligne de conduite que je m'étais fixée, et à ne pas faire un truc pour lequel je n'étais pas prête.

Une charte personnelle ressemble à un arbre avec des racines qui s'enfoncent profondément dans le sol. Elle est stable et ne bouge pas d'un iota, mais en même temps, elle est vivante et croît en permanence.

Dans la vie, pour survivre à toutes les tempêtes qui nous malmènent, on a besoin d'un arbre profondément enraciné dans le sol. Tu l'auras sans doute remarqué, la vie est tout sauf stable. Réfléchis. Les gens changent d'avis comme de chemise. Aujourd'hui, ton petit copain te dit qu'il t'aime et demain, il te jettera. Tu crois être le ou la meilleure amie de quelqu'un et le lendemain, tu t'aperçois qu'il ou elle te casse du sucre sur le dos.

Pense à tous les événements que tu ne maîtrises pas. Tu déménages. Tu perds ton emploi. Ton pays entre en guerre. Tes parents divorcent.

Les tendances, ça va ça vient. Les talons compensés sont *in* une saison, et *out* la suivante. Le rap, c'est le truc pointu et après, ça craint.

Quand tout change autour de toi, ta charte personnelle peut être ton arbre profondément enraciné dans le sol. Inébranlable. Les choses peuvent changer autant qu'elles veulent; toi, tu as un tronc immuable auquel t'accrocher.

HABITUDE 2

❋ DÉCOUVRE TES DONS

Une des phases importantes de l'élaboration d'une charte personnelle consiste à découvrir dans quels domaines tu es doué(e). S'il y a une chose dont je suis sûr, c'est que chacun de nous a un don, un talent, un truc qu'il fait bien. Parmi ces talents, comme chanter avec une voix de cristal, par exemple, certains attirent fortement l'attention. Mais il existe toute une palette d'autres dons qui n'exercent pas forcément la même fascination mais qui sont au moins aussi importants, sinon plus : des choses comme savoir être à l'écoute des autres, les faire rire, donner, pardonner, dessiner ou tout simplement être aimable.

Une autre chose est certaine, c'est qu'on n'éclôt pas tous à la même saison. Alors si tu tombes dans la catégorie « éclosion tardive », prends patience. Il te faudra peut-être un certain temps pour découvrir tes dons.

Michel-Ange venait de terminer une sculpture et on lui demanda quel était son secret. Il répondit que, depuis le début, la sculpture était déjà dans le bloc de granit; lui, il s'était contenté de faire sauter tous les morceaux autour.

De la même manière, Victor Frankl, un célèbre psychiatre juif autrichien ayant survécu aux camps de la mort de l'Allemagne nazie, nous a enseigné qu'on n'*invente* pas ses dons, on les *découvre*. En d'autres termes, que nous venons au monde déjà dotés de nos dons, et que la seule chose à faire, c'est de creuser pour les découvrir.

Je ne suis pas près d'oublier l'expérience qui m'a permis de découvrir en moi un don insoupçonné. C'était ma toute première copie d'anglais. Mon professeur, M. Williams, nous avait donné une rédaction à faire. Au moment de rendre ma copie, que j'avais titrée Le Vieil Homme et le poisson, j'étais très enthousiaste. C'était une histoire que mon père m'avait souvent racontée le soir pour m'endormir, quand j'étais plus jeune. Pour moi, c'était une histoire qu'il avait inventée de toute pièce. Le problème, c'est qu'il avait omis de me préciser qu'il en avait directement pompé la trame à Ernest Hemingway, dans son célébrissime roman intitulé *Le Vieil Homme et la mer*. Quand le professeur a rendu les copies, j'ai trouvé cette annotation dans la marge : « Plutôt banal. On dirait *Le Vieil Homme et la mer* de Hemingway. » J'étais stupéfait. Je me suis dit : « C'est qui, ce Hemingway ? Et comment il a pu copier mon père ? » Voilà mes glorieux débuts pour les quatre années d'anglais que je me suis tapées au lycée, toutes d'un ennui certain, pour ne pas dire féroce.

Ce n'est que bien plus tard, en entrant à la fac et en m'inscrivant à un cours où un remarquable professeur enseignait l'art de la nouvelle, que j'ai commencé à déceler ma passion pour l'écriture. Et le plus incroyable, c'est que j'ai même obtenu ma licence d'anglais. M. Williams serait vert.

Le Grand Éveil

Le Grand Éveil est une activité divertissante conçue pour t'aider à te connecter à ta vraie nature, en vue d'élaborer ta charte personnelle. Avance et réponds aux questions avec sincérité. Tu peux écrire tes réponses directement dans le livre si tu le souhaites. Sinon, contente-toi de les formuler dans ta tête au fur et à mesure. Une fois cet exercice terminé, je pense que tu auras une idée beaucoup plus claire de ce qui t'inspire, de ce que tu prends plaisir à faire, des gens que tu admires, et de la direction que tu veux donner à ta vie.

HABITUDE 2

LE GRAND
ÉVEIL !

À vos mar-ques!

1 Pense à une personne qui a exercé une influence réelle sur ta vie. Quelles sont les qualités propres à cette personne que tu aimerais développer à ton tour?

2 Imagine-toi dans vingt ans, entouré(e) des gens qui comptent le plus dans ta vie. Qui sont-ils et que fais-tu?

3 Si on tendait une poutre métallique (largeur : 15 cm) entre deux gratte-ciels, pour quoi ou pour qui serais-tu prêt à la franchir? Cinq mille francs? Un million? Ton chien ou ton chat? Ton frère? La gloire? Réfléchis bien...

6 Décris un moment où tu t'es senti(e) profondément inspiré(e).

5 Dresse la liste de dix choses que tu adores faire, n'importe lesquelles. Chanter, danser, feuilleter des magazines, dessiner, lire, rêvasser... Ce que tu voudras, du moment que ce sont des choses que tu adores faire!

0

4 Si tu pouvais passer une journée entière à étudier ce que tu aimes le plus, n'importe quoi, dans une bibliothèque géante, qu'est-ce que tu étudierais?

7 Nous sommes dans cinq ans. Ton quotidien régional veut publier un article à ton sujet, et a prévu d'interviewer trois personnes : un de tes parents, ton frère ou ta sœur, et un de tes amis. En quels termes aimerais-tu qu'ils te décrivent?

8 Pense à ce qui pourrait te représenter... Une fleur, une chanson, un animal... En quoi cette chose te représente-t-elle?

9 Si tu pouvais passer une heure avec une personne, n'importe laquelle, quelle que soit l'époque à laquelle elle ait vécu, qui choisirais-tu? Pourquoi cette personne en particulier? Et que lui demanderais-tu?

Doué pour les chiffres
Doué pour les mots
Esprit créatif
Sports
Sens de l'initiative
Soif de comprendre   Expression orale
Mécanique   Écriture
Sensibilité artistique   Danse
Sens du travail en équipe   Écoute
Aptitude à mémoriser   Chant
Prise de décision   Faire rire
Construction   Partager
Accepter les autres   Musique
Anticiper les événements   Collections

(10) Chacun de nous a au moins un don.
Dans lesquels des domaines ci-dessus
es-tu doué(e) ? Sinon, établis ta
propre liste ci-dessous :

Commence à rédiger ta charte personnelle   Maintenant que tu as pris le temps de traverser Le Grand Éveil, te voilà sur les starting-blocks pour élaborer ta charte personnelle. J'ai listé ci-dessous quatre méthodes qui devraient te mettre sur les rails et t'en faciliter la rédaction. Soit tu en choisis une, soit tu les combines toutes les quatre. Toutefois, ce ne sont jamais que des suggestions, rien de plus. N'hésite pas à trouver ta propre méthode si tu préfères.

Méthode n° 1 : La collection de citations : Réunis sur une même feuille de papier entre une et cinq de tes citations favorites. La somme de ces citations devient ta charte personnelle. Les citations en inspirent vraiment certains, et cette méthode fonctionne bien pour eux.

Méthode n° 2 : La vidange du cerveau : Pendant un quart d'heure sans t'arrêter, écris à toute vitesse tout ce qui te passe par la tête sur le sens de ta vie. Ne te préoccupe pas de ce qui sort. N'efface rien, ne rature rien. Continue, continue, ne t'arrête surtout pas. Couche toutes tes idées sur le papier. Si tu bloques, repense à tes réponses dans Le Grand Éveil. Ton imagination repartira au quart de tour. Une fois ton cerveau bien vidangé, prends un autre quart d'heure pour te relire, mettre en forme, et donner un sens à tout ce fatras.

Résultat : en une demi-heure, pas plus, tu auras le brouillon de ta charte personnelle. Les semaines qui suivent, tu peux la reprendre, y rajouter des choses, en clarifier d'autres, et faire absolument tout ce que tu jugeras nécessaire pour en faire une réelle source d'inspiration.

Méthode n° 3 : La retraite : Bloque-toi une bonne plage de temps, un après-midi entier par exemple, et va dans un endroit que tu adores et où tu peux te retrouver seul(e). Réfléchis profondément à ta vie et à ce que tu veux en faire. Passe en revue tes réponses dans Le Grand Éveil. Cherche des idées dans les exemples de chartes personnelles présentées dans ce livre. Prends ton temps et élabore ta charte personnelle en te servant de la méthode qui te convient le mieux.

Méthode n° 4 : Spécial gros fainéants : Si vraiment tu as un poil dans la main, détourne le slogan de l'armée américaine pour en faire ta charte personnelle et « Va jusqu'au bout de tes rêves » (Hé! Je plaisante!).

La grosse erreur que font pas mal d'ados au moment de rédiger leur charte personnelle, c'est qu'ils passent un temps fou à réfléchir dessus dans l'espoir d'en faire un truc parfait. Résultat : ils ne s'y mettent jamais. Tu t'en tireras bien plus facilement en faisant un brouillon, même approximatif, et en l'affinant par la suite.

Une autre grosse erreur largement répandue chez les ados, c'est de vouloir rédiger une charte qui ressemble à celle de tous les autres. Laisse tomber. Des chartes, on en rencontre de toutes les sortes : des poèmes, des chansons, des citations, des photos, de longs discours, un mot unique, des collages d'images découpées dans les magazines... Il n'existe pas *une* méthode spécifique. Tu n'écris ta charte pour personne, tu l'écris pour toi. Tu ne l'écris pas pour ton prof de français. Personne ne va la sanctionner d'une note. C'est un document *confidentiel*, qui n'appartient qu'à toi. Alors donne-lui la pêche ! La seule question à te poser est la suivante : « Est-ce que ma charte m'inspire vraiment ? » Si la réponse est oui, tu as tout bon.

Une fois ta charte consignée sur le papier, mets-la bien en évidence dans un endroit facile d'accès ; dans ton journal, par exemple, ou sur ton miroir. Tu peux aussi t'en faire une copie en réduction, la faire éventuellement plastifier, et la glisser dans ton sac ou dans ton portefeuille. Consulte-la aussi souvent que possible ou, encore mieux, apprends-la par cœur.

Voici encore deux exemples de chartes personnelles d'ados, très différentes en termes de style et de longueur :

MA CHARTE PERSONNELLE
PAR WHITNEY NOZISKA

Aider
- LE MONDE
- LA VIE
- LES AUTRES
- MOI-MÊME

Aimer
- MOI-MÊME
- MA FAMILLE
- MA PLANÈTE
- CONNAÎTRE
- APPRENDRE
- *LA VIE*

Me battre
- POUR MES IDÉES
- POUR MES PASSIONS
- POUR ACCOMPLIR DES CHOSES
- POUR FAIRE LE BIEN
- POUR ÊTRE EN HARMONIE AVEC MOI-MÊME
- CONTRE L'APATHIE

Faire bouger
- FAIRE BOUGER LES CHOSES ET NON PAS LES SUBIR
- FAIRE BOUGER LES CHOSES, MAIS RESTER ZEN

LAISSER UNE TRACE

Celle-ci est signée Cathy Hall. Elle est courte, mais pour elle, cela en dit long :

MA
CHARTE
PERSONNELLE

SINON RIEN.

⊛ TROIS MISES EN GARDE

Si déjà tu fais ton possible pour démarrer en sachant dès le départ où tu veux aller, et pour élaborer ta charte personnelle, méfie-toi des redoutables obstacles qui peuvent se mettre en travers de ta route!

Mise en garde n° 1. Réduire les gens à une étiquette : Te faire coller une étiquette négative sur le dos, ça t'est déjà arrivé? Par tes parents, tes professeurs, tes amis?

« Oh vous, les jeunes des quartiers, vous êtes tous les mêmes. Toujours à chercher l'embrouille. »

« Jamais vu un gamin aussi flemmard. Et si tu te bougeais les fesses et que tu faisais quelque chose, pour changer? »

« Ça y est, Gaëlle recommence. Paraît que c'est une grosse cochonne, celle-là. »

Je suis sûr que vous aussi, dans ton école, vous collez des étiquettes. Dans la mienne, il y avait les Lourds, les Grosses Têtes, les Graves, les Beaux Gosses, les Secoués, les Fayots, les Canons, les Scotchés, les Bourrins, les Sous-doués, et j'en passe. Moi, on m'avait collé dans la catégorie des Bourrins. Le terme Bourrin s'appliquait aux individus censés être portés sur le sport, qui se la jouaient, et avec un poischiche à la place du cerveau.

Coller une étiquette est une forme de discrimination redoutable. Décompose le mot préjugé, pour voir. Qu'est-ce que tu obtiens? Ha! _Pré-jugé._ Intéressant, non? Quand tu colles une étiquette à quelqu'un, tu le _pré_-juges : en clair, tu tires des conclusions à propos de cette personne sans même la connaître. Je ne sais pas ce que tu en penses mais moi, il y a une chose que je ne supporte pas, c'est qu'on me juge trop vite, sans rien savoir de moi.

Nous sommes toi et moi d'une nature beaucoup trop complexe pour pouvoir être rangés dans une seule et unique petite case, comme des vêtements sur les rayons d'un grand magasin. Comme s'il n'existait qu'une poignée de modèles différents à travers le monde, et non pas des millions d'individus uniques en leur genre.

Survivre une fois qu'on nous a collé une étiquette, c'est possible. Mais le danger, c'est de commencer à s'identifier à cette étiquette. Une étiquette, c'est exactement comme un paradigme : tout dépend du regard qu'on porte sur les choses. Si par exemple on t'a collé l'étiquette de paresseux et que tu commences à y croire, cette croyance finira par s'auto-alimenter. À force de t'identifier à ton étiquette, tu vas finir par la justifier par ton comportement. Souviens-toi toujours d'une chose : tu n'es pas l'étiquette qu'on te colle.

Mise en garde n° 2. Le syndrome « Les carottes sont cuites » : Voici un autre piège à éviter. Ce piège consiste à se dire, sous prétexte qu'on a commis une erreur — ou deux, ou trois — et qu'on culpabilise un maximum : « C'est foutu. J'ai tout foiré. Maintenant, ce qui peut arriver m'est bien égal. » À ce stade, on a tendance à s'auto-détruire et à complètement se laisser aller.

On déploie souvent de tels efforts pour briller en société et se la jouer « tendance » qu'on en perd de vue des choses beaucoup plus importantes...

Alors, laisse-moi juste te dire ceci. Rien n'est jamais foutu. On s'aperçoit que de nombreux ados passent par une période où ils sont complètement déphasés, font toutes sortes d'expériences et de choses dont ils ne sont pas vraiment fiers... Un peu comme s'ils essayaient d'aller jusqu'aux frontières de la vie. Si tu as commis des erreurs, tu es quelqu'un de normal. Tous les ados en commettent. Tous les adultes en commettent. Contente-toi de redresser le cap au plus vite, et tout se passera très bien.

Mise en garde n° 3. Gravir les marches, mais se tromper d'escalier : Il ne t'est jamais arrivé de travailler vraiment dur pour obtenir quelque chose et de t'apercevoir, une fois que tu l'avais obtenu, que tu ne ressentais rien d'autre qu'un grand vide intérieur ? On déploie souvent de tels efforts pour briller en société et se la jouer « tendance » qu'on en perd de vue des choses beaucoup plus importantes, telles que l'estime de soi, l'amitié avec un grand A, et la paix intérieure. Pour la plupart, nous sommes tellement absorbés par notre ascension des marches de la réussite que nous ne prenons jamais la peine de vérifier où cet escalier nous mène exactement. Partir sans savoir où l'on va est un vrai problème. Mais il y a pire encore : se fixer un objectif qui nous embarque dans la mauvaise direction.

À une époque, je jouais au foot avec un joueur incroyable. Non content d'être le capitaine de l'équipe et d'être bâti comme un dieu, ce type avait tout pour lui. À chaque match, ses efforts héroïques et ses performances spectaculaires déclenchaient l'hystérie dans le public. Il était adulé des supporters; les garçons l'idolâtraient, et les filles craquaient toutes pour lui. La totale.

En apparence, tout du moins.

La vérité, c'est qu'il avait beau briller sur le terrain, on ne pouvait pas en dire autant une fois ressorti des vestiaires. Et il le savait. Moi aussi je le savais, parce que nous avions grandi ensemble. Sa cote de popularité avait beau grimper en flèche, moi, je le voyais tourner le dos à ses principes et lâcher le gouvernail. Il était adulé du public mais il acceptait des compromis face à quelque chose de beaucoup plus important : lui-même. Quel intérêt d'être le plus beau et le plus rapide si c'est pour foncer droit dans le mur?

Alors, comment savoir si l'escalier que tu montes est le bon? Arrête-toi, là, tout de suite, prends un moment, et pose-toi la question : « Est-ce que la vie que je mène va da s la bonne direction? » Arrête-toi, écoute bien ta conscience, cette petite voix intérieure. Écoute la vérité brutale. Tu entends ce qu'elle te dit?

On n'est pas forcément obligé de faire des virages à 180° dans la vie. Le plus souvent, il suffit juste de redresser le cap. Mais une différence infime au départ se solde par une différence colossale à l'arrivée. Imagine : si tu voulais te rendre de New York à Tel Aviv, en Israël, une simple erreur de cap d'un degré vers le nord te ferait atterrir non pas à Tel Aviv, mais à Moscou.

ATTEINS TES OBJECTIFS

Une fois la mission établie, il reste à en définir les objectifs. Les objectifs, c'est plus précis qu'une charte personnelle, et cela permet de découper sa mission en tranches de taille raisonnable. Si par exemple ta charte personnelle consistait à manger une pizza tout entière, ton objectif consisterait à déterminer comment la découper en tranches.

Il suffit parfois d'entendre le mot *objectif* pour se mettre à culpabiliser. Ce mot nous rappelle tous les objectifs que nous devrions nous fixer, et tous ceux que nous avons ratés. Oublie toutes les erreurs que tu as pu faire par le passé, et suis l'avis de George Bernard Shaw : « Jeune homme, je me suis rendu compte que j'échouais neuf fois sur dix. Je n'avais pas envie de devenir un raté, alors j'ai décuplé mon effort. »

Voici cinq clés pour définir ses objectifs.

CLÉ N° 1 : *Évalue le prix à payer*

Combien de fois nous arrive-t-il, dans un moment propice, de nous fixer un objectif, et de nous apercevoir à l'usage que nous n'avons pas la volonté requise pour le tenir ? Pourquoi cela arrive-t-il ? Parce que nous n'en avons pas évalué le prix à payer.

Imaginons que cette année, ton objectif soit d'obtenir de meilleurs résutats scolaires. Bravo et encore bravo. Mais maintenant, avant de commencer, évalue le prix à payer. Il faudra peut-être passer plus de temps à faire des maths et de la grammaire, par exemple, et moins à t'amuser avec tes amis. Certains soirs, il faudra travailler. Dégager plus de temps pour faire tes devoirs, cela peut aussi vouloir dire en passer moins à regarder la télé ou à lire ton magazine préféré.

Bien. Maintenant que tu as évalué le prix à payer, penche-toi sur les bénéfices que tu peux en tirer. Avoir de bonnes notes, qu'est-ce que cela peut te rapporter ? Un sentiment de plénitude ? Une bourse universitaire ? Un bon emploi ? Maintenant demande-toi : « Suis-je prêt(e) à faire un tel sacrifice ? » Si la réponse est non, abstiens-toi. Ne t'engages pas à faire des choses dont tu sais à l'avance que tu ne pourras pas les tenir, car ce serait un retrait sur ton Compte-Épargne personnel.

Mieux vaut ne pas avoir les yeux plus grands que le ventre et se fixer un objectif d'une taille plus raisonnable. Plutôt que de te fixer comme objectif d'obtenir de meilleurs résultats dans *toutes* les matières, tu peux par exemple décider de le faire, mais dans deux disciplines seulement. Et puis le trimestre prochain, tu en rajouteras une ou deux autres. Évaluer le prix à payer apporte toujours la petite touche de réalisme indispensable à la réalisation de tout objectif.

CLÉ N° 2 : *Écris-le noir sur blanc*

Quelqu'un a dit un jour : « Un objectif qu'on ne couche pas sur le papier reste un vœu. » Fini les « si », fini les « mais » : une fois couché sur le papier, un objectif voit sa puissance décuplée. Une jeune femme nommée Fatia m'a confié comment le fait de consigner par écrit l'objectif qu'elle s'était fixé lui a permis de se choisir le bon mari. Cela faisait plusieurs année que Fatia était embringuée dans une relation abusive avec un certain Tom, et elle se sentait prise au piège. Elle était pour ainsi dire « accro » à ce type et se sentait pitoyable. Un jour, finalement, une vraie amie est venue la voir et lui a donné l'étincelle dont elle avait besoin pour pouvoir s'en sortir. Voici un extrait du journal de Fatia, dix-huit ans à l'époque :

Hier, j'ai enfin trouvé la volonté et la force de casser avec Tom, et avec ce qui a été mon lot tous les jours de ma vie pendant maintenant deux ans et demi. Pour trouver la force intérieure d'y réussir, il fallait que je fasse un virage à 180°. Dans ma tête, j'ai brossé le tableau de celle que je voulais être dans cinq ans, et dans quel état d'esprit j'aurais envie d'être. J'ai vu quelqu'un de complètement autonome, suffisamment forte pour prendre des décisions qui lui soient favorables et, plus important que tout, engagée dans une relation clean et de qualité. J'ai réalisé que pour moi, il y avait toute une liste de qualités indispensables à une relation épanouie, et je vais les noter ici-même pour bien m'en souvenir à l'avenir :

Qualités requises chez mon futur partenaire/mari :

1. *Respect*
2. *Amour inconditionnel*
3. *Sincérité*
4. *Fidélité*
5. *M'apporter son soutien dans mes aspirations/la réalisation de mes objectifs*
6. *Juste (nature spirituelle)*
7. *Drôle/Sens de l'humour*
8. *Me faire rire chaque jour*
9. *Induire en moi un sentiment de plénitude, et non pas de déchirure*
10. *Bon père/Aimant les enfants*
11. *Sens de l'écoute*
12. *Me consacrer du temps et ne souhaiter que mon bien*

Maintenant que j'ai établi cette liste, je sais vers où me tourner pour envisager l'avenir. Chaque fois que je la consulte, je reprends espoir, et cela me rappelle que dans la vie, il faut être exigeant.

Fatia a fini par rencontrer et épouser un type adorable remplissant toutes les conditions requises. Tout est bien qui finit bien ? Eh oui, ça arrive.

Fatia l'a découvert : consigner par écrit les objectifs qu'on s'est fixés a quelque chose de magique. Écrire oblige à être précis, qualité très importante quand on veut définir un objectif. Comme l'a dit l'actrice Lily Tomlin : « J'ai toujours voulu devenir quelqu'un. Mais j'aurais dû être plus précise. »

CLÉ N° 3 : *N'ergote pas, lance-toi!*

J'ai lu un jour l'histoire de Cortès et de son expédition au Mexique. Fort de cinq cents hommes et d'une flotte de onze navires, Cortès mit les voiles depuis Cuba pour accoster en 1519 au Yucatán. Une fois arrivé sur la terre ferme, il fit une chose à laquelle aucun autre chef d'expédition n'avait jamais pensé : il brûla ses navires. En se coupant tout moyen de retraite, Cortès s'engageait totalement dans sa cause, emmenant avec lui ses effectifs. Ce serait la conquête, ou le fiasco.

« Il y a un temps pour tout », dit la Bible. Un temps pour dire « Je vais essayer de le faire », et un temps pour dire « Je *vais* le faire ». Un temps pour se trouver des excuses, et un temps pour brûler ses navires. Bien sûr, il y a des moments où le mieux à faire, c'est de faire de son mieux. Mais il y a également un temps pour passer à l'acte, j'en suis convaincu. Irais-tu prêter dix mille francs à un associé qui te dirait : « J'essaierai de te les rendre » ? Irais-tu épouser un partenaire qui, au moment de prêter serment pour la vie, répondrait : « J'essaierai » ?

Tu vois ce que je veux dire ?

Cela me rappelle l'histoire du capitaine et du lieutenant :

« Lieutenant, veuillez porter ce pli, je vous prie. »

« Je vais faire de mon mieux, mon capitaine. »

« Non, je ne vous demande pas de faire de votre mieux. Je veux que vous alliez me porter ce pli. »

« Qu'on me passe par les armes si je ne le fais pas, mon capitaine. »

« Vous ne saisissez pas, Lieutenant. Je ne veux pas qu'on vous passe par les armes. Je veux que vous alliez me porter ce pli. »

Le lieutenant finit par saisir et répond : « Je vais le faire, mon capitaine. »

Une fois qu'intérieurement, nous avons effectivement et sincèrement pris la décision d'exécuter une tâche, notre aptitude à la mener à bien est démultipliée. « Fais, et tu trouveras la force » a dit Ralph Waldo Emerson. Chaque fois que je me suis réellement impliqué, j'ai eu l'impression d'avoir réussi à puiser en moi des trésors de volonté, de compétence et de créativité tout à fait insoupçonnés. Quand on s'engage à fond, on trouve toujours le moyen.

L'extrait suivant, signé W. H. Murray, est pour moi un classique absolu. Il décrit ce qui se passe en nous lorsqu'intérieurement nous nous disons : « Je *vais* le faire. »

Tant que l'on ne s'est pas totalement impliqué, il subsiste toujours l'hésitation, la possibilité de se rétracter, et, surtout, l'inefficacité. Il y a une vérité élémentaire, c'est que dès l'instant où l'on s'implique totalement, le ciel s'implique à son tour. Oublier cette vérité tue dans l'œuf d'innombrables idées et projets merveilleux. Mais une fois la décision prise, toutes sortes de choses improbables se mettent en mouvement, toute une chaîne d'événements se déclenche. Soudain, d'innombrables incidents imprévus se retournent à notre avantage, et on arrive à trouver une aide matérielle à laquelle le cœur le plus optimiste n'aurait jamais osé rêver. J'ai acquis le plus grand respect pour ce distique de Gœthe :

« Quoi que tu puisses faire ou rêver, sache une chose :
Le génie, la puissance et la grâce guident celui qui ose. »

Dans la bouche de Yoda, le grand maître Jedi, cela donne à peu près ceci : « N'essaie pas : fais, ou ne fais pas. »

CLÉ N° 4 : *Exploite les moments de dynamique*

Certains moments de la vie sont porteurs de puissance et de dynamique. La clé consiste à exploiter ces moments-là pour définir ses objectifs.

Tout ce qui a un début et une fin, ou un départ et une arrivée, est porteur de cette dynamique, ou « force acquise ». Une nouvelle année qui commence, par exemple, représente un départ. Inversement, une séparation représente une fin. Je me souviens d'une chose, c'est que le

RÉSOLUTIONS POUR LA NOUVELLE ANNÉE :

FAIRE DU SPORT 3 FOIS PAR SEMAINE !

JANVIER

jour où on s'est quittés avec ma petite copine (avec laquelle je sortais depuis deux jours), j'étais dans un état pitoyable. Mais il y a un autre truc dont je me souviens, c'est de mon euphorie à me refaire un petit carnet d'adresses…

Voici une liste de moments porteurs de dynamique, propices à définir de nouveaux objectifs :

- Une nouvelle année scolaire
- Une expérience de vie décisive
- Une séparation
- Un nouvel emploi
- Une nouvelle relation
- Une deuxième chance
- Une naissance
- Un décès
- Un anniversaire
- Un triomphe
- Un échec
- Un nouveau lieu de résidence
- Une nouvelle saison
- L'obtention d'un diplôme
- Un mariage
- Un divorce
- Un nouvel appartement
- Une promotion
- Une rétrogradation
- Un nouveau look
- Une nouvelle journée

Une expérience pénible est souvent porteuse de dynamique. Le mythe du phénix, ça te dit quelque chose ? Tous les 500 ou 600 ans, après avoir vécu plusieurs siècles, cet oiseau fabuleux se brûlait lui-même sur un bûcher pour renaître de ses cendres. De la même manière, nous avons le pouvoir de nous régénérer à partir des cendres d'une mauvaise expérience. Souvent, un échec ou un drame peuvent offrir un tremplin vers le changement.

Apprends à saisir la puissance des moments clés qui te sont favorables pour définir tes objectifs et prendre tes résolutions. Sache toutefois que l'état d'esprit de ces moments favorables passera tôt ou tard. Tenir tes résolutions au-delà de ces moments favorables, c'est cela le véritable test qui mettra ta détermination à l'épreuve. Comme quelqu'un l'a dit un jour :

La force de caractère est une discipline consistant à tenir ses résolutions bien après que l'état d'esprit dans lequel elles ont été prises nous ait quitté.

CLÉ N° 5 : *Assure-toi en cordée*

Un jour, mon beau-frère (l'alpiniste) nous a emmené, un ami et moi, à l'assaut des 4 199 m du Grand Teton. L'angoisse ! Plus on prenait de l'altitude, plus les parois étaient abruptes. À ce stade, nous nous sommes « encordés » : en clair, nous nous sommes attachés les uns aux autres à l'aide d'une corde, afin d'une part de faciliter notre escalade, et d'autre part de nous sauver la vie, au cas où l'un d'entre nous viendrait à dévisser. À deux reprises, cette corde m'a évité d'aller me scratcher mortellement des centaines de mètres plus bas. Je te garantis que cette corde, je l'ai aimée comme jamais je n'avais aimé une corde. En nous assistant les uns les autres, et solidement assurés par nos cordes, nous avons finalement atteint le sommet sains et saufs.

Dans la vie, tu accompliras beaucoup plus si tu t'encordes avec d'autres et que tu profites de leurs forces. Imaginons que ton objectif soit de péter la forme. Bien. Réfléchis. Comment t'y prendre pour t'encorder? Eh bien pourquoi ne pas te trouver une copine qui se soit fixé le même objectif que toi, par exemple, aller faire de la gym ensemble, et faire fonction d'entraîneur l'une pour l'autre?

Ou alors en parler à tes parents et obtenir leur soutien? Ou encore en parler à un entraîneur ou à ta prof de gym et leur demander un avis de pro?

Sois créatif(ive). Forme une cordée avec tes ami(e)s, tes frères et sœurs, tes copines, tes parents, tes conseillers d'orientation, tes grands-parents, tes éducateurs, ou qui tu trouveras. Plus tu tends de cordes, plus tu auras de chances de réussir.

● ATTEINDRE SES OBJECTIFS AU QUOTIDIEN

À 16 ans, au lycée, je pesais plus de 80 kilos. Mon frère David, qui en avait 14, en faisait tout juste 43. Nous avions à peine deux ans de différence, et pourtant je taillais deux fois plus grand. Mais David était un type bourré de ressources, capable de faire des choses incroyables pour atteindre les objectifs qu'il s'était fixé. Voici son histoire :

Je n'oublierai jamais ma tentative d'intégrer l'équipe de football américain des quatrièmes au lycée de Provo. Avec mon 1,57 m et mes 43 kilos, je n'avais même pas le gabarit de la mauviette de base

(44 kilos). Question équipement, impossible de trouver ma taille nulle part : tout était trop grand pour moi. On a fini par me dégoter le plus petit casque qui existait mais même là, il a fallu tripler le rembourrage aux oreilles, de chaque côté, pour arriver à me le faire tenir sur la tête. On aurait dit un moustique avec un ballon posé sur la tête.

Je détestais l'entraînement, surtout quand il fallait se frotter aux terminales. On s'alignait en rang d'oignons, face à face, à environ une dizaine de mètres les uns des autres : d'un côté les quatrièmes et de l'autre les troisièmes. L'entraîneur donnait le coup d'envoi, et on était censé cogner le joueur d'en face jusqu'au coup de sifflet suivant.

Moi, je comptais le nombre de joueurs dans ma rangée pour voir à quel moment j'y passerais. Ensuite, je comptais le nombre de troisièmes dans la rangée d'en face, histoire de voir qui aurait le privilège de m'enseigner l'art de la voltige aérienne. Comme par hasard, je tombais à chaque fois sur le plus costaud et le plus méchant. À chaque fois c'était pareil, je me disais : « Je suis cuit. » Je me mettais dans le rang, j'attendais le coup de sifflet, et boum ! Quelques secondes après, je valdinguais dans les airs.

Cet hiver-là, j'ai essayé d'intégrer l'équipe de lutte. J'étais chez les poids plume, mais j'avais beau monter sur la balance tout habillé après avoir fait un gros repas, je n'arrivais pas à me hisser aux 44 kilos réglementaires. Pire, j'étais le seul dans toute l'équipe à ne pas avoir besoin de suivre un régime pour pouvoir suivre cet entraînement-là. Mes frères s'étaient dit que je serais bon à la lutte car, contrairement au football américain, je me retrouverais face à des adversaires du même gabarit que moi, ou presque. Pour faire court, on va dire que je prenais la pâtée à chaque match.

Au printemps, j'ai essayé l'équipe de sprint. Mais avec ma chance légendaire, j'étais le plus lent de toute l'équipe. Pas étonnant : ce n'étaient pas des jambes que j'avais, mais des crayons !

Un jour, à la fin de l'échauffement de sprint, j'ai craqué. Je me suis dit : « Y'en a marre. J'en ai ma claque, de tout ça. » Et le soir même, retranché dans ma chambre, j'ai défini les objectifs que je voulais atteindre au lycée, et je les ai mis noir sur blanc. Une chose était sûre : pour réussir en athlétisme, il fallait que je grandisse et que je sois plus costaud. Donc, j'ai commencé par définir des objectifs dans ce domaine-là. Concrètement : arrivé en terminale, il faudrait que je mesure 1,83 m, que je pèse 82 kilos, et que je sois capable de soulever 113 kilos. Objectif au football américain : passer premier ailier de l'équipe représentant mon lycée. Et objectif au sprint : me hisser au niveau régional.

En plus, je me voyais capitaine aussi bien sur le terrain de foot que sur la piste de sprint.

Bonjour les beaux rêves, hein? Et pourtant, à ce moment précis, je regardais la réalité bien en face. Une réalité qui pesait 43 petits kilos de rien du tout. Mais je n'ai pas démordu de mon plan jusqu'à la terminale.

Je m'explique. Pour commencer à prendre du poids, j'ai tout d'abord décrété que je ne devrais jamais avoir l'estomac vide. Donc, je mangeais à longueur de journée. Le petit déjeuner, le repas de midi et le dîner n'étaient jamais pour moi que trois de mes huit repas quotidiens. Ensuite, j'ai passé un arrangement secret avec Cary, le premier défenseur de tout le lycée de Provo, un colosse de 1,90 m pour 106 kilos : moi, je l'aidais à faire ses devoirs d'algèbre et lui, en échange, il m'autorisait à prendre mes repas de midi avec lui. Comme ça, je pouvais prendre du poids et bénéficier d'une protection rapprochée.

C'était clair, il fallait que j'ingurgite les mêmes quantités que lui. À midi, je prenais deux plats de résistance, trois verres de lait, et quatre petits pains. Cary et moi, je ne vous raconte pas le tandem! Ah oui, en plus du déjeuner proprement dit, je prenais aussi ma poudre de protéines spéciale pour grossir plus vite. Je mélangeais ce truc infâme à chaque verre de lait et à chaque gorgée, j'étais à deux doigts de refaire la tapisserie.

En troisième, j'ai commencé à m'entraîner avec mon pote Eddie qui, lui aussi, voulait absolument prendre du poids. Il ajouta un point supplémentaire à ma liste : dix cuillérées à café de beurre de cacahuètes pur et trois verres de lait chaque jour avant de se coucher. On devait prendre un kilo par semaine, faute de quoi, le jour de la pesée hebdomadaire, on s'obligeait à manger ou à boire autant d'eau qu'il fallait pour combler le retard.

Ma mère avait lu dans un article que si un ado dormait dix heures par nuit dans l'obscurité totale, et qu'il buvait deux à trois verres de lait supplémentaires par jour, il pouvait gagner entre deux et cinq centimètres par rapport à sa taille normale. J'y ai cru et j'ai suivi ce régime à la lettre. Il faut dire que j'avais placé la barre à 1,82 m. Et ce n'était pas le 1,77 m de mon paternel qui allait m'y aider. Je lui ai dit : « Papa, il me faut la pièce la plus obscure de la maison. » Il me l'a donnée. Là, j'ai calfeutré la porte et la fenêtre avec des serviettes. Pas question de laisser passer un seul rai de lumière!

Ensuite, j'ai établi mon planning d'heures de sommeil : extinction des feux à 20 h 45, réveil vers 7 h 15. Ça me faisait mes dix heures et demi de sommeil.

HABITUDE 2

Et, pour finir, j'ai bu un maximum de lait.

En même temps, je me suis mis à soulever des poids, à courir, et à titiller le ballon. Je faisais au minimum deux heures d'exercice par jour. À la salle de sport, Eddie et moi on matait les T-shirts taille XL, en rêvant au jour où on arriverait à les remplir nous-mêmes. Au début, j'arrivais tout juste à soulever 33 kilos, à peine plus que le poids de la barre.

Les mois passaient, et les résultats commençaient à être visibles. Des tout petits résultats, tout gentils, mais des résultats quand même. Arrivé en seconde, je mesurais 1,65 m pour à peu près 54 kilos. J'avais gagné presque 8 cm et plus de 13 kilos. Et j'étais beaucoup plus costaud.

Certains jours, j'avais vraiment l'impression d'avoir le monde entier contre moi. Il y a un truc que je détestais par-dessus tout, c'était qu'on me demande : « Comment ça se fait que tu es si maigre ? Mange donc un peu plus ! » J'avais envie de balancer : « Hé, bouffon ! Tu t'es jamais demandé le prix que j'ai déjà dû payer pour en arriver là ? »

En première, j'avais atteint 1,73 m pour presque 66 kg. J'ai continué mon régime spécial pour prendre du poids, j'ai continué à courir, à soulever des poids, et à travailler ma technique. Je m'étais fixé comme objectif de ne jamais tirer au flanc à l'entraînement de sprint. Et je n'en ai jamais raté un seul, même les jours où j'étais malade. Et puis là, le sacrifice a commencé à payer sérieusement. Je me suis mis à pousser comme une asperge, à toute vitesse. Tellement vite qu'aujourd'hui, j'ai des grandes marques en travers de la poitrine, comme si un grizzly m'avait lacéré à coups de griffes.

Au moment d'entrer en terminale au lycée de Provo, j'avais réalisé mon objectif : je mesurais 1,83 m et il me manquait tout juste 2 kg pour peser les 82 kg prévus à mon programme. Non seulement je suis devenu premier ailier dans l'équipe qui représentait le lycée, mais en plus, j'ai été nommé capitaine.

Au sprint, mon année de terminale a été encore plus gratifiante. Là aussi on m'a nommé capitaine. Je me suis mis à faire les meilleurs temps de l'équipe, et je me suis placé dans le peloton de tête au classement régional.

À la fin de l'année, à 82 kg et soulevant 115 kg, j'ai été élu « Monsieur Muscle » par l'ensemble des filles de terminale de tout le lycée. Clairement mon prix préféré.

Victoire ! Victoire totale ! La plupart des objectifs que je m'étais définis, retranché dans ma chambre cette fameuse nuit, des années auparavant, je les avais bel et bien réalisés ! Napoleon Hill a raison : « Tout ce que l'esprit de l'homme peut concevoir et croire, sa main peut le réaliser. »

◉ TRANFORMER SES FAIBLESSES EN FORCES

Tu remarqueras que pour définir ses objectifs, David a eu recours aux cinq clés. Il a évalué le prix à payer, il a écrit ses objectifs noir sur blanc, il s'est encordé avec son pote Eddie et d'autres, il a exploité un moment de dynamique pour définir ses objectifs (quand il en a eu marre d'être un bouffon) et, à aucun moment, il n'a lâché le morceau. Bon, soyons clair : je ne dis pas qu'axer sa vie sur son corps, comme David a pu le faire à une certaine époque, est en soi défendable. Je ne dis pas non plus qu'il suffit de le vouloir pour gagner des centimètres. J'essaie simplement de montrer que dans la vie, les objectifs qu'on s'est fixés peuvent constituer un puissant levier.

Une chose est sûre quand on écoute l'histoire de David, c'est que, contre toute attente, le fait d'avoir été une mauviette de 43 kg a été pour lui un don du ciel. Résultat : sa faiblesse apparente (il était maigre comme un clou) est devenue sa force (en l'astreignant à une discipline et en lui enseignant la persévérance). Quand on naît dépourvu des dons physiques, intellectuels ou des origines sociales auxquelles on aspire, on est obligé de démultiplier ses efforts. Et souvent, ce noble combat génère des qualités et des ressources qu'il nous aurait été impossible d'acquérir d'une autre manière. C'est ainsi qu'une force peut naître d'une faiblesse.

Alors si la vie ne t'a pas gratifié de toute la beauté, de tous les biceps, de tout l'argent ou de toute la matière grise que tu convoites, félicitations ! Il se pourrait bien que tu en sortes gagnant. Ce poème de Douglas Malloch l'exprime bien :

> *L'arbre qui jamais n'a besoin de lutter*
> *Vers le soleil, le ciel, l'air libre et la lumière,*
> *Mais qui, né libre et sans labeur*
> *De la pluie et du vent ne connaît que les faveurs,*
> *Loin de devenir le Roi de la forêt*
> *Vivra, misérable, une vie de freluquet…*
> *Qu'il en faut mener des luttes pour faire un noble tronc !*
> *Plus le vent fait rage, et plus l'arbre est béton.*

HABITUDE 2

Fais de ta vie une aventure extraordinaire La vie est courte. Le scénariste Tom Schulman insiste sur ce point dans *Le Cercle des poètes disparus*, devenu un classique du cinéma. Le jour de la rentrée à la Welton Academy, un collège engoncé dans les traditions, M. Keating, le nouveau professeur d'anglais, emmène les vingt-cinq élèves de sa classe dans le hall principal, et leur montre de vieilles photos en noir et blanc de leurs dignes prédécesseurs sur les bancs de cette même Walton Academy, plus d'un demi-siècle plus tôt.

« Nous finirons mangés par les vers, Messieurs, explique-t-il à sa classe, plongée dans la contemplation des vieilles photos. Chacun de nous ici finira tôt ou tard par s'arrêter de respirer, deviendra tout froid, et mourra. J'aimerais que vous… examiniez attentivement quelques-uns de ces visages du passé. Vous êtes passé devant de nombreuses fois, mais je ne suis pas certain que vous les ayez réellement bien regardés.

Sont-ils vraiment différents de vous, finalement? Mêmes coupes de cheveux. Même bouillonnement d'hormones. Ils se sentent invincibles, comme vous. Le monde leur appartient. Ils sont persuadés d'avoir un grand destin qui les attend, comme beaucoup d'entre vous. Ils ont les yeux plein d'espoir, exactement comme vous. Ont-ils attendu qu'il soit trop tard pour faire ne serait-ce qu'un iota de ce qu'il avaient à faire dans la vie? Car voyez-vous, Messieurs, ces garçons mangent aujourd'hui les pissenlits par la racine. Approchez-vous et écoutez attentivement : ils vous murmureront à l'oreille ce qu'ils vous laissent en héritage. Allez-y, collez votre oreille. Écoutez bien. Vous entendez? »

Alors que, scène étrange, les adolescents se penchent vers les cadres de verre, le Professeur Keating leur murmure aux oreilles : « Car-pe. Car-pe. Carpe diem. Vivez l'instant, Messieurs! *Faites de votre vie une aventure extraordinaire!* »

Puisque ton destin n'est pas encore tracé, pourquoi ne pas en faire quelque chose d'extraordinaire et laisser derrière toi un héritage durable?

Souviens-toi au passage que la vie est une mission, pas une carrière. Une carrière est une profession. Une mission est une cause. Derrière une carrière, il y a la question : « Qu'est-ce que cela va me rapporter ? » Derrière une mission, la question est au contraire : « Qu'est-ce que je peux apporter ? » La mission de Martin Luther King était d'assurer les droits civils à tous. La mission de Gandhi était de libérer 300 millions d'Indiens. La mission de Mère Teresa était de vêtir et de nourrir tous ceux qui ont faim.

Ce sont là des exemples extrêmes. Mais on n'est pas obligé de changer le monde pour avoir une mission. Comme dit l'éducatrice Maren Mouritsen : « Pour la plupart, nous ne ferons jamais de grandes choses. Mais nous pouvons en faire de petites, avec grandeur. »

* * *

PROCHAIN ÉPISODE

Tu as entendu parler de la force de la volonté.
Mais as-tu déjà entendu parler de la force de dire Non ?
Alors tourne la page !

PAS DE FOURMI

1. Détermine les trois compétences les plus importantes à acquérir pour réussir dans ta future carrière. Est-ce par exemple mieux t'organiser, prendre de l'assurance pour t'exprimer en public, travailler ton style à l'écrit ?

Les trois compétences les plus importantes à acquérir pour réussir dans ma future carrière :

2.  Relis ta charte personnelle tous les jours pendant 30 jours (le temps qu'il faut pour développer une habitude). Prends chacune de tes décisions à la lumière de celle-ci.

3. Regarde-toi dans un miroir et pose-toi la question : « Est-ce que j'aurais envie de partager ma vie avec quelqu'un comme ça ? » Si la réponse est non, travaille à développer les qualités qui te manquent.

4. Va voir le conseiller d'orientation de ton lycée ou d'un organisme agréé et envisage différentes carrières possibles. Soumets-toi à un test d'évaluation pour faire le point sur les domaines dans lesquels tu es doué(e), sur tes compétences, et sur tes centres d'intérêt.

5. À quel carrefour décisif de ta vie te trouves-tu aujourd'hui ? Et à long terme, quelle est pour toi la meilleure direction à prendre ?

Carrefour décisif auquel je me trouve :

Meilleure direction à prendre :

6. Fais-toi une copie du Grand Éveil. Puis, guide un(e) ami(e) ou quelqu'un de ta famille au fil des étapes.

(7) Réfléchis à tes objectifs. Les as-tu écrits noir sur blanc? Si tu ne l'as pas fait, prends le temps de le faire. Souviens-toi : un objectif qu'on n'a pas couché sur le papier reste un vœu.

(8) Identifie une étiquette négative à laquelle on a pu te réduire. Réfléchis à deux ou trois choses que tu pourrais faire pour changer cette étiquette.

Étiquette négative qu'on m'a collée : _____

Choses à faire pour y remédier : _____

Donne la **Priorité** aux **Priorités**

Il y a ceux qui **décident** et ceux qui **subissent**

L'autre jour, je regardais les 24 Heures du Mans, et je me disais que s'ils se mettaient en route un peu plus tôt, ils n'auraient pas besoin de tant se presser.

STEVEN WRIGHT, COMIQUE

Et moi, l'autre jour, j'écoutais une cassette où un type faisait un laïus concernant les défis à relever pour un ado d'aujourd'hui, comparés à ceux d'un ado il y a 150 ans. J'ai écouté sagement. J'étais d'accord avec la plupart des trucs qu'il disait quand tout à coup, le type sort : « Il y a 150 ans, le défi auquel les ados étaient confrontés, c'était de travailler dur. Aujourd'hui, c'est d'en faire le moins possible. »

Euh, tu m'excuses ! ai-je grommelé intérieurement. *D'en faire le moins possible ? Hé, faut que t'arrêtes de fumer la moquette !* Il me semble que jamais les ados n'ont travaillé aussi dur, et à un rythme aussi soutenu, qu'aujourd'hui. Et je le vérifie chaque jour de mes propres yeux. Entre l'école, les activités extra-scolaires, l'équipe de sport, le club, les activités de représentant des lycéens ou des étudiants, les cours de gym, le job pour payer ses études, le petit frère ou la petite sœur dont il faut s'occuper, et ainsi de suite, on n'a plus le temps de respirer. En faire le moins possible ? C'est quoi ce délire ? Traire les vaches et réparer les clôtures, ça n'a pas l'air d'être franchement plus difficile que de devoir jongler avec les innombrables facettes de la vie moderne, comme un ado est obligé de le faire aujourd'hui.

Soyons réaliste. Il y a mille choses à faire chaque jour et il n'y a que 24 heures dans une journée. Après les cours, tu as ta répétition et ensuite, ton job à temps partiel. En plus, demain, tu as ton contrôle de biologie alors il faut réviser. Et n'oublie pas de passer un coup de fil à ton pote. Et ta gym, tu as pensé à faire ta gym ? Au fait, il faut aller promener le chien. Et ta chambre est un vrai souk. Alors ?

L'Habitude n° 3, « Donne la priorité aux priorités », peut t'aider. L'idée, c'est d'apprendre à hiérarchiser les choses et à gérer ton temps de façon à faire passer en premier ce qui est prioritaire pour toi, et non pas ce qui est secondaire. Mais il ne s'agit pas seulement d'apprendre à gérer son temps. Donner la priorité aux priorités, c'est aussi apprendre à surmonter ses peurs, et à être fort dans les moments difficiles.

L'Habitude n° 1 t'a permis de déterminer quelles étaient tes priorités dans la vie. L'Habitude n° 2 va te permettre de leur donner la priorité au quotidien, *concrètement*. Progression logique!

Définir une belle liste d'objectifs et avoir de bonnes intentions, c'est très bien. Mais le plus difficile, c'est de les concrétiser en leur donnant la priorité. Voilà pourquoi j'appelle l'Habitude n° 3 l'habitude de la volonté (celle de dire oui aux choses qui comptent le plus pour nous) et de la force de dire non (non aux choses moins importantes et à la pression de notre entourage).

Chacune de ces trois premières habitudes engendre la suivante. Le message derrière l'Habitude n° 1, c'est : « Tu n'es pas un simple passager; c'est toi qui es aux commandes. » Le message derrière l'Habitude n° 2, c'est : « Fixe-toi une destination, et élabore une carte pour trouver le chemin qui y mène. » Et le message derrière l'Habitude n° 3, le voici : « Va jusqu'au bout! Ne te laisse pas désarçonner par les obstacles qui se dressent sur ta route. »

CASER PLUS DE CHOSES DANS SES JOURNÉES

Quand tu fais ta valise, tu as remarqué qu'on casait beaucoup plus de choses quand elles sont bien pliées et bien rangées, que lorsqu'on balance tout n'importe comment? C'est même étonnant. C'est pareil dans la vie. Mieux tu organiseras tes journées, et plus tu arriveras à y caser de trucs : tu auras plus de temps pour ta famille et pour tes amis, plus de temps pour tes cours, plus de temps pour toi, plus de temps pour tes priorités.

Laisse-moi te montrer un tableau incroyable, nommé les Quadrants du Temps, qui te permettra de caser plus de choses dans tes journées (et plus particulièrement des choses de premier plan). Les deux coordonnées principales qui les régissent sont « important » et « urgent ».

Important : les trucs qui comptent le plus pour toi, tes priorités, les activités qui vont dans le sens de ta mission et de la réalisation des objectifs que tu t'es fixés.

Urgent : les trucs qui pressent, les trucs qui te tombent dessus, les activités qui exigent une attention immédiate.

Nous partageons le plus clair de notre temps entre les quatre quadrants du temps illustrés ci-dessous. Chacun de ces quadrants englobe un type d'activités particulier, et est représenté par un profil d'individu.

Les Quadrants du Temps

URGENT		PAS URGENT	
IMPORTANT	**① JE REMETS TOUJOURS** **TOUT AU LENDEMAIN** • EXAMEN DEMAIN • AMI HOSPITALISÉ • EN RETARD AU TRAVAIL • PROJET À BOUCLER LE JOUR-MÊME • PANNE DE VOITURE		**② JE DONNE LA** **PRIORITÉ AUX PRIORITÉS** • ORGANISATION, DÉFINITION D'OBJECTIFS • DISSERTATION À RENDRE DANS 15 JOURS • PRATIQUE D'UN SPORT • RELATIONS • RELAXATION
PAS IMPORTANT	**③ JE DIS** **AMEN À TOUT** • COUPS DE FILS INUTILES • INTERRUPTIONS • PROBLÈMES DES AUTRES • PRESSION EXERCÉE PAR L'ENTOURAGE		**④ JE** **GLANDE** • ABUS DE TÉLÉVISION • TÉLÉPHONITE AIGUËS • ABUS DE JEUX VIDÉOS • MARATHONS SHOPPING • FUTILITÉS

Je ne sais pas si tu as remarqué, mais nous vivons dans une société de l'urgence. Nous sommes la génération « *Speed* ». C'est la raison pour laquelle on a inventé le café instantané, les soupes minute, les régimes-éclair, les chaînes de restauration rapide, les abdos d'acier en quinze jours, les chaînes câblées à péage, les pagers, les téléphones portables et tout le reste. Ça me rappelle la petite fille pourrie-gâtée dans *Charlie et la chocolaterie* [4] qui dit à son père : « Maintenant, Papa! Tout de suite! Je veux un Umpalumpa tout de suite! »

L'urgence n'est pas en soi une mauvaise chose. Mais les ennuis commencent dès lors qu'on est tellement occupé à gérer les choses *urgentes*, qu'on en oublie les choses *importantes*, comme travailler à notre compte rendu à l'avance, aller s'oxygéner dans la nature, ou écrire une lettre importante à un proche. Toutes ces choses *importantes* sont remises à plus tard, poussées par des choses *urgentes*, comme des appels téléphoniques, des interruptions, des visites impromptues, des bouclages, les problèmes des uns et des autres et autres impromptus à gérer « toutes affaires cessantes ».

Au fur et à mesure que nous examinerons chacun des 4 quadrants, pose-toi la question : « Dans lequel de ces quadrants est-ce que j'évolue le plus souvent? »

QUADRANT 1 : *Je remets toujours tout au lendemain*

Commençons avec Q1, les choses à la fois urgentes et importantes. Il y aura toujours des trucs de type Q1 échappant à notre contrôle et à gérer sans attendre, comme prendre soin d'un enfant malade ou tenir ses délais sur un projet important.

Mais bien des migraines de type Q1 sont dues au fait que nous remettons au lendemain des choses qui pourraient être faites le jour-même. À force de repousser tous les jours ses devoirs, par exemple, on se retrouve la veille d'un contrôle à devoir bosser comme un malade toute la nuit. Ou encore, à force de négliger l'entretien régulier de sa voiture, on se retrouve à devoir appeler la dépanneuse. Q1 fait partie de la vie, on est d'accord. Mais crois-moi, si tu passes trop de temps dans ce quadrant-là, tu finiras par « stresser grave » et tu fonctionneras rarement au meilleur de tes possibilités.

Dans la famille rien ne presse, je demande « Miss Je-remets-tout-au-lendemain », qui zone en Q1. Tu la connais peut-être? Sa devise, c'est : « Demain… J'arrête de tout remettre au lendemain. » Celle-là, tu ne la verras jamais commencer à réviser un contrôle avant la veille du jour J. Et ne compte pas sur elle pour s'arrêter prendre de l'essence : elle n'a pas le temps, elle conduit.

« Miss Je-remets-tout-au-lendemain » vit dans l'urgence permanente. Les trucs à faire, elle les repousse, et elle les repousse, et elle les repousse… jusqu'à ce que ça crise. Mais ça ne la dérange pas car je t'explique : se retrouver à devoir tout faire à la dernière minute, ça la stimule. C'est bien simple, tant que l'alerte maximum n'a pas été déclenchée, son cerveau n'est pas opérationnel. Elle ne s'épanouit que sous pression.

Pour celui ou celle qui remet tout au lendemain, établir un rétroplanning est absolument hors de question, dans la mesure où le fun de devoir tout faire à la dernière minute serait anéanti.

« Miss Je-remets-tout-au-lendemain » me rappelle cette tirade d'un comique :

« Ma mère m'a toujours dit qu'un jour, je finirais par toujours tout remettre au lendemain. « Attends un peu », que je lui ai répondu. »

Et je sais de quoi je parle car, pour ce qui est d'attendre la dernière minute pour faire les choses, j'ai moi-même été un expert diplômé. C'était au lycée. Ne pas en tirer une rame tout le trimestre, réviser comme une bête la nuit juste avant le contrôle, et m'en tirer avec une note correcte, je trouvais ça très cool. Débile! Je ramassais effectivement la note, mais je n'apprenais rien du tout et je l'ai payé plus tard, à la fac. Et à bien des égards, je continue à le payer aujourd'hui.

Dans la famille « Je-remets-tout-au-lendemain », voici le témoignage d'un ado :

Moi, ce que je fais, c'est que je glande pendant tout le trimestre et que les deux dernières semaines, je bosse comme un malade. Quand les résultats tombent, je me retrouve en général avec un 17 ou un 18, mais j'ai l'impression que ce n'est pas mérité. Tous les autres rendent leurs trucs dans les délais et font les choses dans les règles. Ils ne stressent pas. Si seulement je pouvais faire pareil.

Conséquences de trop de temps passé en Q1 :
- Stress et anxiété
- Épuisement
- Performances médiocres

QUADRANT 2 : *Je donne la priorité aux priorités*
Gardons-nous le meilleur pour la fin.

QUADRANT 3 : *Je dis Amen à tout*
En Q3, on trouve les choses urgentes, mais pas importantes. Le trait dominant qu'on y décèle est le désir de contenter les autres, et d'accéder à leurs moindres désirs. Ce quadrant est trompeur, dans la mesure où les choses urgentes ont souvent *l'air* d'être importantes, alors qu'en réalité il n'en est rien. La sonnerie du téléphone qui retentit, par exemple, a l'air d'un truc urgent. Mais combien de fois la conversation qui s'ensuit est sans importance! Quand ce n'est pas de la vente par téléphone (au secours!). Q3 est un quadrant bourré d'activités importantes aux yeux des autres, mais sans importance pour celui qui s'y trouve. Des trucs auxquels on

aimerait pouvoir dire non mais qu'on accepte de faire, de peur de froisser quelqu'un.

Dans la famille Q3, je demande « Béni oui-oui », celui qui ne refuse rien à personne, ou presque. À force de vouloir faire plaisir à tout le monde, il finit par ne satisfaire personne, à commencer par lui-même. Il a tendance à céder à la pression de son entourage car il aime plaire et a horreur de se détacher du lot. Sa devise est : « À partir de demain, je serai plus sélectif… Enfin bon, si tu es d'accord. »

Quand ses potes déboulent à l'improviste après le dîner pour l'emmener traîner dehors toute la nuit, impossible pour lui de se résoudre à décliner l'offre. Pas question de décevoir les potes. Et tant pis si le lendemain à la première heure il a une colossale épreuve de contrôle et qu'il devrait non seulement la réviser, mais en plus, passer une bonne nuit de sommeil dessus.

Il a beau avoir promis à sa sœur de lui donner un coup de main sur ses maths, c'est plus fort que lui. Il répond à ce coup de fil urgent qui dure toute la soirée, mais qui en définitive, n'était pas si important que ça.

La natation, ce n'est pas son truc. Lui, c'est plutôt un artiste. Mais bon, son père est un nageur; alors évidemment, il ne voudrait pas le décevoir et il s'inscrit au club.

Je crois que nous avons tous un petit côté Q3 en nous, et je n'échappe pas à la règle. Mais quand on dit Amen à tout et qu'on n'apprend pas à se concentrer sur ce qui est vraiment important, on ne réalise pas grand-chose. Le comique Bill Cosby le dit en termes savoureux : « La clé de la réussite, je ne la connais pas. Mais je connais celle de l'échec : c'est de vouloir contenter tout le monde. » Q3 est le pire de tous les quadrants, car il n'est doté d'aucune colonne vertébrale. C'est le règne de l'inconstance. Ici, on est une véritable girouette, tournant au gré du vent.

Conséquences de trop de temps passé en Q3 :
- Réputation de dire Amen à tout
- Manque de discipline
- Impression d'être un paillasson sur lequel les gens s'essuient les pieds

JUSTE APRÈS LA PUB : « CES MÉNAGÈRES QUI CRAQUENT POUR LEUR PLOMBIER ! »

TROP COOL !

GLANDEUR

QUADRANT 4 : *Je glande*

Q4 est la catégorie du gaspillage et des excès. Les activités qu'on y trouve ne sont ni urgentes, ni importantes.

Profil du glandeur écroulé en Q4 : consomme trop de tout. Trop d'heures passées à regarder la télé, à dormir, à jouer à des jeux vidéo, ou à surfer sur Internet. Deux de ses activités favorites : tchatcher des heures au téléphone, et se faire des marathons-shopping tous les week-ends.

Dans le genre oisif, c'est un pro. Il est vrai que rester au lit jusqu'à midi exige des compétences certaines. Question BD, c'est une autorité. Normal, il s'en tape plusieurs dizaines d'albums par semaine. Il n'a jamais trouvé d'emploi. Mais bon, il est jeune et en bonne santé, alors à quoi bon chercher ? Quant à la scolarité, alors là, c'est vraiment le cadet de ses soucis. Non, lui, son truc, c'est plutôt de taper l'incruste avec les potes, si tu veux.

Se faire un ciné, se joindre à des forums de discussion sur le web, ou simplement sortir avec ses amis sont des activités qui, en soi, n'ont rien de malsain. Ce n'est que lorsqu'on s'y adonne sans modération que cela devient une perte de temps. Et on sait parfaitement à quel moment on franchit le seuil. Regarder une petite série télé histoire de relaxer un peu, pourquoi pas. Mais enchaîner sur une deuxième, une troisième, et parfois même une quatrième jusqu'à 2 h du matin (une rediff' que tu as déjà vue six fois), là, ce n'est plus une soirée relax : c'est une soirée foutue.

Conséquences de trop de temps passé en Q4 :
- Attitude immature
- Sentiment de culpabilité
- Fiabilité douteuse

QUADRANT 2 : *Je donne la priorité aux priorités*

Revenons maintenant en Q2. En Q2, on trouve des choses importantes mais pas urgentes, comme se relaxer, voir ses amis, faire du sport, s'organiser, et faire ses devoirs… à l'heure! C'est le quadrant de l'excellence, celui de nos rêves.

Les activités de type Q2 sont importantes. Mais sont-elles urgentes? Négatif! C'est la raison pour laquelle on a du mal à s'y livrer. Trouver un bon job d'été, par exemple, est peut-être un truc important pour toi. Mais comme c'est dans des semaines et des semaines et qu'il n'y a pas d'urgence, il y a des chances pour que tu repousses cette recherche jusqu'au dernier moment, pour finalement t'apercevoir que tous les bons jobs sont déjà pris. Si tu avais été en Q2, tu te serais organisé(e) et tu aurais trouvé une meilleure place. Ce qui ne t'aurait pas demandé plus de temps. Juste un peu d'organisation.

Je te présente celle qui donne la priorité aux priorités, celle qui gère ses activités par ordre d'importance. Loin d'être la perfection incarnée, on peut tout de même dire que, globalement, elle a les pieds bien sur terre. Elle passe en revue toutes les choses qu'elle a à faire, hiérarchise, et s'assure de gérer en priorité ses priorités, et de faire passer au second plan ce qui est secondaire. Comme elle a l'habitude (toute simple mais redoutable) de s'organiser à l'avance, elle domine généralement la situation. Comme elle fait ses devoirs et rend ses copies en temps et en heure, elle tourne au meilleur de ses capacités et s'évite le stress et l'épuisement qu'on subit quand on bachote. Elle prend le temps de faire du sport et de renouveler ses ressources, même quand cela implique de repousser d'autres choses. Elle donne la priorité aux gens qui comptent le plus dans sa vie, comme ses amis et sa famille. Trouver un équilibre, pour elle, ça compte. Même s'il faut se battre pour y arriver.

Elle vérifie l'huile de son moteur régulièrement. Et elle n'attend pas que l'aiguille de la jauge soit bloquée dans le rouge pour mettre de l'essence. Elle adore aller au ciné, surfer sur Internet et lire des polars, mais toujours avec modération.

Elle a appris à dire non en gardant le sourire. Quand ses copines passent à l'improviste le soir chez elle pour l'emmener faire la fête, elle dit : « Non merci, les filles. J'ai un méga contrôle demain. Mais vous faites quoi Vendredi soir ? On se prévoit une petite soirée ? » Ses copines disent d'accord, et rêvent secrètement d'avoir elles aussi le courage de dire non. Elle a appris qu'au début, quand on résiste à la pression exercée par l'entourage, on passe pour un rabat-joie. Mais qu'à la longue, on inspire le respect.

Conséquences d'une évolution en Q2 :
- Maîtrise
- Équilibre
- Haute performance

Alors, dans quel quadrant passes-tu le plus clair de ton temps ? Dans le 1, le 2, le 3 ou le 4 ? Puisque, de fait, nous passons tous plus ou moins d'un quadrant à l'autre, la clé consiste à se déporter le plus possible en Q2 et d'y passer un maximum de notre temps. Et la seule façon de passer plus de temps en Q2, c'est de réduire celui qu'on passe dans les autres quadrants. Voici comment procéder :

Rétrécis Q1 en remettant moins souvent les choses au lendemain. Tu continueras à faire plein de trucs en Q1, c'est clair. Mais si tu peux diviser par deux le nombre de choses que tu remets au lendemain en t'y prenant à l'avance pour faire celles qui sont importantes, tu zoneras bien moins souvent en Q1. Et moins de temps passé en Q1 signifie : moins de stress!

Dis non aux activités de type Q3. Apprends à dire non aux choses peu importantes, qui te détournent de celles qui le sont. Ne te laisse pas interrompre aussi facilement. À vouloir contenter tout le monde, on finit par se mordre la queue. Souviens-toi : dire non, cela revient à dire oui à des choses plus importantes

Réduis les activités de type Q4 en glandant moins. Il ne s'agit pas de supprimer ces activités, mais simplement de s'y livrer moins souvent. Tu n'a pas de temps à perdre. Réinjecte tout ce temps en Q2. Se relaxer et décompresser, d'accord, mais souviens-toi : se relaxer est une activité de type Q2. C'est la relaxation abusive qui tombe en Q4.

En plus de passer plus de temps en Q2, je te suggère deux choses susceptibles de t'aider à mieux gérer ton temps et à donner la priorité aux priorités : tenir un agenda, et t'organiser pour toute la semaine.

CHOISIS TON AGENDA

Pour commencer, je ne saurais trop recommander d'utiliser un agenda, n'importe lequel, mais comportant un calendrier et de la place pour noter les rendez-vous, les devoirs, les listes de choses à faire, et les objectifs. Rien ne t'empêche, si tu préfères, de te faire ton propre agenda à partir d'un simple cahier à spirales. Au mot « agenda », certains se disent peut-être déjà : « Ça va, j'ai déjà une tonne de livres, pas envie de m'en charrier un de plus ! » Si cela peut te rassurer, des agendas, on en trouve de toutes les tailles. Il y a le genre annuaire des Télécoms qui pèse trois kilos, mais il existe aussi des versions light, minuscules, qui pèsent à peine cent grammes.

D'autres pensent peut-être : « Pas question de m'enchaîner à un agenda. J'aime trop ma liberté. » Si c'est ton cas, souviens-toi simplement qu'on n'a pas inventé les agendas pour nous enchaîner, mais au contraire pour nous libérer. Avec un agenda, plus besoin d'avoir peur d'oublier quelque chose ou de prendre deux rendez-vous à la même heure. Ton agenda te rappellera la date à laquelle tu dois rendre tes copies et le jour où tombent les contrôles. Il te permettra de stocker toutes tes informations importantes (numéros de téléphone, adresses de sites Internet, dates d'anniversaire etc.) au même endroit, au lieu de les avoir éparpillées sur cinquante petits bouts de papier différents. Un agenda n'est pas fait pour te réduire à l'esclavage ; c'est un outil conçu pour te faciliter la vie.

Organise ta semaine

Prends un quart d'heure chaque semaine pour organiser ta semaine et regarde simplement la différence que cela peut faire. Pourquoi pour toute la semaine ? Parce qu'on compte en semaines et

que s'organiser juste pour la journée, ça fait juste. Et que s'organiser pour tout le mois, ça fait un peu beaucoup. Une fois que tu te
seras procuré ton agenda, n'importe lequel, suis les trois étapes de
ce processus d'organisation hebdomadaire.

Étape n° 1 : Identifie tes grosses pierres : En fin ou en début de
semaine, assieds-toi et prends un moment pour réfléchir à ce que
tu veux accomplir pendant la semaine qui s'annonce. Demande-
toi : « Quelles sont les choses les plus importantes que j'ai à faire
cette semaine ? » J'appelle ça tes grosses pierres. Ce sont en quelque
sorte des mini-objectifs qui doivent cadrer avec ta charte personnelle, et avec tes objectifs à plus long terme. Ne sois pas étonné, la
plupart correspondent au profil Q2.

Ta liste de grosses pierres risque de donner un truc dans ce
genre :

Grosses pierres cette semaine
- Réviser Sciences-Nat → contrôle
- Finir livre
- Aller au match de Marina
- Remplir formulaire candidature
- Fête Isabelle
- Sport : 3 séances

Une autre technique pour identifier ses grosses pierres consiste à établir la liste des différentes casquettes que l'on porte dans la
vie (par exemple celle d'étudiant, d'ami, de membre de la famille,
de travailleur, d'individu ou autre) afin de déterminer une ou deux
choses à faire impérativement dans chacun de ces domaines. S'organiser en fonction des différentes casquettes que l'on porte permet de vivre une vie équilibrée.

CASQUETTE	GROSSES PIERRES DE LA SEMAINE
Étudiant(e)	Commencer compte rendu d'Histoire
Ami(e)	Anniversaire Saskia Être moins avare de compliments
Famille	Emmener Carine faire du shopping Appeler Mamie
Boulot	Arriver à l'heure
Perso	Concert samedi Tenir journal
Débat	Boucler enquête Travailler entrée en matière

Au moment d'identifier tes grosses pierres pour la semaine, ne pars pas dans toutes les directions. Même si tu as l'impression d'en avoir quarante à gérer, sois réaliste et limite-toi à dix ou quinze maximum.

Étape n° 2 : Bloque du temps pour tes grosses pierres : L'expérience des grosses pierres, tu connais? On prend un seau et on le remplit à moitié de petits cailloux. Ensuite, on essaie d'y faire tenir plusieurs grosses pierres, qu'on pose sur les petits cailloux. Mais pas moyen de les faire toutes tenir. Alors on vide le seau, et on recommence.

Mais cette fois, en commençant par les grosses pierres et en finissant par les petits cailloux. Les petits cailloux viennent sagement remplir tous les vides entre les gros, et cette fois, tout tient! La différence, c'est qu'on a changé l'ordre dans lequel on a rempli le seau. Quand on commence par les petits cailloux, on n'arrive pas à caser les grosses pierres. Mais quand on commence par les grosses pierres, tout tient : les grosses pierres ET les petits cailloux. Les grosses pierres représentent les choses les plus importantes pour toi. Les petits cailloux représentent les petits trucs de la vie de tous les jours, ceux qui accaparent tout ton temps : les corvées domestiques, le travail frénétique, les coups de fil et les interruptions, par exemple. Morale de l'histoire : si tu ne cases pas tes grosses pierres en priorité dans ton emploi du temps, tu finiras par ne pas les caser du tout.

Au moment de t'organiser pour la semaine, bloque du temps pour tes grosses pierres en les prévoyant dans ton agenda. Tu peux décider que le meilleur jour pour commencer à travailler sur ton compte rendu d'Histoire sera mardi soir, par exemple, et que le meilleur moment pour appeler ta grand mère sera dimanche après-midi.

Maintenant, ne prévois rien d'autre sur ces créneaux-là. Comme quand on fait une réservation au restaurant. Si une grosse pierre style « distribuer trois compliments chaque jour cette semaine » n'est pas assujetti à un timing particulier, note-le simplement dans un coin visible de ton agenda.

Commence par bloquer des tranches horaires pour tes grosses pierres et le reste, tes activités de la vie de tous les jours, trouvera sa place également. Et puis sinon, on s'en remettra, non? Tant qu'à faire, mieux vaut repousser les petits cailloux que les grosses pierres.

Étape n° 3 : Programme tout le reste : Une fois que les créneaux pour tes grosses pierres sont bloqués, place tout le reste : les petites choses à faire, les tâches quotidiennes, et les rendez-vous. Ce sont les petits cailloux. Si tu veux, rien ne t'empêche d'aller voir plus loin dans ton agenda et de placer des activités ou des événements à venir, par exemple des vacances, un concert, ou un anniversaire.

Adapte au jour le jour

Une fois ton planning bien organisé pour toute la semaine, adapte au jour le jour. De temps en temps, il faudra sûrement réagencer une grosse pierre par-ci, et un petit caillou par-là. Fais de ton mieux pour t'en tenir au planning, mais si tu n'arrives pas à tout boucler, pas de panique. Même si tu n'arrives à gérer qu'une grosse pierre sur trois, c'est toujours un tiers de plus que rien du tout, ce qui aurait sans doute été le cas si tu n'avais rien planifié à l'avance.

Si cette méthode du semainier te semble trop rigide ou trop compliquée, ne fais pas une croix dessus : essaie la version *light*. Prévoir deux ou trois grosses pierres par semaine, sans plus, c'est peut-être largement assez pour toi.

Concrètement, le simple fait de s'organiser pour toute la semaine permet de se concentrer sur ses grosses pierres. Et donc de réaliser beaucoup, beaucoup plus de choses.

Et ça fonctionne vraiment?

Et ça marche vraiment, ces histoires de gestion du temps? Un peu, que ça marche! J'ai personnellement lu de nombreuses lettres d'ados à qui les techniques détaillées ci-dessus ont largement réussi. Voici les commentaires de deux d'entre eux, à qui l'on a enseigné la méthode des Quadrants du Temps, et qui se sont mis à tenir un agenda et à organiser leurs semaines :

David :

J'ai vu le diagramme des Quadrants du Temps et je me souviens avoir dit : — T'as raison! Il y a plein de trucs que je fais à la dernière minute. Mes devoirs, par exemple. Avant, quand j'avais une copie à rendre le lundi, je m'y mettais le dimanche soir. Ou s'il y avait contrôle le vendredi, je séchais les cours le jeudi pour réviser. J'étais en période de crise, à l'époque.

Une fois que j'ai trouvé ce qui comptait vraiment pour moi, j'ai commencé à établir des priorités et à me servir d'un agenda. Si par exemple j'avais envie d'aller faire du skate, je me disais : — Oui mais d'abord il y a ce truc plus important à faire. Je m'en débarrasse, comme ça demain, si ça se trouve, je pourrais faire du skate toute la journée. J'ai fini par être plus concentré dans mes études, je me suis mis à assurer aux examens, et les choses se sont naturellement mises en place. Si j'avais su plus tôt gérer mon temps, j'aurais largement moins stressé, c'est clair.

Aminata :

Je stresse beaucoup moins parce que maintenant, je n'ai plus besoin de passer mon temps à essayer de me rappeler ce que j'ai à faire plusieurs jours à l'avance. Maintenant, je sors mon agenda et on n'en parle plus. Quand je crise, ou si je stresse, je consulte mon emploi du temps et je m'aperçois qu'il me reste suffisamment de temps pour tout faire, surtout mes trucs à moi.

Une des rares choses qu'il est impossible de recycler, c'est le temps perdu. Alors n'oublie pas : savoure bien chaque instant. Comme l'a dit la reine Élisabeth 1re d'Angleterre sur son lit de mort : « Toutes mes richesses pour un instant de vie. »

L'AUTRE MOITIÉ

L'Habitude n° 3 ne consiste pas simplement à organiser son temps. Organiser son temps, ce n'est que la moitié des choses. L'autre moitié consiste à surmonter ses peurs et à se soustraire à la pression exercée par l'entourage. Rester fidèle à ses priorités — principes et valeurs par exemple — demande beaucoup de courage et de détermination, surtout quand on vous met la pression. Un jour, j'ai posé la question suivante à un groupe d'ados : « Quelles sont vos priorités ? » Parmi d'autres, j'ai entendu des choses comme : ma famille, mes amis, ma liberté, m'éclater, mûrir, faire confiance, Dieu, trouver mon équilibre, m'intégrer, mon look. Ensuite, je leur ai demandé : « Qu'est-ce qui, sur un plan personnel, vous empêche de donner la priorité à ces priorités ? » Comme on aurait pu s'y attendre, les deux réponses qui sont revenues le plus souvent ont été « la peur », et « la pression exercée par l'entourage. » Alors voyons comment aborder ces deux choses.

La Zone de courage et la Zone de confort

Donner la priorité aux priorités demande du courage et oblige souvent à s'arracher à sa zone de confort. Jette un œil au diagramme de la zone de confort et de la zone de courage.

La zone de confort représente les choses auxquelles nous sommes habitués, les endroits qui nous sont familiers, les amis avec lesquels on se sent à l'aise, les activités qui nous plaisent. La zone de confort est exempte de risque. La facilité y règne. Ici, il n'y a aucun effort à fournir. À l'intérieur de cette sphère, on se sent parfaitement en sécurité.

Inversement, rencontrer de nouveaux amis, s'exprimer en public, ou défendre les valeurs qui nous sont propres sont des choses effrayantes. On en a les cheveux qui se dressent sur la tête. Bienvenue dans la zone de courage! Au programme : aventure, risque et défis. On trouve ici tout ce qui met mal à l'aise. Sur ce territoire rôdent l'in-

certitude, la pression, le changement et la possibilité de l'échec. Mais c'est également là que s'offrent les opportunités, et c'est le seul et unique lieu où l'on peut atteindre son potentiel maximum. Car une chose est sûre, c'est qu'il ne faut pas compter l'atteindre en restant confortablement au chaud dans sa zone de confort. C'est clair.

Euh, plaît-il? « Il est où, le problème, de se sentir bien dans sa zone de confort? », c'est bien ça ta question?

Il n'y en a aucun, de problème. Je dirais même qu'on devrait y passer le plus clair de notre temps, dans cette zone. En revanche, ne jamais s'aventurer sur des terres inconnues, ça, c'est grave. Tu le sais autant que moi : ceux qui ne tentent jamais rien de nouveau ou qui ne se jettent jamais à l'eau mènent des existences paisibles ; mais quel ennui! Et qui voudrait d'une telle existence? Comme dirait le champion de hockey Wayne Gretzky[5] : « On rate 100 % des buts qu'on n'essaie pas de marquer. » Pourquoi ne pas avoir confiance en toi, prendre des risques et plonger dans ta zone de courage, de temps en temps? Souviens-toi d'une chose : le plus gros de tous les risques, dans la vie, c'est de ne jamais en prendre.

Ne laisse jamais tes peurs décider à ta place

Les émotions aliénantes ne manquent pas en ce bas monde, mais l'une des pires est très certainement la *peur*. Quand je pense à toutes les choses à côté desquelles j'ai pu passer par peur, je suis vert. Au lycée, je craquais sur une fille qui s'appelait Sherry mais je

n'ai jamais essayé de sortir avec elle parce que mes peurs me sussuraient à l'oreille : « Si ça se trouve, elle ne t'aime pas. »

> Ce n'est pas le sommet de la montagne que l'on conquiert, c'est soi-même.
>
> EDMUND HILLARY
> (premier vainqueur de l'Everest)

En sixième, je me souviens d'avoir renoncé à l'entraînement de football américain par peur de ne pas avoir le niveau. Je n'oublierai jamais avoir envisagé de me présenter à l'élection des représentants des élèves mais de m'être déballonné, tellement l'idée de devoir prendre la parole devant tout le lycée me terrorisait. Tout au long de ma vie, il y a des cours auxquels je ne me suis pas inscrit, des amitiés à côté desquelles je suis passé, et des équipes dans lesquelles je n'ai jamais joué, tout ça à cause de ces abominables — et pourtant bien réelles — peurs. J'aime bien la façon dont l'exprime Shakespeare dans *Mesure pour mesure* :

> « *Nos doutes sont des traîtres qui, nous dissuadant de tenter,*
>   *Nous coûtent bien des victoires que nous pourrions remporter.* »

Un jour, mon père m'a dit un truc qui m'est toujours resté. Il m'a dit : « Sean, ne laisse jamais tes peurs décider à ta place. Décide par toi-même. » Grande idée, non ? Songe à tous les actes héroïques qui ont été menés au mépris de la peur. Prends Nelson Mandela, qui a mené un rôle crucial dans la chute du régime totalitaire de l'apartheid en Afrique du Sud. Mandela a passé vingt-sept ans derrière des barreaux (imagine !) pour avoir tenu des propos anti-apartheid, avant de finalement devenir le premier président noir jamais élu dans le pays. Que se serait-il passé si, par peur, il n'avait jamais osé se battre contre le régime ? Ou pense au courage sans faille de Susan B. Anthony dans le long combat qu'elle a mené et remporté quand la Constitution américaine a finalement concédé le droit de vote aux femmes. Pense également à Winston Churchill, Premier ministre d'Angleterre pendant la deuxième guerre mondiale, qui a mené le combat du monde libre contre l'Allemagne nazie. Que serait-il advenu si, pris de doutes, il s'était laissé impressionner pendant la guerre ? Il est clair que toutes les grandes actions, qu'elles soient le fait de grands hommes ou de l'individu lambda, ont été menées au mépris de la peur.

Agir au mépris de la peur n'a jamais été et ne sera jamais facile, mais une fois le cap passé, tu te féliciteras toujours de l'avoir fait. En dernière année à la fac, comme il me manquait quelques UV, j'ai épluché les options possibles à la recherche d'un truc pas trop éreintant. Quand je suis tombé sur « Enseignement vocal individuel » (en clair : leçons de chant) je me suis dit : « Et si je sortais de ma zone de confort et que j'essayais ça ? »

Pour éviter de me couvrir de ridicule en poussant la voix devant d'autres étudiants, j'ai pris la précaution de m'inscrire à des cours publics plutôt qu'à des cours collectifs.

Tout s'est très bien passé jusqu'à la fin du trimestre où là, mon professeur m'a asséné la nouvelle : « Au fait, Sean, tu as choisi le morceau que tu veux interpréter devant les autres étudiants ? »

« Hein ? C'est quoi ce délire ? », j'ai hurlé, horrifié.

« C'est le règlement. Le règlement du cours d'enseignement vocal individuel stipule que chaque étudiant doit se produire au moins une fois en présence du reste de la classe. »

« Très mauvaise idée », ai-je affirmé catégoriquement.

« Oh, ce n'est pas grave. Tu t'en sortiras très bien. »

Mais si, pour moi, c'*était* grave ! L'idée de devoir chanter en public me rendait physiquement malade. Je me demandais : « Comment je vais bien pouvoir faire pour me tirer de ce pétrin ? » Mais je ne pouvais pas me le permettre car, tout au long de l'année précédente, j'avais instruit différents groupes sur le thème : ne laissez pas vos peurs décider à votre place. J'étais coincé. Et là… c'était mon tour.

Je n'arrêtais pas de me répéter : « Courage, Sean ! Essaie, au moins. »

Et puis le jour maudit a fini par arriver. En entrant dans la « salle de torture » où j'allais faire mes débuts, j'en étais encore à essayer de me convaincre : « Calme, Sean. Tu n'es quand même pas si mauvais. »

Mais les choses ne faisaient qu'empirer. Plus je prenais conscience que les gens dans l'assistance étaient tous des diplômés, soit en théâtre, soit en musique, plus mon trac augmentait. C'est vrai, quoi, ces gens-là étaient tous des bêtes de chant. Ils se produisaient sur scène dans des comédies musicales et des chorales depuis l'enfance. Quand le premier sur la liste d'appel a entonné une chanson extraite de la comédie musicale *Les Misérables,* et qu'il s'est trouvé que sa version sonnait mieux que la version originale sur les planches de Broadway, ma peur a monté d'un cran encore. Ce type était infernal. Et malgré cela, les élèves du cours y sont allés de leurs petites critiques. Quelqu'un a lancé : « Un peu plat, dans les aigus. » Et moi je me disais : « On rêve! Qu'est-ce qu'ils vont penser de moi, alors? »

« Sean, c'est à toi. »

Mon heure avait sonné.

Debout face à la classe, à trois millions d'années-lumière de ma zone de confort, je me répétais intérieurement : « Courage! Je le crois pas! Courage! Je le crois pas! »

« Je vais vous interpréter *On the Street Where You Live,* extrait de *My Fair Lady* », ai-je chevroté.

L'accompagnateur a attaqué le prélude, tous les yeux se sont posés sur moi, et je me suis dit : « C'est pas vrai? Mais comment tu t'es débrouillé pour t'embarquer dans une galère pareille? » Mais à voir les sourires éclairer les visages, ils semblaient effectivement prêts à me prendre au sérieux.

J'ai entonné : « *I have often walked down this street before…* »

Avant même d'avoir atteint la deuxième ligne, l'expression pleine d'attente marquant les visages des étudiants avait laissé place à un rictus d'angoisse. J'étais dans un tel état de nerfs que j'étais raide comme un jean tout juste sorti du séchoir. Les mots me restaient littéralement coincés en travers de la gorge.

Vers la fin de la chanson, il y a une note haut-perchée. Une note très difficile à atteindre, déjà en répétition. Là, je m'attendais au pire. Mais plus l'échéance approchait, plus je me disais : « Allez, quoi! Lâche-toi! »

Je ne me souviens même pas si je l'ai atteinte ou si je l'ai ratée, cette note. La seule chose dont je me souvienne, c'est que quelques-uns des étudiants étaient si gênés qu'en dépit des efforts qu'ils faisaient pour s'en cacher, ils arrivaient tout juste à soutenir mon regard.

J'ai terminé et j'ai vite regagné ma place. On entendait les mouches voler. Personne ne savait quoi dire.

« Bravo, Sean. »

J'ai haussé les épaules en faisant mine d'y croire : « Merci beaucoup. » Mais tu sais quoi? Même si cette expérience avait bien failli me laisser sur le carreau, en quittant la salle de classe et en traversant le parking, seul, pour aller rejoindre ma voiture, j'étais fier de moi. J'ai été envahi d'un sentiment de plénitude, et franchement, je me tapais complètement de ce que les autres pouvaient penser de ma note haut-perchée. J'avais survécu et je n'en étais pas peu fier. Comme l'a dit Edmund Hillary, le premier homme à avoir vaincu l'Everest : « Ce n'est pas le sommet de la montagne que l'on conquiert, c'est soi-même. »

Alors la prochaine fois que tu voudras :

- démarrer une nouvelle amitié,
- résister à la pression exercée par ton entourage,
- te débarrasser d'une vieille habitude,
- acquérir de nouvelles compétences,
- intégrer une nouvelle équipe,
- passer une audition pour une pièce de théâtre,
- filer rencard à l'homme ou à la femme de ta vie,
- changer de boulot,
- t'engager dans une relation,
- être toi-même,

voire même chanter en public... Vas-y! Fonce! Même si tes peurs et tes doutes te hurlent de toutes leurs forces : « T'es qu'un gros naze! », « Tu vas te vautrer! », « Laisse tomber! »

Ne laisse jamais tes peurs décider à ta place. Décide par toi-même.

Ce qui compte, ce n'est pas de tomber, c'est de se relever à chaque fois

Il nous arrive à tous d'avoir peur, et cela n'a rien de grave en soi. « Éprouve la peur et agis quand même », dit le proverbe. J'ai trouvé une technique permettant de surmonter la peur, c'est d'avoir toujours présent dans un coin de ma tête la pensée suivante : *Ce qui compte, ce n'est pas de tomber, c'est de se relever à chaque fois.* Préoccupons-nous moins de nos échecs, et plus de toutes les opportunités qu'on rate quand on n'essaie pas. Parmi les gens que nous admirons, après tout, nombreux sont ceux qui ont connu de multiples échecs.

Babe Ruth[6], par exemple, a foiré 1 330 coups. Albert Einstein n'a pas dit un mot jusqu'à l'âge de quatre ans. Beethoven s'est entendu dire par son professeur de musique : « Comme compositeur, il n'y a rien à en tirer. » Louis Pasteur a écopé d'un « médiocre » en chimie sur son bulletin. Wernher von Braun, ponte de la recherche spatiale, a été recalé en algèbre à l'âge de 14 ans. Marie Curie a frôlé la ruine avant d'ouvrir la voie à la chimie nucléaire et modifier à tout jamais le cours de la Science. Michael Jordan s'est fait éjecter de l'équipe de basket de son lycée en classe de seconde.

Ci-dessous, voici quelques événements dans le parcours d'un homme qui a connu maints échecs, mais qui n'a jamais déclaré forfait. Essaie de l'identifier. Cet homme :

- a échoué dans les affaires à l'âge de 22 ans
- a été battu aux élections législatives de son État à 23 ans
- a dû assumer la mort de sa tendre et douce à 26 ans
- a souffert d'une dépression nerveuse à 27 ans
- a été battu pour une élection au poste de président de la Chambre des Représentants à 29 ans
- a été battu pour une désignation au Congrès à 34 ans
- a été élu au Congrès à 37 ans
- a essuyé un échec en demandant le renouvellement de son mandat à 39 ans
- a été battu à l'élection au Sénat à 46 ans
- a été battu en temps que candidat à la vice-présidence des États-Unis à 47 ans
- et a été battu à l'élection au Sénat à 49 ans.

Cet individu n'est nul autre qu'Abraham Lincoln, élu Président des États-Unis à l'âge de cinquante et un ans. Chaque fois qu'il est tombé, il s'est relevé, atteignant finalement son but, et gagnant l'admiration et le respect de toutes les nations et de tous les peuples.

> « Au milieu du bois, la route s'est séparée en deux et moi, j'ai pris la moins fréquentée. Et là, tout a basculé. »
>
> ROBERT FROST, POÈTE

Sois fort dans les moments difficiles

Le poète Robert Frost a écrit : « Au milieu du bois, la route s'est séparée en deux et moi, j'ai pris la moins fréquentée. Et là, tout a basculé. » J'en suis arrivé à la conclusion que lorsqu'on se montre fort dans certains moments difficiles de la vie, dans ces moments où la route se sépare en deux, ces moments nous offrent la possibilité de « tout faire basculer » dans notre parcours.

Mais qu'appelle-t-on au juste « moments difficiles » ? Les moments difficiles sont ces conflits qui résultent d'un tiraillement entre faire ce que l'on devrait faire, et choisir la solution de facilité. Ce sont des instants qui nous mettent à l'épreuve, des moments clés de la vie. Et la façon dont on les aborde peut provoquer un changement radical et modeler à tout jamais la nôtre. Il en existe deux modèles : *small*, et *large*.

Les moments difficiles taille *small* nous tombent dessus tous les jours. Y figurent entre autres se lever quand le réveil sonne, contrôler ses humeurs, et s'imposer de faire ses devoirs avec assiduité. Quand on arrive à se maîtriser et être fort dans ces moments-là, c'est fou ce que nos journées se déroulent avec plus de facilité ! Si par exemple je suis faible dans un moment difficile et que je cède à la panne d'oreiller (victoire du matelas sur l'esprit), il y a des chances pour que cela fasse boule de neige et pour que ma journée devienne une succession de nombreux petits échecs. En revanche, si je me réveille à l'heure dite (victoire de l'esprit sur le matelas), il y a des chances pour que cette petite réussite soit la première d'une longue série.

Contrairement aux moments difficiles taille *small*, les moments difficiles taille *large* nous tombent dessus de loin en loin. On y trouve des trucs comme bien choisir ses amis, résister à la pression de l'entourage, et rebondir à la suite d'un coup dur : se faire jeter par sa tendre et douce, par exemple, voir ses parents divorcer ou avoir un deuil dans la famille. Ces moments-là ont des conséquences

HABITUDE 3

considérables et frappent le plus souvent au moment où on s'y attend le moins. Accepter que de tels moments sont inéluctables (car ils arriveront tôt ou tard) permet de s'y préparer et de les affronter bille en tête, tel un guerrier, et d'en sortir vainqueur.

Sois courageux à ces carrefours déterminants. Ne va pas sacrifier ton bonheur futur pour une nuit de plaisir, un week-end de folie, ou l'exaltation d'un instant de vengeance. Et si d'aventure tu te sens à deux doigts de faire un truc stupide, rappelle-toi ces vers de Shakespeare (Holà! Deux fois Shakespeare dans le même chapitre?!) :

> *« Qu'est-ce que je gagne, si j'obtiens ce que je cherche?*
> *L'illusion, le souffle, l'écume d'un bonheur fugace.*
> *Qui voudrait pleurer une semaine pour jouir d'un instant?*
> *Qui donnerait l'éternité pour satisfaire un caprice?*
> *Qui détruirait la vigne pour savourer un raisin? »*

Dans ces vers, il est question de sacrifier son avenir en échange d'un moment de plaisir fugace. Qui voudrait sacrifier le reste de sa vie en échange d'un caprice? Qui voudrait payer une semaine complète de douleur en échange d'une minute de bonheur? Qui serait prêt à détruire une vigne tout entière en échange d'un grain de raisin? Un idiot, et un idiot seulement.

Résister à la pression de l'entourage

De toutes les épreuves difficiles auxquelles on doit faire face, résister à la pression de l'entourage n'est pas la moindre. Dire non quand tous ses amis disent oui exige un courage certain. Toutefois, résister à la pression de l'entourage — j'appelle cela la force de dire non — constitue un dépôt colossal sur notre CEP.

Voici le témoignage du conseiller d'orientation d'un lycée :

Un jour, juste avant les cours, une fille de quatrième a déboulé en larmes dans mon bureau en hurlant : « Ils me détestent! Ils me détestent! »

Elle venait de se faire exclure de son groupe d'amis. Ils l'avaient envoyée se faire voir sous prétexte que la veille, elle s'était « trop bien » conduit, refusant de sécher les cours pour aller faire une petite virée à Marseille. Au départ, à l'en croire, elle était partante, mais par la suite, elle a pensé combien sa mère serait blessée quand l'école l'appellerait pour lui signaler l'absence de sa fille. Elle se sentait incapable de faire une chose pareille à sa mère, qui avait fait tant de sacrifices pour elle. Pas question de la trahir.

Quand elle s'est levée et leur a dit « Impossible, je passe », ils l'ont tous exclue. Elle se disait que tout rentrerait dans l'ordre le lendemain, mais pas du tout : tous lui ont dit d'aller se chercher de nouveaux amis sous prétexte qu'elle était trop bien pour eux.

À travers sa douleur et ses larmes, cette lycéenne a commencé à percevoir un sentiment de bien-être, pourtant mêlé d'un sentiment d'isolement car ses amis la rejetaient. Elle a pourtant fini par s'accepter telle qu'elle était et, malgré cette mise au ban, l'estime de soi et la paix intérieure se sont installées en elle. Une leçon de vie, et un bel exemple de défense de ses principes.

Il arrive que la pression exercée par l'entourage soit telle que la seule façon d'y résister, c'est de littéralement se soustraire à l'environnement dans lequel on évolue. Ceci est particulièrement vrai lorsqu'on est lié à une bande organisée, à une amicale d'étudiants ou d'étudiantes, ou à un cercle fermé d'amis. Pour Élodie, la meilleure solution était de changer de cadre :

J'avais beau savoir depuis longtemps qu'il fallait que je change de fréquentations, je ne savais pas trop comment m'y prendre. Ma « meilleure amie » m'encourageait à faire les mêmes trucs qu'elle, genre à coucher avec n'importe qui et à se déchirer la tête. Ça n'a pas traîné : au lycée, on m'a vite traitée de cochonne. D'un côté, je repensais à tous les bons moments qu'on avait passés ensemble et j'avais envie de rester copine avec elle et avec mes autres amies. Mais de l'autre, quand je sortais le soir avec elles, je me laissais embarquer dans des trucs pas franchement clean. Je m'accrochais à des trucs pas bien, et j'en étais parfaitement consciente.

J'ai pris la décision de changer radicalement d'environnement et de m'éloigner de tout ça. J'ai demandé à ma mère la permission d'aller habiter chez ma tante, pour recommencer sur de nouvelles bases et me trouver un groupe d'amis plus fréquentables. Elle a dit oui et depuis, j'habite chez ma tante.

Maintenant, avec mes nouveaux amis, je dis exactement ce que je ressens, et je m'efforce d'être moi-même. Je me fiche bien de ce que les autres pensent de moi, et si ça ne leur convient pas, c'est la même chose ! C'est comme ça, et il est hors de question que je change pour me mettre à leur diapason. Si je dois changer pour me mettre au diapason de quelqu'un, ça sera au mien, pas au leur.

Pour résister à la pression exercée par l'entourage, il est plus important d'être en harmonie avec la façon dont on se perçoit *soi-même* qu'en harmonie avec la façon dont *les autres* nous perçoivent. Ce petit poème de Portia Nelson est là pour nous le rappeler :

À choisir,
(et quel que soit le jour de la semaine),
Je préfère être en « désaccord » avec les autres
et en accord avec moi-même...
Qu'en « harmonie » avec les autres et
en porte-à-faux avec moi-même.

Pourquoi est-il si difficile de résister à la pression de l'entourage ? Parce qu'au nom du sentiment d'appartenance, on est prêt à tout. C'est la raison pour laquelle tant d'ados sont prêts à se soumettre à des cérémonies d'initiation pour être acceptés dans un cercle, ou à tomber dans la drogue et la violence pour intégrer une bande organisée. Il suffit parfois d'un petit rappel à l'ordre pour nous ramener à la réalité, comme cela a été le cas pour Rachid :

Les deux choses qui comptaient vraiment pour moi, c'était la pression de mon entourage et porter les dernières fringues tendance. Et puis, cette méchante maladie des reins m'est tombée dessus. Tout à coup, acheter des fringues qui allaient être « out » quelques mois plus tard, ça m'a semblé limite débile. À partir de là, j'ai décidé de me consacrer à ce qui était réellement important, et je l'ai fait : passer plus de temps avec ma famille et non pas toujours traîner dehors avec mes potes, ne plus me soucier de ce que les autres pensent de moi, et commencer à être moi-même.

La pression exercée par l'entourage n'est pas forcément un facteur négatif. Bien souvent, c'est même tout le contraire. Quand on trouve un ou une amie capable d'exercer sur nous une pression positive en nous incitant à donner le meilleur de nous-même, il faut s'accrocher à cette personne et ne jamais la laisser partir, car on est là en présence d'un être rare.

Si tu as des velléités de résistance mais que concrètement, tu finis toujours par céder à la pression exercée par ton entourage, voici deux parades possibles.

Pour commencer, alimente ton Compte-épargne personnel. Si ton compte est débiteur aux postes Confiance en soi et Estime de soi, comment veux-tu pouvoir résister une seconde ? Alors comment s'y prendre ? Commence dès aujourd'hui à alimenter ton CEP, petit à petit. Prends une résolution et tiens-la. Aide une personne qui est dans le besoin. Développe un don. Renouvelle tes ressources. Au lieu d'éternellement suivre les sentiers battus des autres, tu finiras par trouver la force nécessaire à suivre ton propre chemin (au besoin, relis le chapitre traitant du Compte-épargne personnel).

Deuxièmement, rédige ta charte personnelle et définis tes objectifs. Comment veux-tu défendre les valeurs dans lesquelles tu crois si tu n'as pas pris la peine de les définir au préalable ? Quand on sait à quels trucs on dit oui, on a beaucoup moins de mal à dire non aux autres. Dire non à sécher les cours, par exemple, deviendra beaucoup plus facile si tu sais que cela revient à dire oui à l'objectif que tu t'es fixé, à savoir décrocher de bonnes notes et être admis à l'université (au besoin, relis le chapitre traitant de l'Habitude n° 2, « Sache dès le départ où tu veux aller »).

❋ L'ÉLÉMENT COMMUN À TOUTES LES RÉUSSITES

En dernière analyse, donner la priorité aux priorités exige de la discipline. Gérer son temps exige de la discipline. Surmonter ses peurs exige de la discipline. Être fort dans les moments difficiles et résister à la pression exercée par l'entourage exige de la discipline. Un dénommé Albert E. Gray a consacré des années à l'étude d'individus ayant réussi dans la vie, afin de déterminer l'élément spécifique ayant rendu cette réussite possible. Qu'est-il ressorti de cette étude, à ton avis ? Figure-toi qu'il ne s'agit ni d'une garde-robe à tomber par terre, ni d'une alimentation riche en fibres, ni d'un mental particulièrement positif. Non, ce qu'il ressort de cette étude, c'est la chose suivante. Lis attentivement.

Dénominateur commun à toutes les réussites selon Albert E. Gray :

L'habitude commune à tous ceux qui réussissent est celle de faire les choses que les ratés n'aiment pas faire. Non pas qu'ils éprouvent du plaisir à les faire. Mais ce qui prime chez eux, c'est leur détermination à atteindre l'objectif qu'ils se sont fixé, et non leur goût ou leur dégoût des choses.

Qu'est-ce que cela signifie, en clair ? Cela signifie que les gens qui réussissent sont prêts, quand il le faut, à prendre sur eux et à faire les choses qu'ils n'aiment pas faire. Pourquoi les font-ils ? Parce qu'ils savent que ces choses vont leur permettre d'atteindre leurs objectifs.

En d'autres termes, si l'on veut que les choses aboutissent, il y a des moments dans la vie où il faut se servir de l'outil propre à l'homme nommé *volonté*, qu'on en ait envie ou pas. Crois-tu qu'un concertiste s'amuse tous les jours, à répéter des heures et des heures sur son piano ? Crois-tu que celui ou celle qui travaille pour pouvoir se payer des études s'amuse, à assumer un job en plus de ses cours ?

Ça me rappelle un article que j'ai lu au sujet de ce type élu meilleur lutteur de toutes les universités des Etats-Unis. On lui demandait quel avait été le jour le plus mémorable de sa carrière, et sa réponse a été : « Le seul jour de toute ma carrière ou l'entraînement a été annulé. » L'entraînement, il avait ça en horreur mais il se l'infligeait, car il était déterminé à atteindre un objectif plus ambitieux : celui d'atteindre son potentiel maximum.

❋ UNE DERNIÈRE CHOSE

Nous avons sondé des milliers d'individus au sujet des 7 Habitudes et devine quelle est l'habitude la plus difficile à assumer ? Absolument ! C'est l'Habitude n° 3. Alors ne te décourage pas si elle te donne du fil à retordre. Vous êtes beaucoup dans ce cas.

Si tu ne sais pas comment t'y prendre avec cette Habitude n° 3, reporte-toi aux « Pas de fourmi », car c'est leur raison d'être : te mettre sur les rails.

Tes années d'adolescence seront peut-être les plus exaltantes et les plus audacieuses de toute ta vie. Alors chéris chaque instant, comme t'y enjoint ce merveilleux poème :

Pour réaliser la valeur d'Un An,
Demande à un étudiant ou une étudiante
qui a échoué à ses examens.
Pour réaliser la valeur d'Un Mois,

*Demande à une mère qui a donné naissance
à un enfant prématuré.
Pour réaliser la valeur d'Une Semaine,
Demande au rédacteur en chef d'un hebdomadaire.
Pour réaliser la valeur d'Un Jour,
Demande à un travailleur payé à la journée
qui a six bouches à nourrir.
Pour réaliser la valeur d'Une Heure,
Demande aux amoureux qui attendent de se retrouver.
Pour réaliser la valeur d'Une Minute,
Demande à quelqu'un qui vient de rater son train.
Pour réaliser la valeur d'Une Seconde,
Demande à une personne qui a échappé à un accident.
Pour réaliser la valeur d'Un Millième de Seconde,
Demande à une médaille d'argent
aux Jeux Olympiques.*

✶ ✶ ✶

PROCHAIN ÉPISODE

Juste après ceci, nous allons parler des choses de la vie.
À mon avis, tu vas être plutôt étonné de voir lesquelles. Alors continue!
Au fait, bravo : tu as lu la moitié du livre!

HABITUDE
3

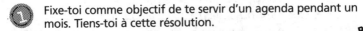

1 Fixe-toi comme objectif de te servir d'un agenda pendant un mois. Tiens-toi à cette résolution.

2 Identifie les activités qui te font perdre le plus de temps. Est-il vraiment indispensable que tu passes des heures au téléphone, toute la nuit à surfer sur Internet, ou que tu regardes la énième rediffusion de cette série télé?

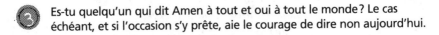

Activités qui me font perdrent le plus de temps :_____

_____

3 Es-tu quelqu'un qui dit Amen à tout et oui à tout le monde? Le cas échéant, et si l'occasion s'y prête, aie le courage de dire non aujourd'hui.

4 Si tu as un contrôle important dans une semaine, ne remets pas éternellement les choses au lendemain : n'attends pas le dernier moment pour réviser. Prends sur toi et étudie un petit peu chaque jour.

5 Réfléchis à une chose que tu remets éternellement au lendemain, bien qu'elle soit très importante pour toi. Décide de bloquer un créneau dans ton emploi du temps cette semaine pour la régler.

Chose que je remets éternellement au lendemain :_____

6  Note tes dix principales grosses pierres pour la semaine à venir. Bien. Maintenant, bloque des créneaux dans ton emploi du temps pour être sûr de pouvoir les gérer toutes les dix.

7 Identifie une peur qui t'empêche d'avancer et de réaliser les objectifs que tu t'es définis. Là, tout de suite, décide de t'arracher à ta zone de confort et de ne plus laisser cette peur te voler le meilleur de toi-même.

Peur qui m'empêche d'avancer :_____

8 Dans quelle mesure subis-tu la pression de ton entourage? Identifie la personne ou le groupe qui exerce la plus grosse influence sur toi. Pose-toi la question : « Est-ce que je fais ce que j'ai choisi de faire, ou ce que *eux* ont décidé pour moi? »

Personne ou groupe qui m'influence le plus :_____

_____

TROISIÈME PARTIE

La Victoire Publique

Le Compte Émotionnel
L'essence de la vie

Habitude n° 4 : Joue Gagnant/Gagnant
La vie est un buffet à volonté

Habitude n° 5 : Cherche d'abord à comprendre, ensuite à être compris
On naît avec une seule bouche, mais DEUX oreilles…
Hé ! Ho ! Tu m'écoutes ?

Habitude n° 6 : Crée un effet de synergie
La Voie supérieure

Le Compte Émotionnel

L'ESSENCE DE LA VIE

L'une de mes citations favorites (j'ai un peu honte de le dire) est celle-ci : « On n'a jamais vu personne, sur son lit de mort, regretter de ne pas avoir passé suffisamment de temps au bureau. »

Je me suis souvent demandé : « Alors c'est *quoi*, au juste, qu'on regrette de ne pas avoir passé suffisamment de temps à faire ? » Moi, je serais tenté de répondre : « Passer plus de temps avec ceux qu'on aime. » Normal, tout est dans le rapport aux autres ; c'est cela, l'essence de la vie.

Être engagé dans une relation avec toi, ça donne quoi ? Si tu devais t'attribuer une note sanctionnant la qualité des relations qui comptent le plus dans ta vie, comment tu t'en tirerais ?

QUELLE EST LA QUALITÉ DE TES RELATIONS AVEC...	POURRIES ⟷ EXCELLENTES				
Tes amis ?	1	2	3	4	5
Tes frères et sœurs ?	1	2	3	4	5
Tes parents ou ton tuteur ?	1	2	3	4	5
Ton petit copain/ta petite copine ?	1	2	3	4	5
Tes professeurs ?	1	2	3	4	5

Tu te débrouilles peut-être très bien. Ou très mal. D'une façon comme d'une autre, ce chapitre est conçu pour t'aider à améliorer la qualité de ces relations clés. Mais avant de nous lancer, résumons rapidement ce que nous venons d'étudier.

Au cours du chapitre intitulé La Victoire privée, nous nous sommes familiarisés avec le Compte-épargne personnel et les Habitudes n° 1, 2 et 3. Dans celui consacré à La Victoire publique, nous nous familiariserons avec le Compte émotionnel et les Habitudes n° 4, 5 et 6. Comme nous l'avons vu ensemble, la clé d'une bonne maîtrise de son relationnel passe d'abord par la maîtrise de soi-même, du moins jusqu'à un certain point. Il ne s'agit pas d'atteindre la perfection : ce qui compte, c'est de progresser.

La question la plus urgente de ta vie, la voici :
Que fais-tu pour les autres ?

MARTIN LUTHER KING JR.

Comment se fait-il que, pour être en harmonie avec les autres, il soit si important d'être d'abord en harmonie avec soi-même ? Parce que, dans n'importe quelle relation, l'élément clé n'est autre que *ce que tu es toi-même*. Comme dirait l'essayiste et philosophe Ralph Waldo Emerson : « Ta vraie nature parle tellement fort que je n'entends plus rien de ce que tu dis. » Si tu batailles dans tes relations avec les autres, ne cherche pas trop loin : la réponse est probablement en toi.

La Victoire personnelle te permettra de devenir indépendant, de telle sorte que tu pourras dire : « Je suis responsable de mes actes et je forge mon propre destin. » En soi, c'est déjà un accomplissement considérable. La Victoire publique te permettra de devenir *inter*dépendant, c'est-à-dire d'apprendre à coopérer avec les autres, de telle sorte que tu pourras dire : « Je joue dans une équipe et travailler ensemble augmente notre pouvoir et notre influence. » Cet accomplissement-là est encore plus remarquable. En clair, ton aptitude à bien t'entendre avec les autres déterminera dans une large mesure ta réussite professionnelle et ton bonheur personnel.

Revenons-en à présent aux relations avec les autres. Voici une technique simple pour les aborder. J'appelle ça le Compte émotionnel (CE). Dans un précédent chapitre, nous avons parlé du Compte-épargne personnel (CEP), qui représente les crédits dont tu disposes en termes de confiance en soi et d'estime de soi. De la même manière, le CE représente le crédit dont tu disposes dans ces mêmes domaines, mais appliqué à tes diverses relations avec les autres.

Le CE ressemble en tous points à un compte bancaire. Tu peux y effectuer des dépôts et améliorer ta relation, ou y effectuer des retraits et la voir se dégrader. Une relation solide et durable est toujours le fruit de dépôts réguliers, effectués sur une longue période.

Toutefois, ainsi qu'une de mes collègues, Judi Henrichs, me l'a un jour fait remarquer, même si la ressemblance est indéniable, trois points distinguent le CE du compte bancaire :

1. Contrairement à une banque où le nombre de comptes qu'il est possible d'ouvrir à un même nom est généralement limité, on ouvre un nouveau CE à chaque nouvelle rencontre. Imagine que tu croises un nouveau ou une nouvelle dans le quartier. Si tu lui souris et que tu lui dis bonjour, ça y est, tu viens d'ouvrir un compte chez cette personne. Si tu l'ignores, tu viens également d'ouvrir un compte chez elle ; mais que tu le veuilles ou non, ton compte est débiteur.

2. Contrairement à un compte bancaire, une fois qu'on a ouvert un CE chez une personne, il est impossible de le clôturer. C'est ainsi qu'on peut tomber sur un ami perdu de vue depuis des années et avoir l'impression de s'être quitté la veille. Le capital est intact, au centime près. C'est pour la même raison que certains s'accrochent à leurs rancunes pendant des années.

3. Sur un compte bancaire, cinquante francs, c'est cinquante francs. Sur un CE, tandis que les retraits ont tendance à se fossiliser, les dépôts, eux, auraient plutôt tendance à se volatiliser. Résultat : il faut continuellement alimenter ses relations les plus importantes en effectuant de petits dépôts réguliers. Simplement pour garder un compte créditeur auprès de l'intéressé.

Alors comment s'y prendre pour construire une relation solide ou pour en réparer une qui s'est dégradée ? C'est simple : un dépôt à la fois. Exactement la même technique que tu emploierais si tu devais manger un éléphant tout entier : une bouchée à la fois. Il n'y a pas de remède miracle. Si ma relation avec toi est dans le rouge de cinquante francs, il faudra que j'effectue l'équivalent de cinquante et un francs en dépôt pour rebasculer dans le positif.

Un jour, j'ai posé la question suivante à un groupe d'adolescents : « Quel est le dépôt le plus puissant qu'on ait jamais fait sur votre CE ? » Voici quelques-unes de leurs réponses :

- « Le flot ininterrompu de dépôts que ma famille effectue et qui me donne la force. »
- « Quand un ami, un professeur, un proche ou un patron prend le temps de dire : Tu es en beauté, ou Beau travail. Quelques mots peuvent suffire. »
- « Le jour de mon anniversaire, mes amis ont décoré la pièce avec des banderolles. »
- « Vanter mes qualités auprès des autres. »
- « Chaque fois que j'ai pu faire une erreur, ils m'ont pardonné, ils ont oublié, ils m'ont aidé et aimé. »
- « Le jour où j'ai lu certains de mes poèmes (au début, ça m'a demandé beaucoup d'efforts), mon amie m'a dit que j'étais très douée et que je devrais écrire un livre. »
- « Juste avant que je parte pour l'école, ma mère m'a appelé de Vancouver pour me souhaiter un joyeux anniversaire, et mes deux sœurs aussi. »
- « Mon frère m'emmenait toujours aux matches de foot avec ses potes. »
- « Des petites choses. »
- « J'ai quatre amies vraiment super, et rien que de passer des moments toutes ensemble, entre amies, et de savoir qu'on va toutes bien et qu'on est heureuses, ça me donne la pêche. »
- « À chaque fois que Gilles me lance « Hé, comment ça va, Ibrahim ? » Il a une telle façon de le dire que je me sens rayonnant. »
- « Un jour, un ami m'a dit qu'il était convaincu que j'étais quelqu'un de sincère et de vrai. Reconnaître un truc pareil, pour moi, ça voulait dire beaucoup. »

Tu le vois, des dépôts, il en existe de toute sorte. Mais en voici six qui semblent fonctionner à tous les coups. Bien sûr, en regard de chaque dépôt, on trouve le retrait équivalent.

DÉPÔTS SUR UN CE	RETRAITS SUR UN CE
Tenir ses promesses	Ne pas tenir ses promesses
Avoir de petites attentions pour les autres	Avoir un comportement mesquin
Être loyal	Cancanner et divulguer les secrets
Être à l'écoute	Ne pas écouter
Présenter des excuses	Avoir un comportement arrogant
Jouer cartes sur table	Donner de faux espoirs

● TENIR SES PROMESSES

« Sean, je ne veux plus avoir à le répéter. Il y a trois sacs poubelle dans le coffre de ma voiture, de la fête de l'autre soir. Va les jeter, s'il te plaît. »

« OK, P'pa. »

Avec mon insouciance d'ado, je ne sais pas pourquoi mais j'avais complètement oublié de vider les sacs poubelle entassés dans le coffre de la Ford de mon père, comme je lui avais promis. J'imagine que j'étais un peu chaud, rapport à mon petit rencard de ce samedi après-midi-là. J'avais demandé à mon père si je pouvais emprunter la Ford, mais il avait refusé parce que ce n'était pas la sienne. C'était un plan que son ami concessionnaire de voitures lui avait arrangé, et on lui avait juste prêtée. Mais bon, je l'avais prise quand même ; il était occupé et en plus, j'étais sûr qu'il ne s'apercevrait de rien.

Ma copine et moi, on s'est bien éclatés. Le problème, c'est que sur le chemin du retour, j'ai embouti le cul d'une voiture à 50 km/h. Rien de cassé, mais les deux voitures, elles, étaient quasiment bonnes à mettre à la casse. Je ne suis pas près d'oublier le coup de fil le plus penaud de ma vie.

« Papa ? »

« Quoi ? »

« J'ai eu un accident. »

« UN QUOI ? TU ES BLESSÉ ? »

« J'ai cartonné la voiture. Personne n'est blessé. »

« LA VOITURE ? QUELLE VOITURE ? »

« La tienne. »

« NOOOOOOOOOON !!! » À ce stade, je tenais le combiné à 20 cm de mon oreille. Et ça me défonçait encore le tympan.

J'ai fait remorquer la Ford jusqu'à l'atelier du concessionnaire pour voir s'ils arriveraient à la récupérer. Comme on était samedi, ils m'ont dit qu'ils ne pourraient pas travailler dessus avant le lundi. Le lundi, mon père a reçu un appel de l'atelier. Le patron lui a expliqué que quand ses mécanos avaient soulevé le capot, une violente odeur de poubelle s'est échappée du coffre (les poubelles que j'avais oublié de balancer), à tel point qu'ils avaient refusé de travailler dessus. Je ne te raconte pas : déjà que mon père était fou de rage juste avant, là, c'était la totale.

J'ai trinqué pendant plusieurs semaines. Ce n'était pas l'accident qui rendait mon père le plus furieux. Ce qui le rendait furieux, c'étaient les deux promesses que j'avais rompues : « Je ne prendrai pas la voiture, Papa. » et « T'inquiète, Papa. Je vais les sortir du coffre, ces sacs poubelle. » Autant dire que j'avais effectué un retrait colossal sur mon CE auprès de mon père, et qu'il m'a fallu un temps fou pour le remettre à flot.

Tenir ses engagements — les grandes promesses comme les toutes petites — est quelque chose de vital si on veut que la confiance s'installe. Ce qu'on promet de faire, il faut le faire. Si tu promets à ta mère d'être rentré pour 11 h, ou bien de faire la vaisselle ce soir, alors fais-le : ce sera un dépôt. Fais des promesses au compte-goutte, et efforce-toi de les tenir au maximum. Si pour une raison ou pour une autre tu ne peux pas tenir un engagement (ça arrive), alors explique-toi auprès de l'intéressé(e). « Désolé, petite sœur, mais je ne pourrai pas venir à ta représentation, ce soir. J'avais oublié que j'ai une soirée-débat. Mais je serai là demain, promis. » Si tu es sincère et que tu t'efforces de tenir tes promesses, les gens comprendront très bien que tu puisses avoir un empêchement.

En ce qui concerne tes relations avec tes parents, si tu es à découvert sur ton CE, essaie de l'alimenter en tenant tes engagements, parce que tout est beaucoup plus simple quand on a la confiance de ses parents. Mais ça, tu n'as pas besoin de moi pour te l'apprendre.

❀ AVOIR DE PETITES ATTENTIONS POUR LES AUTRES

Il ne t'est jamais arrivé d'avoir une de ces journées de flip total où tout va de travers… et là, surgissant de nulle part, quelqu'un te dit un truc gentil qui t'ensoleille toute ta journée?

Parfois, de toutes petites choses — un bonjour, un petit mot, un sourire, un compliment, quelqu'un qui te prend dans ses bras — suffisent à faire une différence colossale. Si tu cherches à construire des amitiés solides, efforce-toi de les faire, ces petites choses. Car en termes de relationnel, les petites choses en sont des grandes. Mark Twain le disait : « Un petit compliment, et je suis heureux trois mois. »

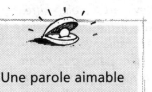

Une parole aimable
réchauffe
trois mois d'hiver.

PROVERBE JAPONAIS

Une de mes amies, Marion, m'a raconté un jour comment son frère avait effectué un versement d'au moins cinq mille francs sur son CE :

En quatrième, je voyais Kevin, mon grand frère, comme la star absolue. Lui, il était en première. Il assurait en sport et faisait craquer un max de filles. Il emmenait toujours plein de potes à la maison, des types trop cool; j'espérais seulement qu'un jour, ils verraient en moi un peu plus que « la petite sœur débile de Kevin ».

Kevin a invité Rebecca, la fille la plus canon de tout le lycée, à sa prom[7]. Elle a dit oui. Il s'est loué un smok, a acheté le bouquet de fleurs et, avec sa clique de beaux gosses, ils se sont loués une limousine et ont réservé dans un resto classe. Et là, grosse galère. L'après-midi du jour J, Rebecca a pris une grippe carabinée. Kevin se retrouvait à la rue, privé de cavalière, et il était trop tard pour trouver une remplaçante.

Il aurait pu réagir de trente-six façons différentes, par exemple en se mettant en colère, en se posant en victime, en s'en prenant à Rebecca, ou même en allant s'imaginer qu'elle le plantait au dernier moment, ce qui aurait porté un coup sévère à sa fierté. Mais non seulement Kevin a joué la carte proactive, mais en plus, il a décidé d'offrir à une autre ce qui allait être la soirée de sa vie.

Et c'est à moi, moi! sa petite sœur! qu'il a demandé d'être sa cavalière pour sa soirée de fin d'année.

Tu vois un peu le délire? À la maison, ma mère et moi, on a couru dans tous les sens pour me bétonner un look. Mais quand la voiture à rallonge s'est garée devant chez nous, avec tous ses potes dedans, j'ai failli me déballonner. Qu'est-ce qu'ils allaient penser? Kevin s'est contenté de faire un grand sourire, il m'a offert son bras, et il m'a fièrement escortée jusqu'à la limo comme si c'était moi la reine du bal. Il ne m'a pas dit « surtout ne te comporte pas comme une gamine »; il n'est pas allé se justifier auprès de ses copains; il n'a pas fait toute une histoire sous prétexte que je portais une simple robe taille basse (style récital de piano) alors que toutes les autres tapaient la classe en robe longue.

Au bal, je kiffais total. Évidemment, ça n'a pas raté, j'ai renversé du punch sur ma robe. Kevin avait dû soudoyer tous ses potes pour me faire danser au moins une fois, parce que pas une seconde je ne suis restée plantée à attendre. Certains ont même fait semblant de se bagarrer pour danser avec moi. Trop fort, la soirée! Kevin aussi a bien kiffé. Pendant que ses potes dansaient avec moi, lui, il dansait avec les copines de ses potes. Bref, tout le monde a été adorable avec moi pendant toute la soirée, et je dirais que c'est largement parce que Kevin avait choisi d'être fier de moi. Ça a été la soirée de ma vie, et je suis sûre que toutes les filles du lycée ont dû craquer pour mon frère, lui qui a été assez cool, assez gentil et assez sûr de lui pour aller à sa soirée de fin d'année au bras de sa petite sœur.

Si, comme le dit le proverbe japonais, « une parole aimable réchauffe trois mois d'hiver », imagine tous les mois d'hiver que cette simple attention a pu réchauffer.

Pas la peine d'aller chercher très loin pour trouver les occasions de faire de petits gestes attentionnés. Un garçon nommé Léonard, à qui on avait enseigné le principe du CE, nous rapporte ceci :

Je suis président des délégués de première de mon lycée. Après l'avoir étudié, j'ai décidé d'appliquer concrètement le principe du dépôt sous forme de petits gestes désintéressés en glissant simplement un petit mot dans le casier de tous les délégués de classe que je connaissais mal. Sur ce mot, je leur disais à quel point j'appréciais leur travail. Ça me prenait à peu près cinq minutes.

Le lendemain, une des filles à qui j'avais adressé un mot s'est approchée de moi et, comme ça, sans prévenir, m'a sauté au cou. Elle m'a remercié pour le petit mot et m'a tendu une lettre et un Carambar. Dans sa lettre, elle m'expliquait que la veille, elle avait eu une journée pourrie, qu'elle avait stressé grave et même déprimé. Mon petit mot avait ensoleillé sa journée, et lui avait permis d'accomplir avec légèreté les choses qui lui avaient causé tant de chagrin. Le plus incroyable, c'est qu'au moment où je lui ai glissé mon petit mot, je la connaissais à peine et qu'en plus, j'étais persuadé qu'elle ne m'aimait pas, sous prétexte qu'elle n'avait jamais fait attention à moi. Totale surprise ! Qu'un simple petit mot puisse lui faire tant d'effet, c'était incroyable.

Les petites attentions, ça n'est pas strictement limité à une relation entre deux individus. Pour effectuer un dépôt, on peut aussi s'y mettre à plusieurs. Je me souviens avoir lu une histoire à propos des ados d'un lycée technique situé non loin de Bruxelles. Ils avaient effectué un versement sur le CE d'une gamine nommée Laurence, en l'élisant reine de leur fête annuelle sans qu'elle ne se doute de rien.

Car figure-toi que contrairement à la plupart des autres élèves, Laurence était en enseignement spécialisé, et se déplaçait dans les couloirs sur un fauteuil roulant électrique. Atteinte de paralysie agitante, ses mouvements étaient peu coordonnés, et on avait souvent du mal à la comprendre.

Après avoir été nominée pour le titre de reine, Laurence est restée dans le peloton des favorites une fois la sélection ramenée à dix. Au cours de la délibération animée qui s'est tenue peu après, la nouvelle est tombée : c'est elle qui décrochait le titre. Et là, tous les élèves du lycée réunis au grand complet, deux mille cinq cents au total, ont commencé à scander : « Lau-rence! Lau-rence! » 24 heures plus tard, la procession des visiteurs continuait d'affluer chez elle, ainsi que les roses qui, elles, pleuvaient à la douzaine.

Quand on lui a demandé combien de temps elle comptait garder sa couronne, Laurence a répondu « Pour toujours. »

Applique la Règle d'Or et traite les autres comme tu aimerais qu'ils te traitent. Pense à faire des dépôts qui leur fassent plaisir à *eux*, et non pas à ceux qui te feraient plaisir à *toi*. Un joli cadeau est peut-être un dépôt à tes yeux, mais aux yeux d'un autre, une oreille attentive aura peut-être beaucoup plus de valeur.

Quand tu as quelque chose de gentil à dire, ne le rumine

pas : *dis-le*. Comme dirait Ken Blanchard dans son livre *Le Manager Minute* : « Une pensée généreuse qu'on garde à l'intérieur, c'est bénéfice zéro ! » N'attends pas que les gens soient morts et enterrés pour leur offrir des fleurs.

⊛ ÊTRE LOYAL

Je n'oublierai jamais la rencontre de basket opposant différents lycées à laquelle j'ai assisté avec mon pote Éric, en classe de première. Un des joueurs passait le plus clair de son temps sur le banc de touche et je me suis mis à me payer sa tête. C'était un type cool qui avait toujours été réglo avec moi, mais comme tout un tas d'autres le vannaient, je leur ai emboîté le pas. Éric était mort de rire. Après m'être acharné sur ce garçon pendant un bon moment, je me retourne par hasard, et, horreur, je m'aperçois que son petit frère se trouvait assis juste derrière moi. Il avait tout entendu. J'aurai toujours en mémoire le regard dont il m'a fusillé. J'ai immédiatement fait volte-face, et j'ai mis profil bas pendant le restant du match. Je me sentais minable, tel le nain de jardin moyen. Bonjour la leçon de loyauté que je me suis pris dans les gencives ce soir-là !

L'un des dépôts les plus significatifs possibles à effectuer sur un CE consiste à être loyal envers les autres, non seulement en leur présence, mais plus particulièrement lorsqu'ils ont le dos tourné. Quand on casse du sucre sur le dos des gens, c'est d'abord soi-même que l'on rabaisse, et cela à double titre.

Premièrement, parce qu'on effectue des retraits sur le CE de tous ceux qui entendent. Si tu m'entends balancer sur Greg quand Greg n'est pas là pour se défendre, tu t'imagines que je vais faire quoi, une fois que toi, tu auras le dos tourné ? Absolument : je vais balancer sur toi.

Deuxièmement, quand on balance ou qu'on colporte des ragots sur quelqu'un, on effectue ce que j'appelle un « retrait fantôme » auprès de l'intéressé. Tu n'as jamais eu la sensation que telle ou telle personne t'avait taillé un costard ? Tu n'étais pas là pour l'entendre, et pourtant tu le sens. Étrange, non ? Mais bien réel. Si tu fais risette aux gens quand tu les as en face de toi et que tu les débines une fois qu'ils ont le dos tourné, ne vas pas t'imaginer qu'ils ne s'en rendent pas compte. Sans qu'on puisse très bien l'expliquer, ces choses-là se communiquent.

Chez les ados, et notamment chez les filles, le commérage est un réel problème. Si pour leurs diverses frappes les garçons ont tendance à préférer un autre type d'arme (on appelle ça des *poings*), les filles, elles, ont une préférence marquée pour le maniement de la *langue*. Pourquoi le commérage est-il si répandu? D'une part, parce qu'on tient la réputation de quelqu'un à la merci de sa langue, ce qui confère un indéniable sentiment de pouvoir. D'autre part, nous cancannons parce que nous ne sommes pas très sûrs de nous, que nous avons peur, ou que nous nous sentons menacés. C'est la raison pour laquelle les langues de vipère ont tendance à jeter leur dévolu sur ceux qui sont différents d'aspect, qui pensent différemment, qui ont de l'assurance ou qui, d'une façon ou d'une autre, se détachent du lot. Mais n'est-il pas un peu naïf de penser que lorsqu'on démolit quelqu'un, on va en sortir grandi?

Ragots et rumeurs ont sans doute souillé plus de réputations, et dégradé plus de relations, que l'action combinée de toutes les autres mauvaises habitudes réunies. Cette histoire, que nous rapporte mon amie Annie, illustre à quel point le venin qu'ils distillent peut être violent :

L'été juste après le baccalauréat, Nat, ma meilleure amie, et moi, on sortait avec deux types franchement adorables. Eux aussi étaient meilleurs amis, et on sortait souvent tous les quatre ensemble. Un jour, Nat et Sami, mon copain, sont tous les deux partis en week-end, chacun dans leur famille. Le copain de Nat, William, m'a appelé et m'a dit : « Hé, on n'a qu'à se faire un ciné, puisque Nat et Sami sont partis en week-end et que nous, on est plantés là. »

On est sortis en copains, rien de plus : c'était clair pour William, et c'était clair pour moi. Évidemment, quelqu'un nous a vus ensemble au ciné et hop! c'est parti. Dans une petite ville de province, en plus, ça va vite. Quand Nat et Sami sont rentrés de week-end, et avant même que j'aie pu parler à ma meilleure amie ou à mon petit copain, c'était foutu : la rumeur était lancée. Plus possible de l'arrêter, ça cancannait dans tous les sens. Quand j'ai appelé pour dire un petit bonjour, d'un côté comme d'un autre, j'ai été accueillie par une douche glaciale, ambiance blizzard au pôle Nord. Pas moyen d'avoir une explication. La communication était coupée. Aussi bien ma meilleure amie que mon copain avaient décidé de croire aux rumeurs vicelardes qui circulaient, et ça les mettait dans un tel état qu'en plus, ils rajoutaient de l'huile sur le feu. Cet été-là, j'ai pris une sacrée leçon de loyauté. Je ne l'ai jamais oubliée, et je ne m'en suis jamais remis. Et au jour d'aujourd'hui, ma meilleure amie ne me croit toujours pas.

Dans la catastrophe ci-dessus, je dirais qu'un minimum de loyauté aurait résolu un maximum de problèmes. Alors, qu'est-ce qui fait qu'une personne est loyale, au juste?

Quand on est loyal, on ne divulgue jamais un secret : Quand on te confie un truc et qu'on insiste sur le fait que c'est « vraiment entre toi et moi », alors par pitié, garde ça pour toi, au lieu d'aller le raconter à qui veut bien l'entendre en donnant tous les détails croustillants, comme si tu avais perdu la maîtrise de tes fonctions organiques. Si tu aimes qu'on te confie des secrets, alors garde-les pour toi, et on t'en confiera plein d'autres.

Quand on est loyal, on fuit les commérages : As-tu déjà hésité à quitter un groupe où l'on tchatchait ferme, de peur qu'à peine le dos tourné, quelqu'un ne commence à balancer sur toi? N'offre pas aux autres la possibilité de penser ça de toi. Fuis le commérage comme la peste. Regarde les autres avec un regard positif, et accorde leur le bénéfice du doute. Cela ne signifie pas qu'il est interdit de parler des autres. Essaie simplement de le faire d'une manière constructive. Souviens-toi : les esprits forts parlent d'idées; les esprits faibles parlent des gens.

Quand on est loyal, on prend la défense des absents : La prochaine fois qu'un groupe commence à tailler un costard à quelqu'un, refuse de participer à ces commérages, ou prend la défense de cette personne. C'est une chose qu'on peut très bien faire sans passer pour quelqu'un d'arrogant. Cathy, une fille de terminale, nous confie cette histoire :

Un jour, en cours de Français, mon copain Marc a commencé à parler d'une fille de mon quartier que je connaissais, mais comme ça, juste de vue. Un de ses potes l'avait emmené à une soirée, et lui, il s'est mis à dire des trucs genre « Grave, cette meuf » ou « La vérité, elle craint ».

Là, je me suis retournée et je lui ai sorti : « Tu m'excuses, mais Caro et moi, on a grandi ensemble et je peux t'assurer que c'est la personne la plus adorable que j'ai jamais rencontrée. » J'étais d'ailleurs un peu étonnée de lui avoir balancé un truc pareil. C'est vrai que ce n'était pas une fille évidente, j'en avais fait l'expérience. Caro n'a jamais su ce que j'avais dit à son sujet, mais le fait est que j'ai complètement changé d'attitude à son égard et que nous sommes devenues très proches.

Marc et moi, on est resté bons copains. Je crois qu'il sait que je suis loyale en amitié, et qu'il peut compter sur moi.

Face à un torrent de ragots, marquer ton désaccord et camper sur tes positions exigera du courage. Mais une fois que tu auras surmonté un éventuel embarras passager, les gens s'apercevront que tu es d'une loyauté à toute épreuve, et finiront par te respecter. Fais encore plus d'efforts pour être loyal envers les membres de ta famille, car ces relations-là durent toute la vie.

Comme les aventures de *Winnie l'Ourson* le montrent si bien, ce qu'on recherche avant tout dans nos relations avec les autres, c'est un sentiment de sécurité :

Cochonnet se glissa derrière Winnie.

« Winnie ? », chuchota-t-il.

« Oui, Cochonnet ? »

« Rien, dit Cochonnet en prenant la patte de Winnie. Je voulais juste être sûr de toi. »

ÊTRE À L'ÉCOUTE

Être à l'écoute de l'autre est peut-être LE versement le plus puissant qu'on puisse faire sur un CE. Pourquoi? Parce que la plupart des gens n'écoutent jamais, et qu'en plus, écouter permet aux blessures de cicatriser, comme cela a été le cas pour cette ado de 15 ans nommée Séverine :

Au début de l'année, le courant ne passait pas très bien entre mes parents et moi. Ils ne m'écoutaient pas, et moi non plus. On en était arrivé à un point où c'était genre : « J'ai raison et toi tu as tort. » Je rentrais à la maison tard et j'allais directement me coucher. Le matin, j'avalais mon petit déjeuner sans dire un mot et je partais pour l'école.

Je suis allée trouver ma cousine, qui est plus âgée que moi, et je lui ai dit : « Il faut que je te parle. » On a pris la voiture et on est parti à l'autre bout de la ville, histoire d'être tranquilles. J'ai passé deux heures et demie à criser, pleurer et hurler, et elle, elle m'a écouté. Rien que le fait qu'elle m'ait écouté d'un bout à l'autre, ça m'a énormément aidé. Elle avait l'air confiante. Pour elle, les choses allaient se remettre dans l'ordre, et elle pensait que la situation s'arrangerait si j'essayais de regagner la confiance de mes parents.

Depuis, j'essaie de me mettre à leur place et de voir les choses différemment. On ne se dispute plus, et on va dire que la situation est quasiment redevenue normale.

Le besoin d'être écouté est presque aussi vital que celui de se nourrir. Et quand on prend le temps de nourrir les autres, on noue de fabuleuses amitiés. Nous parlerons de tout ça en détail dans l'Habitude n° 5 : « Cherche d'abord à comprendre, ensuite à être compris. » Juste après ceci.

PRÉSENTER DES EXCUSES

Présenter des excuses quand on a hurlé, réagi d'une façon exagérée, ou fait une erreur stupide permet de rapidement renflouer un compte à découvert. Mais aller trouver un ami et lui dire « C'est ma faute », « Je m'excuse », ou « Pardon » demande un courage certain.

Et ce qui est encore plus dur, c'est d'admettre qu'on a fait une erreur devant ses parents, car évidemment, les parents, on sait toujours tout mieux qu'eux. Mallaury, 17 ans, tient à dire ceci :

Je sais à quel point présenter des excuses peut avoir de la valeur aux yeux de mes parents, car j'en ai fait l'expérience. Disons qu'à partir du moment où je reconnais mes erreurs et où je leur présente des excuses, ils me pardonnent à peu près tout, et ils sont près à faire une croix dessus pour recommencer sur des bases saines. Mais ça ne veut pas dire que c'est facile.

Je me souviens par exemple d'un soir, il n'y a pas très longtemps. Ma mère m'avait chopé pour un truc que j'avais fait et qui ne lui avait pas plu du tout, et moi, au lieu de reconnaître mes torts, je me la suis jouée. J'ai fait comme si c'étaient eux les gros nazes, et j'ai fini par claquer la porte de ma chambre au nez de ma mère.

À peine dans la pièce, ça m'a dégoûté. J'ai pris conscience que depuis le début, je savais parfaitement que j'étais dans mon tort et que pour le coup, je me conduisais vraiment mal. Que faire ? Rester enfermée dans ma chambre et me mettre au lit en espérant que les choses se tassent, ou monter l'escalier et présenter des excuses ? J'ai attendu environ deux minutes et j'ai choisi la voie supérieure : je suis allée vers ma mère, et je lui ai sauté au cou, comme ça, directement, en lui demandant pardon pour m'être comportée comme ça. Je n'aurais pas pu mieux agir. Instantanément, c'est comme si rien ne s'était jamais passé. Je me sentais légère comme le vent, et prête à passer à autre chose.

Ne laisse pas ton orgueil ou ton manque de courage t'empêcher de présenter des excuses quand tu as offensé quelqu'un parce que, d'une part, ce n'est jamais aussi terrible que ça y paraît et qu'en plus, on se sent tout léger une fois qu'on l'a fait. Pour couronner le tout, présenter des excuses désarme les gens. La réaction habituelle de quelqu'un, quand il (ou elle) s'estime offensé(e), c'est de dégainer un sabre — au sens figuré — pour pouvoir parer les coups à l'avenir. Mais leur présenter des excuses désamorce leur aggressivité et du coup, ils jettent le sabre à terre. *Chkling!*

Vu qu'il y a des chances pour que, toi comme moi, nous continuions à commettre des erreurs toute notre vie, prenons tout de suite l'habitude de présenter des excuses. À mon avis, ce n'est pas la pire.

JOUER CARTES SUR TABLE

Imagine que ton petit copain ou ta petite copine te dise : « Je crois qu'on ferait mieux de sortir chacun de notre côté. »

Et imagine que toi, tu répondes : « Je croyais qu'on sortait ensemble, tous les deux. »

« Euh, pas vraiment, non. »

« Et tout ce que tu m'as dit à propos de ce que tu ressentais pour moi, alors? »

« On a mal dû se comprendre. »

Combien on voit de gens blessés parce qu'on leur a donné de faux-espoirs? On a toujours tendance à vouloir flatter et satisfaire les désirs des autres. Résultat : on leur fait miroiter des trucs qui ne sont ni très clairs, ni très réalistes.

Pour faire plaisir à ton père, sur le moment, tu vas lui dire : « OK pour ce week end, Papa. Je t'aide à réparer ta voiture, y'a pas de souci. » Mais soyons réalistes : tu es surbooké tout le week-end et tu n'as pas une seconde. Résultat : tu vas décevoir ton père. Tu y aurais gagné à être réaliste tout de suite.

Si on veut instaurer un climat de confiance, il faut veiller à ne surtout pas envoyer de messages sybillins, ou qui font miroiter des choses fausses ou improbables.

Mélanie dit : « Je me suis vraiment éclatée, Tristan. On se fait une soirée la semaine prochaine. Promis? » Mais ce qu'elle veut dire, en réalité, c'est : « J'ai passé un bon moment. Soyons juste copains. » Mais comme elle lui a donné de faux-espoirs, Tristan va continuer à la relancer et elle, elle va continuer à décliner ses invitations, en lui disant : « La semaine prochaine, peut-être. » Si Mélanie avait eu une attitude claire dès le départ, tout le monde aurait été gagnant.

Chaque fois que tu te lances dans un nouveau job, une nouvelle relation ou que tu pars sur de nouvelles bases, tu as tout intérêt à prendre le temps qu'il faut pour mettre cartes sur table. Comme ça, tout le monde sera sur la même longueur d'ondes. Tant de retraits sont mis à notre débit simplement parce que d'un côté on part sur une idée, et de l'autre, on s'imagine tout autre chose.

Imagine que ton chef te dise : « On va finir tard, mardi soir. J'ai besoin de toi. »

Et imagine que tu lui répondes : « Désolé, mais le mardi, je fais du baby-sitting pour mon petit-frère. »

« Il fallait me le dire au moment où je t'ai engagée. Et comment je fais, moi, maintenant ? »

Instaure un climat de confiance en mettant cartes sur table dès le départ.

Petit défi personnel   Je voudrais te laisser sur un petit défi personnel. Choisis une relation importante de ta vie qui s'est détériorée. C'est peut-être une relation avec un de tes parents, un frère ou une sœur, ou avec un ou une amie. Maintenant investis-toi pour rétablir cette relation, versement par versement. Au début, l'autre risque d'être suspicieux et de se demander ce que tu manigances. « Qu'est-ce qui te prends, toi ? Qu'est-ce que tu me veux ? » Mais arme-toi de patience et montre de la persévérance. Souviens-toi : ce qui a pris des mois à être démoli peut prendre des mois à être reconstruit. Mais petit à petit, dépôt après dépôt, cette personne finira par voir que tu es sincère et que tu veux vraiment faire la paix. Je ne dis pas que ce sera facile, mais je promets que cela en vaudra la peine.

PROCHAIN ÉPISODE

Si tu aimes les buffets à volonté (et qui n'aime pas ça ?), c'est bien simple, tu vas adorer le chapitre suivant.

PAS DE FOURMI

Tiens tes promesses

1. La prochaine fois que tu passeras la soirée dehors, donne à ta mère ou à ton père l'heure à laquelle tu seras de retour, et tiens parole.

2. Aujourd'hui et pendant toute la journée, avant de t'engager à faire quoi que ce soit, marque une pause et demande-toi si tu peux honorer les engagements que tu vas prendre, ou pas. Ne dis pas « Je t'appelle ce soir » ou « On déjeune », à moins d'avoir la certitude de pouvoir tenir parole.

Aie de petites attentions pour les autres

3. Cette semaine, achète un hamburger à une personne sans abri.

4. Écris un petit mot de remerciements à quelqu'un que tu voulais remercier depuis longtemps.

   Personne que je dois remercier : _____

Sois loyal(e)

5. Identifie les moments et les lieux dans lesquels tu as le plus de mal à t'empêcher de cancaner. Est-ce avec tel (ou telle) ami(e) en particulier, dans les vestiaires, à l'heure du déjeuner ? Élabore un plan d'action pour rester à l'écart.

6. Efforce-toi, pendant une journée complète, de ne dire que des choses positives au sujet des autres.

Écoute

7. Aujourd'hui, ne parle pas tant. Passe ta journée à écouter.

8. Pense à un membre de ta famille que tu n'as jamais vraiment pris le temps d'écouter, comme une petite sœur, un grand frère, ou un grand-père. Et prends le temps de le faire.

Présente des excuses

9. Avant de te mettre au lit ce soir, écris un petit mot d'excuses tout simple à quelqu'un que tu penses avoir vexé.

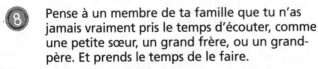
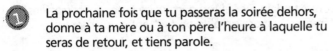

Mets cartes sur table

 Pense à un contexte dans lequel ton partenaire et toi nourrissez des attentes différentes. Élabore un plan permettant d'accorder les violons.

Attentes de l'autre :

Mes attentes à moi :

Joue
Gagnant/Gagnant

La **vie**
est un
Buffet
à volonté

Pourquoi vivons-nous, si ce n'est pour se rendre la vie un peu moins difficile les uns les autres?

GEORGE ELIOT, ÉCRIVAIN

J'ai fait une école de commerce sévère qui appliquait l'immonde système de notation dit de la courbe forcée. Sur un effectif total quatre-vingt-dix étudiants par cours, dix pour cent, autrement dit neuf d'entre nous, se retrouveraient en catégorie III. Et nous classer en catégorie III revenait à nous dire en termes châtiés : « Vous vous êtes planté! » En d'autres termes, que le niveau général de la classe soit bon ou médiocre, neuf d'entre nous étaient sûrs de se faire recaler. Et quand on était recalé dans trop de matières, on se faisait jeter de l'école. Pression maximum!

Le vaniteux n'éprouve aucune satisfaction à obtenir quelque chose, tant qu'il ne l'obtient pas en plus grande quantité qu'un autre.

C. S. LEWIS,
ÉCRIVAIN

Le problème, c'est que dans cette classe-là, il n'y avait que des bons (on avait dû m'y admettre par erreur). Résultat : la concurrence est devenue féroce, ce qui nous *incitait* (je n'ai pas dit nous *obligeait*), mes camarades de classe et moi-même, à nous comporter de façon étrange.

Plutôt que de viser des bonnes notes, comme je l'avais fait à la fac et au lycée, je me suis retrouvé à me fixer comme objectif de ne pas tomber dans le quota des neuf qui allaient être recalés. Je ne jouais plus pour gagner, je jouais pour éviter de perdre. Ça me rappelle l'histoire de ces deux amis poursuivis par un ours. L'un des deux se retourne vers l'autre et lui lance : « Je viens de réaliser : pas besoin de courir plus vite que l'ours, il suffit que je coure plus vite que toi. »

Un jour, en plein cours, je n'ai pas pu m'empêcher de passer en revue toutes les têtes pour en identifier neuf éventuellement plus nazes que moi. Quand quelqu'un faisait une remarque consternante, je me surprenais à penser : « Bien vu! Encore un qui va se vautrer. Plus que huit! » Je me surprenais même, durant les travaux en groupe, à me garder mes bonnes idées pour moi, de peur que d'autres se les approprient et en tirent bénéfice à ma place. Tous ces sentiments me rongeaient de l'intérieur et je me sentais tout petit, le cœur ratatiné comme un raisin. Le problème était que je jouais

Gagnant/Perdant. Et jouer Gagnant/Perdant emplit toujours le cœur de sentiments négatifs. Par chance, il existe une tournure d'esprit plus admirable. On l'appelle jouer Gagnant/Gagnant et c'est l'Habitude n° 4.

Jouer Gagnant/Gagnant est une attitude face à la vie, un état d'esprit qui affirme : je peux gagner, et toi aussi. Ce n'est pas toi *ou* moi, c'est toi *et* moi. Jouer Gagnant/Gagnant est la base de l'harmonie avec les autres. Le principe fondateur en est que nous sommes tous égaux, que personne n'est inférieur ou supérieur à quiconque, et que de fait, rien ne justifie que cela puisse être le cas.

Tu vas me dire : « Sois réaliste, Sean. Tu sais bien que ce n'est pas comme ça que ça se passe. La concurrence est féroce. C'est la jungle. On ne peut pas tous être gagnants. »

Pas d'accord. Non, ce n'est pas comme ça que ça se passe. La vie, ce n'est pas simplement être compétitif, griller tous les autres, et se qualifier dans la tranche des 5 % qui caracolent au top-niveau. C'est peut-être vrai dans les affaires, dans le sport et dans les études, lesquels ne sont jamais que des institutions que nous avons créées. Mais ce n'est certainement pas la norme en matière de relations avec les autres. Or, on l'a vu au chapitre précédent, les relations avec les autres sont l'essence de la vie. Imagine combien il serait stupide de demander : « Qui est-ce qui a le dessus dans votre relation, toi ou ton partenaire ? »

Alors approfondissons cette étrange idée nommée Jouer Gagnant/Gagnant. Si j'en crois mon expérience, la meilleure façon d'y parvenir consiste à déterminer ce qu'elle n'est pas. Jouer Gagnant/Gagnant n'est ni Jouer Gagnant/Perdant, ni Perdant/Gagnant, ni Perdant/Perdant. Toutes ces attitudes-là ont beau être largement répandues, elles n'en sont pas moins médiocres. Alors en voiture, attache ta ceinture et examinons-les une à une.

⬡ GAGNANT/PERDANT : LE TOTEM

« Maman, il y a un match important ce soir. J'ai besoin de la voiture. »

« Déso-lée, Marie,

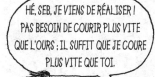

HÉ, SEB, JE VIENS DE RÉALISER ! PAS BESOIN DE COURIR PLUS VITE QUE L'OURS ; IL SUFFIT QUE JE COURE PLUS VITE QUE TOI.

mais ce soir, il faut que j'aille faire les courses. Demande à tes amis de venir te chercher. »

« Mais Maman, c'est toujours *eux* qui viennent me chercher. C'est gênant, à la fin. »

« Écoute, ça fait une semaine que tu râles parce que le frigo est vide et là, vois-tu, c'est le seul moment où je peux aller faire les courses. Désolée. »

« Désolée, tu parles! Si tu étais si désolée que ça, tu me laisserais prendre la voiture. C'est injuste. Tu t'en fiches, de ce que je ressens. »

« OK, d'accord. Vas-y. Prends la voiture. Mais ne viens pas te plaindre demain sous prétexte qu'il n'y a rien à manger, hein? »

Victoire pour Marie, échec pour sa mère. C'est ce qu'on appelle jouer Gagnant/Perdant. Mais Marie a-t-elle réellement gagné? Pour le coup, sans doute, mais que ressent sa mère? Quelle va être son attitude lorsque l'occasion de rendre la monnaie de sa pièce à Marie se présentera? Voilà pourquoi, sur le long terme, jouer Gagnant/Perdant ne paie jamais.

Jouer Gagnant/Perdant est une attitude affirmant que la réussite est un gâteau d'une certaine taille, et que plus on s'en taille une grosse part, moins il en restera pour les autres. Par conséquent, je me débrouille pour me servir le premier, ou pour prendre une plus grosse part de gâteau que toi. Jouer Gagnant/Perdant, c'est jouer la concurrence. J'appelle cela le syndrome du totem :

« Peu importe que je me comporte bien ou pas, l'essentiel est que je me hisse un cran plus haut que toi sur le totem. » En clair, pour pouvoir rafler la mise, se mettre en avant et satisfaire ses caprices, on fait passer les relations avec les autres, l'amitié et la loyauté au second plan.

Quand on joue Gagnant/Perdant, c'est l'amour-propre qui parle. C. S. Lewis l'exprime en ces termes : « Le vaniteux n'éprouve aucune satisfaction à obtenir quelque chose, tant qu'il ne l'obtient pas en plus grande quantité qu'un autre... C'est de la comparaison et du plaisir de surpasser les autres qu'il tire sa fierté. »

Ne culpabilise pas trop s'il t'arrive de jouer Gagnant/Perdant, car on nous a dressé à le faire depuis la plus tendre enfance. En particulier ceux d'entre nous qui ont grandi aux États-Unis. Dans les pays d'Asie, on a tendance à se montrer un peu plus coopératifs.

Exemple pratique : suivons la croissance de Richard, un garçon ordinaire. Richard se retrouve confronté pour la première fois à la concurrence à l'âge de huit ans, lorsqu'il déboule sur le terrain pour les compétitions sportives de fin d'année et qu'il découvre que seuls le premier, le deuxième et le troisième ont droit à des médailles. Richard n'a gagné aucune des compétitions mais néanmoins, il est fier de son ruban, ce ruban auquel chacun des participants a droit. Et là, son meilleur ami lui explique que « ces rubans ne comptent pas vraiment; n'importe qui y a droit. »

Quand Richard entre en sixième, ses parents ne peuvent lui offrir ni les derniers jeans, ni les dernières baskets à la mode. Il lui faut donc porter des modèles plus anciens, moins tendance. Mais il ne peut pas s'empêcher de constater que ses amis nés dans des familles plus aisées en portent de tout autres, et il a comme l'impression de ne pas être à la hauteur.

Au lycée, Richard se met à apprendre le violon et intègre l'orchestre. Mais à son grand désarroi, il apprend qu'il n'y a qu'une seule place de premier violon. Lorsqu'on le nomme deuxième violon, il est déçu, mais il se console en se disant qu'il aurait pu être le troisième.

À la maison, cela fait des années que Richard est le petit chouchou de sa mère. Mais là, il semblerait que son jeune frère, qui se trouve avoir raflé pas mal de médailles à ses compétitions de fin d'année à lui, soit sur le point de lui ravir ce titre. Richard redouble ses efforts en classe, car il s'imagine que s'il décroche de meilleures notes que son frère, il regagnera son statut de fils préféré auprès de sa mère.

Ses études secondaires terminées, Richard est prêt pour le premier cycle universitaire. Il passe donc un examen d'entrée[8] et se retrouve avec la moyenne. En d'autres termes, il est meilleur qu'une moitié des autres, mais moins bon que l'autre moitié. Malheureusement, cette note ne lui permet pas d'être admis à l'université qu'il avait choisie.

L'université de Richard applique le système de notation dit « de la courbe forcée »[9]. Lors de son tout premier cours de chimie, Richard découvre que les bonnes et les très bonnes notes ne sont distribuées qu'en quantité limitée, car leur nombre est fixé à l'avance. Les autres doivent se partager les médiocres et les mauvaises. Richard travaille dur pour échapper aux moyennes et aux mauvaises, et arrive à décrocher la dernière bonne note disponible.

Et ainsi de suite…

Quand on grandit dans un monde pareil, est-il étonnant qu'on finisse, Richard autant que nous autres, par voir la vie comme une compétition où la seule chose qui importe est de gagner? Est-il étonnant qu'on se surprenne régulièrement à regarder autour de soi pour voir qui on va coiffer sur le totem? Par chance, ni toi ni moi ne sommes des victimes. Nous avons la force d'être proactifs et de nous affranchir de ce conditionnement Gagnant/Perdant.

Il y a mille et une façons de jouer Gagnant/Perdant. En voici quelques-unes :

- Utiliser les autres, au plan physique ou émotionnel, pour satisfaire des besoins strictement personnels.
- Essayer d'avancer aux dépens d'autrui.
- Faire courir des rumeurs au sujet de quelqu'un d'autre (comme si rabaisser les autres permettait de s'élever).
- Faire systématiquement prévaloir son point de vue au mépris de la sensibilité des autres.
- Se montrer jaloux et envieux lorsqu'un proche connaît un succès.

Jouer Gagnant/Perdant est une attitude qui se retourne en général contre celui qui l'adopte. Il aura beau se retrouver tout en haut du totem, il s'y retrouvera bien seul et sans amis. Comme dirait l'actrice Lily Tomlin : « Le problème quand on marche sur la figure des autres et qu'on se conduit comme un rat, c'est qu'on a beau arriver premier, on n'en reste pas moins un rat. »

❂ PERDANT/GAGNANT : LA CARPETTE

Écrit par un ado :

« S'il y en a un qui mérite le nom d'artisan de la paix, c'est bien moi. Je préfère encore être accusé à tort de n'importe quoi, plutôt que de m'embarquer dans une dispute. Je me surprends en permanence à me mépriser… »

Tu te reconnais dans cette déclaration ? Si la réponse est oui, cela signifie que tu es tombé dans le piège Perdant/Gagnant. En apparence, jouer Perdant/Gagnant a l'air plus joli que de jouer Gagnant/Perdant, mais c'est tout aussi dangereux. C'est le syndrome de la carpette. Jouer Perdant/Gagnant revient à dire : « Allez-y, marchez-moi sur la figure. Ne vous gênez pas, tous les autres le font. »

Jouer Perdant/Gagnant, c'est la faiblesse. La facilité. La facilité de se laisser marcher dessus. La facilité d'être le pigeon. La facilité de courber l'échine, tout cela au nom d'une recherche de la paix. La facilité de laisser faire tes parents plutôt que de leur expliquer ce qui ne va pas.

Quand on joue Perdant/Gagnant, on finit par revoir ses objectifs à la baisse et à faire de plus en plus de compromis au niveau de ses exigences. Céder sous la pression exercée par l'entourage, par exemple, est une attitude typiquement Perdant/Gagnant. Tu n'as pas forcément envie de sécher les cours, mais les autres attendent de toi que tu le fasses quand même. Donc, tu cèdes. Que s'est-il passé ? C'est simple : tu as perdu, et ils ont gagné. Cela s'appelle jouer Perdant/Gagnant.

Un jour, une adolescente du nom de Jamila m'a fait part de ses errances en zone Perdant/Gagnant. En cinquième à l'époque, elle a finalement réussi à se libérer :

Mes problèmes avec ma mère ont commencé le jour où elle m'a lancé sur un ton sarcastique : « Houlà ! Tu es bien impertinente, aujourd'hui ! » Je l'ai pris à la lettre, tellement à la lettre que j'ai pris la décision de baisser le rideau. Ma décision était prise : à partir de ce moment précis, je ne lui adresserais plus la parole. J'ai commencé à simuler le respect et la soumission qu'elle attendait de moi. À chaque fois qu'elle me disait un truc, je me bornais à lui répondre : « OK, M'man. Comme tu voudras. » Même quand je n'étais pas d'accord. La moitié du temps, elle ne se rendait même pas compte que ça me contrariait, parce que je ne laissais rien filtrer.

Quand elle me donnait ses consignes au sujet de mes amis et de l'heure à laquelle je devais être rentrée, à chaque fois c'était : « OK,

M'man. Tout ce que tu voudras. » *Je trouvais plus facile d'obtempérer servilement, parce que de toute façon, j'étais persuadée qu'aucune de mes suggestions ou de mes opinions ne serait prise au sérieux.*

Mais c'est vite devenu lassant. Et j'en avais de plus en plus gros sur la patate. Un soir, je venais à peine de finir de lui parler d'un devoir que j'avais à faire, elle s'est contenté de me dire « *Sympa!* », *et elle s'est remis à passer sa serpillière.*

Intérieurement, je me suis dit : « *Jamais tu t'intéresses à moi?* » *Mais je n'ai rien dit et je suis sortie en claquant la porte. Elle ne s'était douté de rien. Si au moins je lui avais dit à quel point c'était important pour moi, elle aurait sûrement été d'accord pour en discuter avec moi. Mais de toute évidence, je me complaisais dans le rôle de la victime, à subir tout ce qu'elle m'envoyait à la figure, sans exception.*

J'ai fini par exploser. « *Maman, ça dépasse les bornes. Je craque, là! Tout ce que tu me dis de faire, je le fais par faiblesse, uniquement parce que c'est plus facile que de réagir. Mais là, stop! J'en ai ma claque.* » *J'ai vidé mon sac et tout ce qui macérait en moi, elle y a eu droit. Elle ne s'y attendait pas du tout.*

Une fois le clash passé, l'ambiance est restée tendue pendant un moment. C'est comme si on avait remis tous les compteurs à zéro. Mais chaque jour ça va un peu mieux. Maintenant, on parle des choses ensemble, et à chaque fois, je lui dis ce que j'ai vraiment sur le cœur.

Quand on joue Perdant/Gagnant et qu'on fait de cette attitude un style de vie, on se fait marcher sur la figure. Et là, ça ne rigole plus du tout. En plus, on se met à refouler ses véritables sentiments tout au fond de soi. Et c'est malsain.

Il y a évidemment des moments où il faut savoir perdre. Jouer Perdant/Gagnant, c'est très bien lorsqu'il s'agit de débats dont l'issue est peu importante à tes yeux, comme par exemple la façon dont ta sœur et toi allez vous partager la penderie, ou le fait que ta mère n'aime pas la façon dont tu tiens ta fourchette. Concède aux autres de petites victoires, ce sera un dépôt sur leur CE. L'important, c'est de ne pas céder sur les batailles qui valent le coup d'être menées.

Si tu es prisonnier ou prisonnière d'une relation abusive, tu joues Perdant/Gagnant à fond. L'abus est un cycle sans fin de destruction et de réconciliation, destruction et réconciliation, etc. Les choses ne s'arrangent jamais. Tu n'as aucune chance d'en sortir gagnant(e); ce qu'il faut, c'est t'en sortir tout court. Et ne va pas penser que, pour une raison ou pour une autre, c'est ta faute. Ni que, pour une raison ou pour une autre, tu mérites qu'on abuse de toi. Seules les carpettes pensent comme ça. Personne ne mérite, n'a jamais mérité, et ne méritera jamais qu'on abuse d'elle ou de lui (*cf.* en fin de livre les Numéros Verts et sites Internet concernant les relations abusives).

PERDANT/PERDANT : LA SPIRALE INFERNALE

Jouer Perdant/Perdant revient à dire : « Si je plonge, je te fais plonger avec moi, pigeon. » Après tout, tant qu'à souffrir, autant faire souffrir les autres au passage. La guerre est un parfait exemple d'attitude Perdant/Perdant. Réfléchis. C'est celui qui anéantit le plus grand nombre d'individus qui gagne la guerre. À ce tarif-là, on peut réellement se poser la question de savoir si quiconque en sort vraiment vainqueur. L'esprit de revanche participe également de l'esprit Perdant/Perdant. Quand on prend sa revanche, on a peut-être l'illusion de gagner, mais en réalité on ne parvient qu'à une chose, c'est à se rabaisser.

Perdant/Perdant, c'est généralement ce qu'on obtient lorsque deux individus à l'esprit Gagnant/Perdant se rencontrent. Si toi, tu veux gagner à tout prix et qu'en face de toi, tu as quelqu'un qui veut lui aussi gagner à tout prix, vous serez perdants tous les deux.

Perdant/Perdant, c'est également ce qu'on obtient lorsqu'une personne fait une fixation négative sur une autre, situation d'autant plus courante qu'il s'agit d'un proche.

« Je me fous de ce qui peut m'arriver, du moment que mon frangin se plante. »

« Si déjà je n'arrive pas à avoir Xavier, pas question que je le laisse à Noémie. »

Pour peu qu'on manque de vigilance, les relations petit copain/petite copine ont vite fait de tourner au Perdant/Perdant. Tu connais le principe. Deux individus charmants se mettent à sortir ensemble et au début, tout se passe bien. On joue Gagnant/Gagnant à fond. Mais peu à peu, ils perdent toute autonomie émotionnelle et deviennent dépendants, possessifs et jaloux. Ils ne peuvent plus se passer l'un de l'autre, éprouvant le besoin permanent d'être à la colle. Ils éprouvent un besoin de sécurité, comme si l'autre leur appartenait. Cet état de dépendance finit par faire ressortir les plus mauvais côtés de l'un comme de l'autre. Ils commencent à se disputer, à se faire des crasses, et à se « rendre la pareille. » Résultat : c'est la spirale infernale Perdant/Perdant.

● GAGNANT/GAGNANT : LE BUFFET À VOLONTÉ

Jouer Gagnant/Gagnant revient à dire : tout le monde peut gagner. Ce qui est une idée charmante mais pas évidente. Je ne te marche pas sur la figure, mais je ne suis pas ta carpette non plus. J'ai de la considération pour les autres et je veux qu'ils réussissent, mais je me respecte également et moi aussi je veux réussir. Jouer Gagnant/Gagnant, c'est l'opulence. On part de la conviction que côté réussite, il y en aura pour tout le monde. Non pas pour toi *ou* moi, mais pour toi *et* moi. Le problème n'est pas de savoir qui va se tailler la plus grosse part du gâteau, dans la mesure où le gâteau est largement assez grand pour que tout le monde se régale. Comme dans un buffet à volonté.

Une de mes amies, Aurore, a découvert la force étonnante que peut donner l'esprit Gagnant/Gagnant, et elle me l'a raconté :

En classe de seconde, au lycée, je faisais partie de l'équipe fémini-ne de basket. J'étais plutôt bonne vu mon âge et même si j'étais enco-re en seconde, ma taille me permettait d'assurer dans la sélection uni-versitaire. J'avais une camarade de classe avec qui j'étais très amie, Patricia, qui était dans le même cas, et qui elle aussi avait été recrutée dans l'équipe universitaire.

J'avais un petit lancer pas dégueu, et j'arrivais à marquer de trois mètres tranquille. Au bout d'un moment, j'arrivais à rentrer quatre ou cinq de ces shoots par rencontre, et j'ai fini par me faire repérer. Mais très vite, il est devenu clair qu'au goût de Patricia, on s'intéressait trop à moi et, consciemment ou non, elle s'est mis à me barrer l'accès au bal-lon. Même quand elle aurait pu me faire une passe décisive, elle ne me le passait plus jamais.

Un soir, après un match lamentable pendant lequel Patricia avait passé son temps à faire écran, j'étais remontée comme rarement je l'avais été. J'ai passé des heures à parler à mon père, à lui raconter tout dans les moindres détails, et à lui dire ce que je ressentais envers Patri-cia, mon amie passée à l'ennemi. Après une longue discussion, mon père a rendu son verdict : la meilleure idée qu'il avait à me proposer, c'était de passer le ballon à Patricia à chaque fois que je l'aurais entre les mains. Je dis bien : à chaque fois. J'ai trouvé que c'était la suggestion la plus débile qu'il m'ait jamais faite. Il m'a simplement dit que ça fonctionnerait, et il m'a laissée à la table de la cuisine pour y réfléchir. Mais je n'ai réfléchi à rien du tout. Je savais très bien que ça ne marcherait jamais, et j'ai rejeté son idée en me disant que c'était un de ces conseils complètement foireux comme seul un père peut en donner.

Le jour du match suivant est vite arrivé, et j'étais déterminée à battre Patricia à son propre jeu. À force d'y réfléchir, j'ai fini par arrêter mon plan : pourrir le jeu de Patricia. La première fois où j'ai eu le ballon entre les mains, j'ai entendu la voix de mon père couvrir celle de la foule. Elle était puissante et profonde, et j'avais beau faire abstraction de tout le reste quand je me lâchais sur un parquet, sa voix était bien là quand même. À l'instant précis où j'ai chopé le ballon, il a hurlé : « Passe-lui le ballon!!. » J'ai hésité une seconde et puis j'ai fait ce qu'il fallait faire. J'avais tilté. J'avais beau être super bien placée pour marquer, j'ai trouvé Patricia et je lui ai passé le ballon. Elle a été interloquée une fraction de seconde, et puis elle a fait volte-face et a shooté, marquant deux points. Tout en me rabattant vers l'arrière en défense, j'ai senti monter en moi un sentiment inconnu jusqu'alors : un sentiment de bonheur intense pour la réussite d'un autre être humain. Du même coup, j'ai percuté : notre équipe prenait l'avantage. C'était le bonheur. Pendant toute la première mi-temps, je lui ai passé le ballon à chaque fois qu'il m'arrivait entre les mains. Et je dis bien : à chaque fois. Pendant la deuxième mi-temps, j'ai fait pareil, et je n'ai shooté que lorsque c'est moi qui étais désignée ou quand j'étais vraiment en position de force.

On a gagné cette rencontre et au cours de celles qui ont suivi, Patricia s'est mis à me faire des passes aussi souvent que moi je lui en faisais. Toutes les deux, on formait un tandem de plus en plus redoutable, et aussi soudé que notre amitié retrouvée. Cette année-là, on a gagné la plupart des matches et, à l'échelle de notre petite ville, on s'est taillé une réputation de tandem de choc. Le quotidien du coin a même publié un article vantant notre maîtrise de la passe et notre aptitude à se sentir mutuellement sur le terrain. Au total, j'ai marqué plus de points depuis que je n'en avais marqué en totalité avant.

C'est clair, jouer Gagnant/Gagnant démultiplie les opportunités. Ici, c'est buffet à volonté. Et comme Aurore l'a découvert, souhaiter le succès d'un autre emplit de bien-être. En passant le ballon, ce n'est pas *moins* de points, mais *plus* de points qu'elle a fini par marquer. De fait, l'une et l'autre ont marqué plus de points et gagné plus de matches que si elles avaient égoïstement gardé le ballon chacune de leur côté.

On joue probablement plus souvent Gagnant/Gagnant qu'on ne veut bien le reconnaître. Voici quelques exemples d'esprit Gagnant/Gagnant :

- On t'accorde une promotion au *fast food* dans lequel tu travailles. Tu partages les éloges et la reconnaissance avec toutes celles et ceux qui t'ont aidé à en arriver là.
- On vient de t'élire à un poste important de représentant des élèves et tu te conditionnes pour ne pas développer un « complexe de supériorité. » Tu traites tout le monde avec les mêmes égards, y compris les gens peu aimables et les brebis galeuses.
- Ta meilleure amie vient d'être admise à l'université dans laquelle tu voulais entrer. Toi, tu es recalée. Malgré la déprime que t'inspire ta propre situation, tu éprouves une joie sincère pour ton amie.
- Tu as envie d'aller manger dehors. Ton pote, lui, a envie d'aller voir un film. Ensemble, vous décidez de louer un film et de vous faire livrer une pizza à domicile.

Comment acquérir l'esprit Gagnant/Gagnant

Alors comment on s'y prend, concrètement ? Comment faire pour être heureux quand sa meilleure amie est admise à la fac et que soi-même on se fait recaler ? Comment faire pour ne pas faire un complexe d'infériorité devant la voisine et toutes ses fringues démentes ? Quelles solutions trouver aux problèmes pour être gagnant de part et d'autre ?

Permets-moi deux suggestions : commence par remporter la victoire privée, et fuis les deux tumeurs jumelles.

COMMENCE PAR REMPORTER LA VICTOIRE PRIVÉE

Toute transformation commence par soi-même. Difficile de jouer Gagnant/Gagnant tant qu'on n'a pas pris suffisamment d'assurance, et qu'on n'a pas payé le prix de la victoire privée. On perçoit les autres comme une menace. On a du mal à éprouver de la joie quand ils réussissent. On a du mal à partager les éloges et la reconnaissance. Quand on manque d'assurance, on est très vite jaloux. Cette conversation entre Dan et sa copine est typique d'un individu qui manque d'assurance :

Dan : « Sarah, c'était qui le type à qui tu étais en train de parler, là ? »

Sarah : « Un vieil ami avec qui j'ai grandi, c'est tout. »

Dan, énervé : « Je ne veux pas te voir traîner avec ce type, OK ? »

« Dan, c'est juste un ami que je connais depuis longtemps. On était en primaire ensemble. »

« Je veux pas le savoir, depuis combien de temps tu le connais. Moi, ce que je vois, c'est que tu le colles d'un peu trop près. »

« Flippe pas. Il a des problèmes et il a besoin de parler, c'est tout. »

« C'est sérieux, entre nous deux, oui ou non ? »

« OK, Dan. Si vraiment c'est ça que tu veux, je ne lui adresserai plus la parole. »

Tu te rends compte que Dan aura énormément de mal à montrer du cœur dans une situation pareille tant qu'il manquera d'assurance et qu'il sera en état de dépendance émotionnelle face à sa copine ? Dan doit commencer par se transformer lui-même. Plus il effectuera de dépôts sur son CE, plus il assumera ses responsabilités, et plus il appliquera le plan qu'il se sera fixé, plus il reprendra de l'assurance et trouvera la paix intérieure. Alors seulement il pourra commencer à apprécier les autres, plutôt que de les percevoir comme une menace dont il se figure être la cible. Le pilier de l'attitude Gagnant/Gagnant, c'est la confiance en soi.

FUIS LES DEUX TUMEURS JUMELLES

Il existe deux habitudes qui, telles des tumeurs malignes, peuvent nous ronger tout doucement de l'intérieur. Elles sont jumelles. L'une consiste à *rivaliser* avec les autres, et l'autre à se *comparer* à eux. Il est virtuellement impossible de jouer Gagnant/Gagnant sous leur emprise.

Rivaliser

La compétition peut être quelque chose d'extrêmement sain. Elle nous oblige à nous améliorer, à nous assouplir et à nous dépasser. Sans elle, nous ne saurions jamais jusqu'où nous sommes capables de repousser nos propres limites. Dans le monde des affaires, elle engendre la prospérité économique. La beauté même des Jeux Olympiques repose sur l'idée d'excellence et de compétition. Mais il existe une autre facette de la compétition, moins reluisante celle-là. Dans le film *La Guerre des étoiles*, Luke Skywalker découvre un bouclier d'énergie positive nommée « la force », qui insuffle la vie à toute chose. Plus tard, Luke affronte le méchant Darth Vader et découvre la « face obscure » de la force. Et Darth Vader de dire : « Tu ignores tout du pouvoir de la face obscure. »

Il en va de même avec la compétition, laquelle a une face lumineuse et une face obscure. Toutes les deux sont puissantes. La différence, la voici : la compétition est quelque chose de sain lorsqu'elle est intérieure, ou lorsqu'elle est un défi extérieur qui nous oblige à nous montrer plus flexible et à nous dépasser pour donner le meilleur de nous-mêmes. Mais dès lors qu'on subordonne son estime de soi à une possible victoire, ou que le mobile de cette victoire est de surpasser quelqu'un d'autre, alors on bascule sur la face obscure.

Essayons de la jouer Gagnant/Gagnant, Papa.

J'ai trouvé dans le livre de Tim Galwey intitulé *The Inner Game of Tennis* quelques mots qui expriment cela parfaitement. Les voici :

> *Lorsque la compétition est utilisée dans le but de se fabriquer une image subordonnée à celle des autres, ce qu'il y a de pire en nous ressort, conférant aux peurs ordinaires et aux frustrations une importance démesurée. C'est à croire que certains se figurent que la seule façon de gagner l'amour et le respect qu'ils demandent aux autres consiste à devenir le meilleur, ou le vainqueur. Les enfants dressés à se mesurer de cette façon-là deviennent souvent des adultes mus par un besoin compulsif de réussir qui éclipse tout le reste.*

Un célèbre entraîneur d'équipes universitaires a dit un jour que les deux pires traits de caractère chez un sportif sont la peur de l'échec et le goût immodéré de la victoire, autrement dit l'attitude consistant à vouloir gagner à tout prix.

Je ne suis pas près d'oublier une dispute entre moi et le cadet de mes frères après un match de volley sur sable où son équipe avait battu la mienne.

« J'arrive pas à croire que vous nous ayez battu, les mecs », lui ai-je lancé.

« Qu'est-ce qu'il y a de si incroyable ?, a-t-il répondu. Tu te crois vraiment meilleur en sport que moi, c'est ça ? »

« C'est pas que je crois, c'est que j'en suis sûr. Regarde les faits. En sport, je suis allé beaucoup plus loin que toi. »

« Seulement si on se base sur ta définition à toi d'un bon sportif, qui est complètement étriquée. Je suis meilleur sportif que toi, c'est clair : je saute plus haut et je cours plus vite. »

« N'importe quoi! Plus vite que moi ? Non mais on rêve! Et de toute façon, qu'est-ce que ça a à voir, courir et sauter ? Dans n'importe quel sport, je te fous la pâtée. »

« Ah ouais ? »

« À fond! »

Euuh... Il deviendrait pas un peu acharné, comme sportif ?

Bah!...

Une fois calmés, on s'est trouvé idiots. Nous avions succombé aux charmes de la face obscure. Et la face obscure laisse toujours un goût de cendre dans la bouche.

Utilisons la compétition comme un étalon permettant de se mesurer à soi-même, mais cessons de rivaliser entre nous pour un petit copain, une petite copine, un statut social, des amis, une cote de popularité, un titre, l'attention des autres, etc., et commençons à savourer la vie.

Se comparer

La comparaison est la sœur jumelle de la compétition. Et elle est tout aussi cancéreuse. Se comparer aux autres ne peut nous attirer que des ennuis. Pourquoi ? Parce que chacun se développe à la cadence qui lui est propre. Que ce soit au plan social, intellectuel, ou physique. Et puisque nous avons chacun des temps de cuisson différents, évitons d'ouvrir la porte du four toutes les cinq minutes pour voir si notre soufflé à nous monte aussi bien que celui du voisin parce que sinon, notre soufflé, il va finir par tomber. Si certains d'entre nous sont tels le peuplier, qui pousse comme rien dès l'instant où la graine est plantée, d'autres s'apparentent plutôt au bambou qui, lui, ne donne pas le moindre signe de croissance pendant quatre années et qui, la cinquième, monte comme une fusée à 30 mètres.

Un jour, on me l'a présenté de la façon suivante : la vie est une grande course d'obstacles. Chacun de nous a son propre parcours, et chacun des parcours est séparé des autres parcours par un haut mur. Ton parcours à toi est spécialement étudié à ta mesure, chacun des obstacles étant spécifiquement conçu et adapté à ton développement personnel. Alors quel intérêt d'aller escalader le mur pour voir comment ton voisin s'en sort, ou pour vérifier à quoi ressemblent ses obstacles à lui, comparés aux tiens ?

Construire sa vie en se basant sur la position que l'on occupe par rapport aux autres ne constitue jamais une fondation solide. Si je tire mon assurance du fait que j'ai de meilleures notes que toi, ou que mes amis ont plus la cote que les tiens, que va-t-il se passer le jour où quelqu'un débarquera avec un meilleur bulletin que le mien, ou avec des amis jouissant d'une popularité plus grande ?

Quand on se compare aux autres, on se sent comme un bouchon ballotté par les flots. On monte et on redescend au gré de la houle, inférieur un moment et dominant celui d'après, plein d'assurance un moment et craintif le suivant. La seule comparaison positive, c'est de se mesurer à son propre potentiel.

J'adore la façon dont l'écrivain Paul H. Dunn l'exprime dans une tirade intitulée « Du sentiment d'infériorité » :

J'ai remarqué que chaque jour, nous sommes confrontés à des moments où l'estime de soi est prise en otage. Pas moyen d'y échapper. Prenez n'importe quel magazine : on y voit des gens en meilleure santé, plus minces, ou mieux habillés que nous. Regardez autour de vous. Vous trouverez toujours quelqu'un de plus intelligent, de plus sûr de lui, ou de plus doué que vous. De fait, chaque jour nous rappelle que

LE BAMBOU

1ʳᵉ ANNÉE   2ᵉ ANNÉE   3ᵉ ANNÉE   4ᵉ ANNÉE   5ᵉ ANNÉE

nos compétences sont limitées, que nous commettons des erreurs, et que nous n'excellons pas en toute chose. Partant de là, on a vite fait de croire qu'on ne fait pas vraiment le poids dans le grand ordre des choses et que, d'une certaine façon et pour une raison obscure, nous serions des êtres inférieurs.

Quiconque fonde l'opinion qu'il a de lui-même, ou la conscience de sa valeur, sur autre chose que sur la qualité de son cœur, de son esprit ou de son âme, bâtit sur du bancal. Ni vous ni moi n'avons la forme ou la silhouette idéale ? Ni vous ni moi ne sommes la personne la plus riche, la plus sage, ou la plus spirituelle du monde ? Et alors ?

J'ai interviewé un jour une certaine Anne qui est restée prise dans les filets de la comparaison plusieurs années avant d'arriver à s'en dépêtrer. Voici son message à l'attention de celles qui se font piéger :

Mes problèmes ont commencé le jour où je suis entrée en quatrième à Jeanson de Sailly. La plupart des élèves avaient de l'argent. Et la façon dont on s'habillait, il n'y a que ça qui comptait. La grande question, c'était : qui porte quoi aujourd'hui ? Il y avait même un code vestimentaire secret, style ne jamais porter deux fois la même tenue, et ne jamais porter la même chose que quelqu'un d'autre. Les vêtements de marque et les jeans hors de prix étaient de rigueur. Dans sa penderie, il fallait avoir la totale, toutes les couleurs et tous les styles.

En troisième, j'avais un petit copain qui était en première et que mes parents n'aimaient pas. On s'entendait bien mais au bout d'un moment, il a commencé à me faire douter de moi. Il me disait des trucs style : « Pourquoi tu ne ressembles pas à une telle ? », « Comment ça se fait que tu es si grosse ? », ou « Si tu changeais juste un tout petit peu, tu serais parfaite. »

J'ai commencé à gober ce qu'il disait. Je me suis mise à regarder les autres filles et à passer en revue toutes les raisons qui faisaient que je n'étais pas aussi bien qu'elles. J'avais beau avoir une penderie bourrée à craquer, je me souviens avoir fait des crises nerveuses sous prétexte que je ne savais pas quoi me mettre. Je me suis même mise à piquer dans les magasins, histoire d'avoir les derniers modèles tendance et que de la top-qualité. J'en suis arrivée à un point où j'étais quelqu'un de différent en fonction des gens avec qui j'étais, de mon apparence extérieure, et du style de fringues que je portais. J'avais peur de ne jamais être à la hauteur, pour personne.

Pour tenir le coup, j'ai commencé à me gaver, et puis à purger. Manger, ça me redonnait un peu d'assurance et purger, bizarrement, ça me donnait l'illusion de maîtriser. Je n'étais pas grosse et pourtant, j'étais terrorisée à l'idée de le devenir. C'est rapidement devenu un aspect important de ma vie. Je me suis mise à vomir trente à quarante fois par jour. Au lycée, aux toilettes, et dans tous les endroits possibles et imaginables. C'était mon secret. Je ne pouvais pas en parler à mes parents parce que je ne voulais pas les décevoir.

Je me souviens qu'un jour, le groupe qui avait le plus la cote m'a invitée à aller avec eux assister à un match de foot. Ils avaient seize ans, un an de plus que moi. J'étais déchaînée! Ma mère et moi, on a bossé comme des dingues pour me trouver la tenue la plus canon! J'ai attendu des heures à la fenêtre, mais personne n'est jamais venu me chercher. J'avais le sentiment d'être une moins que rien. Et je me suis dit : « Si personne n'est venu me chercher, c'est que je ne suis pas assez bien, ou alors que je n'ai pas le look qu'il faut. »

Ça a fini par devenir critique. Un jour, j'étais sur scène en train d'interpréter un rôle et tout à coup, je me suis sentie complètement déphasée et je suis tombée dans les vapes. Quand je me suis réveillée, j'étais dans les vestiaires et ma mère était là. Et j'ai murmuré : « À l'aide! »

Le premier pas vers la guérison, qui a pris plusieurs années, ça a été d'admettre que j'avais un problème. Quand je repense à tout ça aujourd'hui, je n'arrive même pas à croire que j'aie pu me mettre dans des états pareils. J'avais tout pour être heureuse, et ma vie était pitoyable. J'étais une fille mignonne, douée, et mince, qui s'était laissé embarquer dans le monde des comparaisons et qu'on a amené à penser qu'elle n'était pas assez bien. J'ai envie de hurler à la terre entière : « Ne t'inflige jamais un truc pareil. Jamais! Franchement, ça ne vaut pas le coup. »

Le déclic vers la guérison, ça a été la rencontre avec des amis, des vrais, qui se sont mis à m'aimer pour ce que j'étais, et non pas pour les habits que je portais. Et ils me l'ont fait sentir. Il m'ont dit : « Laisse tomber tout ça, tu n'en as pas besoin. Tu vaux beaucoup mieux que ça. » J'ai commencé à changer pour moi-même, et non pas pour quelqu'un qui posait comme condition à son amour que je devais changer.

La perle de sagesse de cette histoire est ceci : laisse tomber. Défais-toi de cette habitude. Se comparer aux autres peut engendrer un état de dépendance aussi redoutable que la drogue ou l'alcool. Tu n'as ni besoin de ressembler à un top-model, ni besoin d'être habillée comme un top-model, pour être à la hauteur. Ce qui compte vraiment, tu sais très bien ce que c'est. Ne tombe pas dans le panneau, et ne te préoccupe pas tant d'avoir la cote pendant tes années d'adolescence, parce que le plus gros de la vie, c'est *après*

Défais-toi de

que ça se passe (v. en fin de livre les Numéros Verts et sites Internet concernant la santé).

LES FRUITS DE L'ESPRIT GAGNANT/GAGNANT

J'ai appris à ne jamais sous-estimer ce qui peut arriver lorsqu'on adopte un état d'esprit Gagnant/Gagnant. Écoute l'expérience d'Andy :

Au départ, je ne voyais pas l'intérêt de jouer Gagnant/Gagnant. Mais j'ai commencé à jouer le jeu dans mon travail, celui que je fais pour me payer mes études, et là, j'ai cru halluciner. Ça va faire deux ans que j'applique cette technique, et je dois dire que c'est une habitude tellement efficace que ça donne le vertige. La seule chose que je regrette, c'est de ne pas l'avoir découverte des années plus tôt. J'ai appris à exercer mes compétences en matière de leadership, et à aborder mon job avec une attitude positive. Je me dis : « Travaillons dans la bonne humeur, comme ça tout le monde sera gagnant : ma patronne, et moi. » Maintenant, une fois par moi, j'organise une petite réunion avec elle pour lui faire part de tous les petits trucs qui ne tournent pas rond dans l'entreprise, et je lui propose de les gérer.

La dernière fois qu'on s'est vus, elle m'a dit : « Je me suis toujours demandé comment tous ces petits problèmes finissaient par être réglés. Je suis impressionnée par votre façon d'aller de l'avant et par le mal que vous vous donnez pour être efficace. » Et là, elle m'a augmenté de six francs de l'heure.

Crois-moi, le plan Gagnant/Gagnant est un truc contagieux. Si tu as du cœur, que tu t'impliques pour aider les autres à réussir, et que tu t'efforces de partager avec les autres la reconnaissance qu'on te témoigne, tu attireras les amis comme un aimant. Réfléchis. Est-ce que toi-même tu n'adores pas les gens qui s'intéressent à ton évolution et qui veulent ta réussite ? Ça te donne envie de les aimer en retour, non ?

L'esprit Gagnant/Gagnant peut s'appliquer à n'importe quelle situation : depuis résoudre un conflit majeur entre tes parents et toi jusqu'à décider qui va sortir le chien, comme Jean nous le raconte :

Ma sœur et moi, on est toujours en train de se disputer pour savoir qui va sortir les chiens et qui va faire la vaisselle. Y'a pas photo : on préfère tous les deux sortir les chiens. Mais il faut bien que quelqu'un la

fasse, la vaisselle. Du coup, on a décidé que moi je ferais la vaisselle, qu'elle, elle l'essuierait, et qu'ensuite, on irait balader les chiens tous les deux. Je suis content que ça marche comme ça parce que du coup, non seulement on fait ce qu'on a à faire mais en plus, comme on s'y met à deux, c'est un plan beaucoup plus cool.

Parfois, on a beau chercher, on n'arrive absolument pas à trouver une solution Gagnant/Gagnant. Ou alors l'autre est dans un état d'esprit tellement Gagnant/Perdant que ce n'est même pas la peine d'insister. Ça arrive. Dans ce genre de situation, ne te conduis de ton côté ni comme un rat (Gagnant/Perdant), ni comme un carpette (Perdant/Gagnant). Choisis plutôt de jouer Gagnant/Gagnant ou alors de ne pas jouer du tout. En d'autres termes, si vous n'arrivez pas à vous mettre d'accord, décide d'annuler la partie. Match annulé. Par exemple, si ta copine et toi n'arrivez pas à vous mettre d'accord sur ce que vous voulez faire un soir, plutôt que de faire un truc à contrecœur, toi ou elle, sortez chacun de votre côté et retrouvez-vous un autre soir. Ou si ta copine et toi n'arrivez pas à établir une relation Gagnant/Gagnant, il est peut-être préférable d'annuler la partie et d'aller chacun votre chemin. En tout cas, c'est toujours mieux que de jouer Gagnant/Perdant, Perdant/Gagnant, ou, pire que tout, Perdant/Perdant.

Un garçon de quinze ans nommé Bertrand, que son père avait briefé sur l'esprit Gagnant/Gagnant, nous confie cette intéressante histoire :

L'année dernière, mon pote Victor et moi, on avait envie de se faire un peu d'argent pendant les grandes vacances. On a monté un petit business pour laver les carreaux et tondre les pelouses, et on s'est dit que, pour un business pareil, « Vert et Propre » serait un nom sympathique.

Les parents de Victor avaient un ami dont les carreaux avaient besoin d'un bon nettoyage et rapidement, le bouche-à-oreille a fonctionné, et on a décroché quelques boulots.

On a établi un bordereau qu'on appelle « Contrat Gagnant/Gagnant » en se servant d'un logiciel dans l'ordinateur de mon père. On se pointe chez le client, on fait le tour des lieux, on prend les mesures des fenêtres, et on établit un devis. C'est clair pour tout le monde : nous, on arrête un prix, en échange de quoi, eux, ils ont des fenêtres impeccables. En bas de la page figure une ligne « Bon pour accord » où le client doit apposer sa signature. Si notre prestation n'est pas à la hauteur, on sait qu'on ne fera plus appel à nous. Le travail fini, on leur fait faire le tour des lieux pour qu'ils constatent par eux-mêmes. Montrer qu'on est des gens fiables, c'est important. Comme ça, on établit un rapport de confiance avec le client.

On a même constitué un petit « Fonds Vert et Propre. » Depuis qu'on s'est mis à rentrer un peu d'argent, on en met toujours un peu de côté pour investir dans de l'équipement, et on se partage le reste. Tant que nos clients sont satisfaits et que leurs carreaux sont propres, ils sont gagnants. Nous, on est gagnant aussi parce qu'à quinze ans, on a trouvé le moyen de se faire un peu d'argent de poche.

Observe les sentiments que cela induit en toi

Développer une attitude Gagnant/Gagnant n'est pas chose facile. Mais tu *peux* le faire. Si aujourd'hui, là, tu ne joues Gagnant/Gagnant que dans 10 % des situations, essaie de monter à 20, puis à 30, et ainsi de suite. Cela finira par devenir un automatisme, et tu n'auras même plus besoin d'y penser. L'esprit Gagnant/Gagnant coulera naturellement dans tes veines.

Le bénéfice le plus surprenant de l'esprit Gagnant/Gagnant est sans doute le sentiment de plénitude que cela procure. L'une de mes histoires favorites illustrant ce point est celle, authentique, de Jacques Lusseyran, telle qu'elle est rapportée dans son autobiographie *Et la lumière fut*. Les éditeurs du magazine *Parabola*, auteurs de l'avant-propos du livre, résument l'histoire de Lusseyran en ces termes :

« Né à Paris en 1924, [Jacques] avait quinze ans sous l'occupation allemande, et à seize, il avait fondé et dirigeait un mouvement de résistance clandestin constitué au départ de cinquante-deux hommes et qui, au bout d'un an, en totalisait… six cents. La chose est déjà remarquable en soi, mais elle s'ajoute au fait que, depuis l'âge de huit ans, Jacques était frappé de cécité totale. »

Bien que totalement aveugle, Jacques voyait, mais à sa façon bien à lui. En ses propres termes : « Aveugle ou pas, j'ai vu la lumière et j'ai continué à la voir…. Je sentais la lumière monter, éclairer les choses, se poser sur les objets, les modeler, et puis repartir… Je vivais dans un flot de lumière. » Ce flot de lumière dans lequel il vivait, il l'appelait « mon secret. »

Toutefois, il y a des moments où la lumière abandonnait Jacques, et où sa vision se troublait. Cela se passait à chaque fois qu'il cédait à l'esprit Gagnant/Perdant. Il l'explique :

« Si tout à coup, en jouant avec mes petits camarades, j'étais saisi d'une rage de gagner, d'être le premier à tout prix, c'était fini, je ne voyais plus rien du tout. J'étais littéralement plongé dans le brouillard ou la fumée. »

« C'était fini, je ne pouvais plus me permettre d'être jaloux ou insupportable car, à peine je commençais à l'être, un bandeau me tombait sur les yeux, et je me trouvais balayé à l'écart, pieds et poings liés. Instantanément, un trou noir s'ouvrait devant moi, et j'étais précipité dedans. En revanche, lorsque j'étais heureux et serein, que j'approchais les autres avec confiance et bienveillance, j'étais récompensé par la lumière. Alors est-ce vraiment étonnant que j'aie appris à chérir l'amitié et l'harmonie dès mon jeune âge? »

Le test imparable pour savoir si tu joues Gagnant/Gagnant ou si au contraire tu joues l'une des autres cartes, c'est ce que tu ressens au fond de toi. Jouer Gagnant/Perdant ou Perdant/Gagnant ne fera qu'obscurcir ton jugement et te charger de sentiments négatifs. C'est bien simple : tu ne peux pas te le permettre. Inversement, comme l'expérience de Jacques Lusseyran vient de nous le montrer, jouer Gagnant/Gagnant emplira ton cœur d'un sentiment de bonheur et de sérénité. Cela te donnera de l'assurance. Tu baigneras même dans la lumière.

★★★

PROCHAIN ÉPISODE

Au cours du chapitre suivant, je vais partager avec toi un secret : comment se mettre dans la peau de ses parents d'une façon positive. Alors ce n'est pas le moment de t'arrêter!

PAS DE FOURMI

1. Mets le doigt sur la dimension de ta vie dans laquelle tu te compares le plus aux autres. Les vêtements, les mensurations, les amis ou les dons, par exemple.

Domaine dans lequel je me compare le plus aux autres : _____

_____

2. Si tu fais du sport, sois fair-play. Va féliciter un membre de l'équipe adverse à la fin d'un match ou d'une rencontre.

3. Si quelqu'un te doit de l'argent, n'aie pas peur de le lui rappeler sur un ton amical. « Tu n'aurais pas oublié les cinquante balles que je t'ai prêtées la semaine dernière, par hasard? Ça me dépannerait bien, là, tout de suite. » Joue Gagnant/Gagnant, pas Perdant/Gagnant.

4. Sans te soucier de gagner ou de perdre, fais une partie de quelque chose avec tes amis juste pour le fun : cartes, jeu de société ou jeu vidéo.

5. Tu as un contrôle important bientôt? Si la réponse est oui, forme un groupe de travail et échangez-vous vos meilleures idées. Vous n'en serez que plus performants.

6.  La prochaine fois qu'un proche obtient un succès, réjouis-t'en sincèrement, au lieu d'y voir une menace dirigée contre toi.

7. Réfléchis à ton attitude générale face à la vie. As-tu plutôt tendance à jouer Gagnant/Perdant, Perdant/Gagnant, ou Gagnant/Gagnant? Dans quelle mesure cette attitude influence-t-elle ce que tu es?

HABITUDE 4

PAS DE FOURMI

⑧ Pense à une personne qui te semble l'exemple parfait du Gagnant/Gagnant. Qu'admires-tu exactement chez cette personne?

Personne : _____

Ce que j'admire chez cette personne : _____

⑨ Es-tu embarqué(e) dans une relation Perdant/Gagnant avec une personne du sexe opposé? Si c'est le cas, décide de ce qui doit changer pour qu'elle devienne également Gagnant pour toi, ou alors annule le match, et sors-toi de cette relation.

Cherche **d'abord** à **comprendre,**

ensuite à être compris

On naît avec une
seule bouche
mais **DEUX** oreilles...
Hé ! Ho ! Tu m'écoutes !

Avant de pouvoir te glisser dans la peau d'un autre, commence par laisser tes certitudes au vestiaire.
ANONYME

Imaginons que tu rentres dans un magasin pour t'acheter une nouvelle paire de chaussures. Le vendeur te demande : « Tu cherches un style en particulier? »

« Oui, en fait, je cherche un truc genre… »

« Je crois que j'ai ce qu'il te faut, interrompt-il. On n'arrête pas de me les demander. Fais-moi confiance. »

Il fonce vers l'arrière-boutique et en revient avec la paire de shoes la plus monstrueuse que tu aies jamais vue.

« Franchement, ça tape pas la classe, ça? », lance-t-il.

« Franchement, j'aime pas du tout. »

« Elles plaisent à tout le monde. C'est le gros délire, en ce moment. »

« Je cherche quelque chose de différent. »

« Ma parole. Tu vas les adorer. »

« Mais je… »

« Écoute. Ça fait dix ans que je vends des chaussures, et je peux te garantir qu'avec un modèle comme ça, tu ne peux pas te tromper. »

Une expérience pareille, ça te donne envie de remettre les pieds dans cette boutique, toi? Certes pas. Comment faire confiance à quelqu'un qui te propose des solutions avant même d'avoir cerné tes attentes? Mais sais-tu qu'on a tendance à faire la même chose quand on communique?

« Hé, Fatima, ça gaze? Tu m'as l'air au trente-sixième dessous. Y'a un souci? »

« Tu peux pas comprendre, Marjorie. Tu me prendrais vraiment pour une demeurée. »

« Allez, arrête! Dis-moi ce qui va pas. Vas-y. Je t'écoute. »

« Oh, rien de spécial. »

« Allez! À moi tu peux me le dire. »

« Bon, OK… Euh… En fait, Manu et moi, c'est plus vraiment ça. »

« Je te l'avais dit, de ne pas t'embarquer avec ce type. C'était clair depuis le début. »

« C'est pas Manu, le problème. »

« Écoute, Fatima, à ta place, je ferais une croix dessus et je passerais à autre chose. »

« Mais Marjorie, ce n'est pas comme ça que je le sens. »

« Fais-moi confiance. Je sais exactement ce que tu ressens. Moi, j'ai donné l'année dernière. Exactement le même genre d'histoire. Tu as déjà oublié ? Ça a failli me ruiner mon année entière. »

« Laisse tomber, Marjorie. »

« Fatima, j'essaie simplement de t'aider. J'essaie de comprendre ce qui se passe. Alors vas-y. Dis-moi ce que tu ressens. »

On est comme ça. Surgissant du ciel tel Superman, on a toujours tendance à vouloir régler les problèmes de tout le monde avant même d'avoir compris de quoi il retourne. C'est bien simple : on n'écoute pas. Comme dit le proverbe amérindien : « Écoute, ou ta langue te rendra sourd. »

La clé permettant de bien communiquer et d'avoir un minimum d'ascendant et d'influence sur les autres peut se résumer en une phrase : Cherche d'abord à comprendre, ensuite à être compris. En d'autres termes, écoute d'abord, et parle ensuite. C'est l'Habitude n° 5, et elle fonctionne. Si tu arrives à prendre cette habitude toute simple — te mettre

PITIÉ, NON...
« M. RÉPONSE-À-TOUT »
NOUS REMET ÇA !

à la place de l'autre avant de lui donner ton point de vue à toi —, ta faculté de comprendre s'en trouvera démultipliée, et tu accèderas à une dimension entièrement nouvelle.

Le besoin le plus profond du cœur humain

Pourquoi cette habitude est-elle la clé d'une bonne communication ? Parce que le besoin le plus profond de tout cœur humain est celui d'être compris. Chacun d'entre nous aspire à être respecté et apprécié pour ce qu'il est : un être unique, extraordinaire et (pour l'instant en tout cas) impossible à cloner.

Personne ne dévoile ses faiblesses à moins de ressentir chez l'autre une réelle faculté de comprendre et un amour authentique.

Toutefois, si on les trouve chez toi, on t'en dira plus que tu ne souhaites peut-être en entendre. L'histoire qui suit, celle d'une ado souffrant d'un désordre alimentaire, montre combien la faculté de comprendre peut devenir un levier puissant :

En première année, quand j'ai rencontré Julie, Pat et Amina, mes copines de chambrée à la Cité U, j'étais une professionnelle de l'anorexie. J'avais passé le plus clair de mes deux dernières années de lycée à faire de l'exercice, du régime et à célébrer jusqu'au culte chaque gramme perdu. À dix-huit ans, avec mes 43 kilos pour 1,73 m, j'étais non seulement un poids plume, mais un vrai sac d'os.

J'avais peu d'amis. À force de me serrer la ceinture, j'étais devenue coléreuse, aigrie, et tellement fatiguée que je n'arrivais même plus à soutenir une conversation normale. Idem pour les événements et autres soirées lycéennes : c'était hors de question. De tous les gens que je connaissais, j'avais l'impression de ne rien avoir en commun avec personne. Une poignée d'amis fidèles ont tenu le coup et ont essayé de m'aider, mais leurs laïus au sujet de mon poids ont fini par me saoûler, et j'ai mis ça sur le compte de la jalousie.

Mes parents tentaient de me soudoyer en me bombardant de nouvelles fringues. Ils me harcelaient et exigeaient que je mange devant eux. Si je refusais, ils me traînaient chez toutes sortes de docteurs, de thérapeutes, et de spécialistes. Ma vie était pitoyable et j'étais convaincue qu'elle le resterait pour toujours.

Et puis j'ai déménagé pour aller faire mes études à l'université. La chance a fait que je me suis retrouvée dans le même dortoir que Julie, Pat et Amina, les trois filles qui m'ont redonné goût à la vie.

On vivait dans un minuscule appartement en parpaings, où tous mes tics alimentaires bizarres et mes exercices de gymnastique névrotiques se déroulaient au grand jour. Je savais pertinemment qu'elles devaient me trouver bizarre avec mon teint cireux, ma peau qui marquait, mes cheveux en piteux état, et mes hanches et mes clavicules saillantes. Quand je me revois en photo à dix-huit ans, je suis horrifiée.

Mais rien du tout. Elles ne me traitaient pas comme une malade. Elles ne me forçaient pas à manger. Je n'avais droit à aucun sermon, à aucun ragot, à aucun battement de cils. Ça en devenait déstabilisant.

Presqu'immédiatement, je me suis sentie parfaitement intégrée. La seule chose qui nous différenciait, c'est que moi, je ne mangeais pas. On faisait tout ensemble : on allait en cours, on cherchait du boulot, on faisait notre jogging le soir, on regardait la télé, et le samedi, on sortait. Pour la première fois, ce n'était pas mon anorexie qui était au centre de toutes les conversations. Au contraire, on passait des soirées entières à parler de nos familles, de nos ambitions, et de nos doutes.

J'étais fascinée par nos similitudes. Pour la première fois depuis des années, et je pèse mes mots, j'avais le sentiment d'être comprise. J'avais l'impression qu'enfin, quelqu'un avait pris la peine d'essayer de me comprendre en temps qu'être humain, avant d'essayer de corriger mon problème d'abord, comme c'était systématiquement le cas. Pour ces trois filles-là, je n'étais pas une anorexique qui avait besoin de se faire soigner : j'étais la quatrième copine, point barre.

Comme je me sentais de plus en plus intégrée, je me suis mise à les observer. Elles étaient heureuses, mignonnes, intelligentes et à l'occasion, il leur arrivait de taper dans le saladier et de goûter la pâte du gâteau avant qu'on le passe au four. Alors si on avait tant de choses en commun, pourquoi je ne pourrais pas faire trois repas par jour, moi aussi ?

Julie, Pat et Amina ne m'ont jamais expliqué comment il fallait que je m'y prenne pour guérir. Elles me l'ont montré jour après jour, et elles ont donné le maximum pour essayer de me comprendre, avant d'essayer de me guérir. Le deuxième trimestre n'était pas terminé qu'elles me mettaient une assiette à leur table pour le dîner. Et je m'y sentais parfaitement à ma place.

Réfléchis à l'influence qu'ont eu ces trois filles sur la quatrième en essayant de la comprendre, plutôt qu'en essayant de la juger. N'est-il pas intéressant de constater qu'une fois qu'elle s'est sentie comprise, et non pas jugée, elle a instantanément baissé la garde et qu'elle s'est ouverte à leur influence ? Compare avec ce qui se serait passé si, au contraire, ses copines de chambrée lui avaient fait la morale.

Tu as déjà entendu ce proverbe : « Tant que l'autre ne sentira pas chez toi une réelle volonté de le comprendre, il se fichera bien de tout ce que tu peux savoir » ? Quelle vérité que celle-là. Pense à une situation dans laquelle on n'a pas pris le temps de te comprendre ou de t'écouter. Étais-tu ouvert à ce qu'on a pu te dire ?

À la fac, à l'époque où je pratiquais le football américain, je souffrais d'une redoutable douleur au bras, dans l'un des biceps. C'était un problème compliqué que j'avais essayé de régler en ayant recours à toutes sortes de techniques — glaçons, chaleur, massages, haltères, anti-inflammatoires —, mais rien n'y faisait. J'ai fini

par appeler à la rescousse un de nos entraîneurs les plus chevronnés. Mais avant même d'avoir fini de lui expliquer, il m'avait déjà
sorti : « Je sais ce que tu as. Voilà ce qu'il faut que tu fasses. » J'ai
essayé de lui donner plus d'explications, mais il était persuadé
d'avoir cerné le problème. J'ai eu envie de lui dire : « Hé là, Doc-
teur, pas si vite. Écoutez-moi. Je ne suis pas sûr que vous ayez bien
compris. »

Comme on aurait pu s'en douter, ses techniques n'ont fait
qu'aggraver les choses. Il n'écoutait jamais, et donc je ne me sentais jamais compris. Résultat : j'ai perdu confiance en ses conseils
et plus tard, à chaque fois qu'il m'est arrivé de me blesser, je l'ai
évité comme la peste. Je n'avais aucune confiance en ses prescrip-
tions, dans la mesure où il ne rendait aucun diagnostic. À aucun
moment, il n'a montré un réel désir de me comprendre : alors tout
ce qu'il pouvait savoir, ça m'était bien égal.

Montrer qu'on est à l'écoute, c'est simple : il suffit de
prendre le temps d'écouter, sans porter de jugement ou donner
d'avis. Ce court poème montre combien l'envie d'être écouté est
puissante :

> *ÉCOUTE, S'IL TE PLAÎT*
> *Quand je te demande de m'écouter*
> *et que tu commences à me donner des conseils,*
> *tu ne fais pas ce que je t'ai demandé.*
> *Quand je te demande de m'écouter*
> *et que tu commences à m'expliquer pourquoi*
> *je ne devrais pas réagir comme ça,*
> *tu bafoues mes sentiments.*
> *Quand je te demande de m'écouter*
> *et que tu te crois obligé de faire quelque chose*
> *pour régler mon problème, tu me trahis.*
> *Cela peut sembler étrange, mais c'est comme ça.*
> *Écoute ! La seule chose que je te demande,*
> *c'est d'écouter. Je ne te demande ni de parler,*
> *ni d'agir : mais simplement*
> *de m'écouter.*

❋ CINQ TYPES DE PSEUDO-ÉCOUTE

Pour comprendre quelqu'un, il faut l'écouter. Incroyable, non ? Le
problème, c'est que la plupart d'entre nous ne *savent pas* écouter.

Imagine. Tu essaies de décider à quels cours tu vas t'inscrire l'année prochaine. Tu consultes la liste et tu examines les différentes options.

« *Bon. Alors… Géométrie. Écriture. Expression orale débutant. Littérature française. Écoute. Écoute ? Hé là, un instant… Un cours d'écoute ? C'est quoi ce délire ?* »

Ce serait une surprise totale, non ? On se demande bien pourquoi, d'ailleurs, parce qu'avec la lecture, l'écriture et la parole, l'écoute constitue l'une des quatre principales formes de communication. Et réfléchis : depuis ta naissance, on t'apprend à lire, à écrire et à parler, mais est-ce qu'on t'a jamais donné le moindre cours pour apprendre à écouter ?

On écoute rarement ce que disent les autres parce qu'en général, on est trop occupé à préparer une réponse, à porter un jugement, ou à passer ce qui est dit à la moulinette de nos propres paradigmes. Voici les cinq types de pseudo-écoute auxquels nous avons recours le plus souvent :

Les cinq types de pseudo-écoute
- Perdu dans l'espace
- Écoute simulée
- Écoute sélective
- Écoute superficielle
- Écoute égocentrique

Perdu dans l'espace : On nous parle mais nous ignorons notre interlocuteur, parce que notre esprit vagabonde quelque part dans une autre galaxie. On a beau nous dire des choses très importantes, on reste absorbé dans nos propres pensées. Déconnecter et avoir la tête dans les nuages, ça nous arrive à tous. Mais trop, c'est trop : à force, on finit par être catalogué comme « à côté de la plaque. »

Écoute simulée : Plus courant. Là non plus, on n'écoute pas vraiment mais au moins, on fait semblant, en ponctuant la conversation à des moments stratégiques de petits commentaires inspirés du type : « Ah bon ? », « Trop cool », « Aïe! », « Sérieux? » et autres « Tu m'étonnes… » L'interlocuteur finit généralement par s'en apercevoir, et éprouve le sentiment qu'il ou elle ne compte pas suffisamment pour être écouté.

Écoute sélective : On se borne à écouter les passages de la conversation qui nous intéressent. Un de tes amis essaie par exemple de t'expliquer comment il essaie de s'en sortir à l'armée, dans l'ombre d'un frère bourré de talent. La seule chose que tu retiennes, c'est le mot « armée » et tu lui sors : « Tiens, l'armée, justement! J'y pense beaucoup, ces derniers temps. » À force de passer ton temps à parler des choses qui t'intéressent toi, et non pas de celles qui intéressent ton interlocuteur, tu risques fort de ne jamais développer d'amitiés durables.

Écoute superficielle : On écoute effectivement ce que dit l'autre, mais on reste à la surface des mots, sans s'intéresser au langage du corps, aux émotions, ni à la nature profonde de ce que les mots recouvrent. Résultat : on passe complètement à côté de ce qui se dit. Ta copine Audrey va par exemple te dire : « Qu'est-ce que tu penses de Yann? » Et toi, tu vas lui répondre : « Je le trouve plutôt frais. » Mais si tu étais un peu plus sensible, que tu avais été à l'écoute du langage de son corps et du ton de sa voix, tu aurais entendu qu'en fait, sa véritable question était : « Tu crois qu'il m'aime bien, Yann? » Polarise-toi sur les mots, et tu passeras le plus souvent à côté des véritables sentiments de l'autre, les vrais, ceux du cœur.

Écoute égocentrique : Seul notre point de vue personnel importe. Au lieu d'essayer de se mettre à la place de l'autre, on attend de l'autre qu'il se mette à la nôtre. D'où les répliques du style : « Oui, oui, je sais exactement ce que tu ressens. » De fait, on sait effectivement ce que l'on ressent *soi-même,* on ne sait pas grand-chose de ce que l'autre ressent, et on se figure que l'autre ressent la même chose que nous. Exactement comme le vendeur qui, sous prétexte qu'il aime bien une paire de chaussures, pense qu'on devrait bien l'aimer aussi. L'écoute égocentrique est une sorte de surenchère permanente, un jeu consistant à vouloir toujours rallonger la mise, comme si une conversation était une compétition. « *Toi*, tu as eu une journée pourrie? Laisse tomber. Attends un peu que je te raconte la mienne, de journée! »

Lorsqu'on écoute de son point de vue personnel, on répond généralement de l'une des trois façons suivantes, lesquelles amènent notre interlocuteur à se refermer instantanément sur lui-même : on *juge*, on *donne des conseils*, et on *pose des questions*. Examinons-les une par une.

Je porte un jugement : Parfois, quand on écoute les autres parler, on porte un jugement (plus ou moins conscient) sur ce qu'ils sont et sur ce qu'ils disent. Mais quand on est occupé à juger, on n'écoute plus vraiment. Les gens n'ont pas envie qu'on les juge, ils ont envie qu'on les écoute. Dans la conversation qui suit, observe bien ce qui se passe dans la tête de la personne qui écoute : un minimum d'écoute, pour un maximum de jugement (les jugements portés par la personne qui écoute sont mis entre parenthèse).

Alex : « J'ai passé une super soirée avec Sandra, hier soir. »

Franck : « Ah bon? Cool. » (Sandra? Quelle idée d'aller sortir avec Sandra?)

Alex : « Je ne savais pas du tout qu'elle était aussi top. »

Franck : « Ah bon? » (Ça te reprend? À t'entendre, toutes les filles sont top.)

Alex : « Sérieux. J'ai carrément envie de l'emmener à la soirée de fin d'année! »

Franck : « Je croyais que tu voulais emmener Chloé. » (T'es secoué? Chloé est beaucoup plus canon que Sandra.)

Alex : « Moi aussi, je croyais. Mais je crois que c'est avec Sandra que j'ai envie d'y aller. »

Franck : « OK, alors invite Sandra. » (À tous les coups, tu auras changé d'avis demain.)

Franck était tellement occupé à porter un jugement qu'il n'a pas entendu un seul mot de ce qu'Alex avait à dire, et qu'il a raté une occasion d'effectuer un versement sur son CE.

Je donne des conseils : On se base sur sa propre expérience pour dispenser des avis. C'est le laïus habituel « Quand j'avais ton âge... » avec lequel te bassinent tes parents.

Une fille très sensible, à la recherche d'une oreille compatissante, dit à son frère :

« Je n'aime pas du tout ma nouvelle école. Depuis qu'on a déménagé, j'ai vraiment l'impression d'être complètement rejetée. Si seulement je pouvais me faire des nouveaux amis. »

Au lieu d'écouter pour essayer de comprendre, son frère se fonde sur sa propre expérience et lui dit :

« Essaie de rencontrer d'autres gens. Fais comme moi : inscris-toi dans une équipe de sport, dans un club. »

Mais ce n'est pas des conseils, si bien intentionnés soient-ils, que demande la petite sœur à son frère. Elle veut simplement qu'on l'écoute, bon sang! Ce n'est qu'à partir du moment où elle se sentira comprise qu'elle pourra s'ouvrir à ses conseils. Le grand frère avait l'occasion d'effectuer un beau dépôt, et il s'est complètement planté.

Je pose des questions : On essaie de tirer les vers du nez à une personne qui n'est pas encore prête à faire des confidences. Ça t'est déjà arrivé, de te faire passer sur le gril? Les parents infligent des interrogatoires aux ados en permanence. Animée des meilleures intentions du monde, ta mère essaie de savoir comment tu t'en sors. Mais comme tu n'est pas prêt(e) à parler, tu vois dans ses tentatives une forme d'intrusion, et tu te refermes comme une huître.

« Bonjour, chéri. Comment ça s'est passé en classe, aujourd'hui? »

« Bien. »

« Tes contrôles, ça s'est bien passé? »

« Pas mal. »

« Et tes amis, comment ils vont? »

« Bien. »

« Tu as quelque chose de prévu, ce soir? »

« Pas vraiment. »

« Tu as vu des jolies filles, ces derniers temps? »

« Non, M'man. Tu me lâches, un peu? »

Personne n'aime être soumis à un interrogatoire. Si tu poses beaucoup de questions sans réellement obtenir de réponses, c'est sans doute que tu mènes des interrogatoires. On n'est pas forcément prêt à s'ouvrir, et on n'a pas toujours envie de parler. Apprends à écouter, et sois à l'écoute quand l'autre en a besoin.

L'ÉCOUTE RÉELLE

Par chance, ni toi ni moi ne tombons jamais dans le piège de ces cinq styles de pseudo-écoute. N'est-ce pas ? Enfin bon, exceptionnellement, ça peut nous arriver. Heureusement, il existe une forme supérieure d'écoute qui ouvre à une véritable communication. On l'appelle « écoute réelle », et c'est celle-là qu'il faut appliquer au quotidien. Mais si tu veux appliquer l'écoute réelle au quotidien, il convient de faire trois choses différemment.

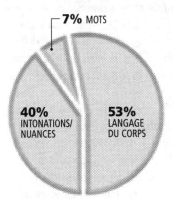

Premièrement, écoute avec tes yeux, ton cœur et tes oreilles : Écouter juste avec ses oreilles n'est pas suffisant, car seulement 7 % de la communication totale est véhiculée par les mots. Le reste passe par le langage du corps (53 %), et par la façon dont nous modulons notre voix, c'est-à-dire par les nuances qu'on lui applique et par nos intonations (40 %).

Regarde par exemple comment, en accentuant un mot plutôt qu'un autre, on arrive à donner des sens différents à une même phrase.

Je n'ai jamais dit que tu avais un problème d'attitude.
Je n'ai jamais dit que *tu* avais un problème d'attitude.
Je n'ai jamais dit que tu avais un problème d'*attitude*.

Pour réellement entendre ce que les autres ont à dire, il faut écouter ce qu'ils *ne disent pas*. Aussi dure que soit notre carapace en apparence, nous sommes en réalité tous, ou presque, de grands tendres avec un besoin désespéré d'être compris. Le poème suivant (un de mes préférés parmi mes classiques absolus) cristallise bien ce besoin :

S'IL TE PLAÎT... ÉCOUTE CE QUE JE NE DIS PAS
Ne te laisse pas prendre à mon petit jeu. Ne te laisse pas berner par le masque que je porte. Car je porte un masque, des milliers de masques, des masques que j'ai peur d'enlever, et qui ne me ressemblent en rien. Chez moi, l'art de faire semblant est devenu une seconde nature. Mais ne sois pas dupe.

... Je donne l'illusion d'avoir de l'assurance, que tout en moi et autour de moi n'est que calme et lumière; que mon nom est « J'assure » et mon surnom « Tranquille »; que mes eaux sont calmes, que je maîtrise, et que je n'ai besoin de personne. Mais n'en crois rien. S'il te plaît, n'en crois rien.

Je bavarde nonchalamment avec toi, d'intonations suaves en conversations superficielles. Je te confie tous mes petits trucs, mais jamais rien de ce qui hurle en moi. Alors, quand je te fais mon numéro, ne sois pas dupe des mots que je prononce. Écoute bien, s'il te plaît, et essaie d'entendre ce que je ne dis pas; ce que j'aimerais pouvoir dire; ce qu'il faut impérativement que je sorte mais que je n'arrive pas à sortir. Je n'aime pas la dissimulation. Sincèrement. Je n'aime ni mes petits jeux superficiels ni mes airs de poseur.

J'adorerais être authentique, spontané, j'adorerais être moi-même. Mais tu dois m'aider. Tu dois me tendre la main et m'aider, même si c'est la dernière chose dont je donne l'impression d'avoir envie, ou besoin. Chaque fois que tu es gentil, délicat, et que tu me soutiens, chaque fois que tu te montres attentionné en essayant réellement de me comprendre, je sens des ailes qui me poussent dans le dos. De toutes petites ailes. Des petites ailes toutes frêles, mais des ailes quand même. Grâce à ta délicatesse, ta compassion et ta réelle volonté de me comprendre, je sais que je peux y arriver. Tu peux m'insuffler la vie. Ce ne sera pas une tâche facile, car depuis le temps que je me sens inutile, j'ai fini par m'emmurer. Mais l'amour transperce les murs les plus épais, et c'est cela qui me fait tenir. S'il te plaît, essaie de faire tomber ces murs d'une main résolue, mais délicate. Car un enfant, c'est fragile. Et je suis un enfant.

Tu te demandes peut-être qui je suis.

Je suis chaque homme, chaque femme, chaque enfant... chaque être humain que tu rencontres.

<u>**Deuxièmement, mets-toi à la place de l'autre**</u> : Pour réellement se mettre à l'écoute de l'autre, il faut se débarrasser de ses propres certitudes et se mettre à sa place. Dans les termes de Robert Byrne : « Tant qu'on n'a pas fait un bout de chemin dans les bottes de l'autre, impossible de connaître leur odeur. » L'idée, c'est d'essayer

de voir et de ressentir le monde à travers les yeux et la perception de l'autre.

Imaginons un instant que tout le monde sur terre porte des verres teintés, et qu'il n'en existe pas deux paires identiques. Toi et moi, nous sommes assis au bord d'un fleuve. Je porte des verres verts, et toi des rouges.

Moi : « Hé, tu as vu l'eau comme elle est verte ? »

Toi : « Verte ? Tu déjantes ! Elle est rouge, l'eau. »

« C'est toi qui déjantes. Tu es daltonien, ou quoi ? Plus vert que ça, tu meurs. »

« Tu vois bien que c'est du rouge, idiot. »

« Vert ! »

« Rouge ! »

Beaucoup confondent conversation et compétition. C'est *mon* point de vue contre le tien ; impossible d'avoir tous les deux raison. Alors qu'en réalité cela peut très bien être le cas, puisque nous voyons les choses d'un point de vue différent. Et puis vouloir *remporter* une conversation est idiot. C'est comme ça qu'on se retrouve à jouer Gagnant/Perdant, ou Perdant/Perdant, et à effectuer un retrait sur un CE.

Une amie de ma petite sœur, une certaine Lydia, lui a raconté un jour l'histoire suivante. Se mettre à la place des autres peut faire une différence considérable, regarde :

Le pire, au lycée, c'était encore le bus de ramassage scolaire. C'est vrai, quoi, tous mes amis disposaient d'une voiture (même quand c'était une poubelle) mais chez moi, on n'avait pas des moyens suffisants pour que je puisse profiter d'une voiture rien que pour moi. Alors soit il fallait que je prenne le bus, soit que je trouve quelqu'un pour m'emmener. Parfois, en sortant des cours, je téléphonais à ma mère pour qu'elle vienne me chercher, mais elle mettait tellement longtemps que ça me rendait dingue. Je me revois plein de fois lui hurler : « Pourquoi tu as mis tout ce temps ? Tu t'en fous, que j'attende des heures dehors, ou quoi ?! » Je ne me suis jamais demandé ni ce qu'elle pouvait ressentir, ni ce qui la retenait. Je ne pensais qu'à moi.

Un jour, je l'ai entendue par hasard en parler avec mon père. Elle pleurait. Elle lui disait qu'elle adorerait

OUAH !
JE COMPRENDS MIEUX, MAINTENANT...

pouvoir me payer une voiture, et qu'elle travaillait dur pour essayer de mettre de côté et y arriver.

Et là, ma façon de voir les choses a complètement changé. J'ai vu dans ma mère quelqu'un de vrai, avec des vrais sentiments — la peur, l'espoir, le doute — et qui me vouait un amour immense. Je me suis juré de ne plus jamais lui faire de crasse. Je me suis même mis à lui parler de plus en plus, et ensemble, on a imaginé un plan pour que je puisse me trouver un travail à temps partiel et me payer une voiture. Elle m'a même proposé de m'y déposer et de venir m'y chercher tous les jours. J'aurais dû l'écouter plus tôt.

Troisièmement, applique le principe du miroir : Pense comme un miroir. Que fait un miroir? Il ne juge pas. Il ne donne pas de conseils. Il reflète. L'effet miroir, c'est simple : *reformule, avec tes propres mots, ce que l'autre dit et ressent.* À ne pas confondre avec *singer.* Singer quelqu'un consiste à répéter ce qu'il dit mot pour mot, comme un perroquet :

« Les boules, Thomas. Au lycée, j'assure pas du tout, ces derniers temps. »

« Au lycée, t'assures pas du tout, ces derniers temps. »

« J'ai moins de la moyenne dans presque toutes les matières. »

« Tu as moins de la moyenne dans presque toutes les matières. »

« Hé, t'arrêtes de répéter tout ce que je dis? T'es pas bien ou quoi? »

Répéter et *refléter* sont deux choses bien distinctes. Voici en quoi :

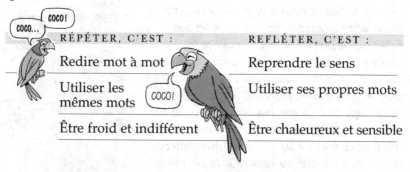

RÉPÉTER, C'EST :	REFLÉTER, C'EST :
Redire mot à mot	Reprendre le sens
Utiliser les mêmes mots	Utiliser ses propres mots
Être froid et indifférent	Être chaleureux et sensible

Examinons une conversation de la vie de tous les jours et voyons comment fonctionne le principe du miroir.

Imaginons que ton père te dise : « Non, mon fils! Tu ne prends pas la voiture ce soir. J'ai dit non. »

Quelqu'un qui parle sans réfléchir pourrait s'empresser de rétorquer : « Je n'ai jamais le droit de prendre la voiture. À chaque fois, il faut que je trouve quelqu'un qui m'emmène. Y'en a marre! » Ce genre de réaction débouche en général sur un échange de hurlements plutôt gratiné, duquel ni l'un ni l'autre ne ressort très fier.

Essaie plutôt d'appliquer le principe du miroir. *Reformule, avec tes propres mots, ce que l'autre dit et ressent.* On recommence :

« Non, mon fils! Tu ne prends pas la voiture ce soir. J'ai dit non. »

« Je sens que l'idée t'énerve, Papa. »

« Un peu que ça m'énerve. Tu as vu tes notes en classe? C'est la chute libre! Tu ne mérites pas de prendre la voiture. »

« Tu te fais du souci pour mes notes, c'est ça? »

« Absolument. Tu sais combien c'est important pour moi que tu sois admis à l'université. »

« C'est vraiment un truc important pour toi, l'université, hein? »

« Écoute, moi, je n'ai jamais eu la chance d'y aller, et à cause de ça, je n'ai jamais pu faire grand-chose. Je sais qu'il n'y a pas que l'argent qui compte, dans la vie. Mais là, tu vois, ça ne nous ferait pas de mal d'en avoir un peu. Je veux simplement que tu aies une meilleure vie. »

« Je comprends. »

« Regarde toutes les compétences que tu as. Ça me rend dingue de te voir prendre les études à la légère. Alors écoute : tu peux prendre la voiture, mais promets-moi de travailler sur tes devoirs plus tard ce soir. C'est tout ce que je te demande. Promis? »

Tu vois ce qui s'est passé? En appliquant le principe du miroir, le fils à réussi à déceler la véritable nature du problème. Ce qui préoccupe le père, ce n'est pas de laisser son fils prendre la voiture; ce qui le préoccupe, c'est plutôt l'avenir de son fils, et son attitude de dilettante face au lycée. Une fois convaincu que le fils a compris l'importance d'obtenir de bonnes notes et d'être admis à l'université, il cesse de faire de la résistance.

Je ne peux pas garantir qu'appliquer le principe du miroir donnera des résultats aussi remarquables dans 100 % des cas. En général, mais pas toujours, c'est plus compliqué que cela. Le père aurait pu répondre : « Content que tu saisisses d'où je viens, fils. Maintenant, va faire tes devoirs. » Mais ce que je peux garantir, en revanche, c'est qu'appliquer le principe du miroir revient à effectuer un dépôt sur le CE ouvert chez l'autre, et que cette approche-là est largement plus payante que d'engager un bras de fer. Si cela ne suffit pas à te convaincre, je te mets au défi d'essayer au moins une fois. À mon avis, tu vas être agréablement surpris.

Limitation de garantie : Quand on applique le principe du miroir sans avoir le réel désir de comprendre l'autre, l'autre s'en aperçoit et éprouve le sentiment d'être manipulé. Appliquer le principe du miroir n'est qu'une technique. C'est la partie visible de l'iceberg. La partie cachée, immergée sous la surface, c'est

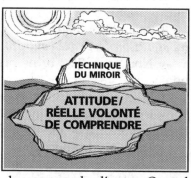

notre attitude, notre réelle volonté de comprendre l'autre. Quand on a la bonne attitude sans avoir la technique, il n'y a pas de souci. En revanche, l'inverse n'est pas vrai. Mais cumule l'attitude juste et la technique et là, tu deviendras une bête de communication!

Voici quelques exemples de répliques qui te permettront d'appliquer l'écoute réelle au quotidien. L'objectif, souviens-toi, c'est de *reformuler, avec tes propres mots, ce que l'autre dit et ressent.*

Écoute,
ou ta langue
te rendra sourd.

PROVERBE
AMÉRINDIEN

Principe du miroir :
Quelques répliques possibles
- « Si je comprends bien, tu as eu l'impression que... »
- « Donc, corrige-moi si je me trompe, tu... »
- « On dirait que tu as le sentiment que... »
- « Ce que tu ressens, c'est... »
- « Donc, tu es en train de me dire que... »

Précision importante : L'écoute réelle se pratique en certains endroits et en certains lieux. On y a recours quand on discute de sujets importants ou sensibles; lorsqu'un ami a réellement besoin de nous, ou lorsque la communication avec un proche pose problème, par exemple. De telles conversations prennent du temps et on n'arrive nulle part dans la précipitation. Toutefois, on peut se dispenser d'appliquer l'écoute réelle dans le cadre de conversations ordinaires et pour les diverses broutilles de la vie de tous les jours :

« Les toilettes, vite! C'est par où? J'ai une urgence. »

« Donc, tu es en train de me dire que ce qui te préoccupe, c'est de ne pas trouver les toilettes à temps? »

L'écoute réelle au quotidien

Pour mieux saisir combien l'écoute réelle fait la différence, examinons la petite sœur qui cherche auprès de son grand frère une oreille compatissante.

La sœur : « Je n'aime pas du tout ma nouvelle école. Depuis qu'on a déménagé, je me sens carrément rejetée. J'aimerais vraiment pouvoir me faire des nouveaux amis. »

Son frère pourrait lui faire l'une des réponses suivantes, au choix :

« Envoie les chips. » (Perdu dans l'espace)

« Trop cool! » (Écoute simulée)

« À propos d'amis, mon pote Yann… » (Écoute sélective)

« Essaie de rencontrer d'autres gens. » (Je conseille)

« C'est parce que tu t'y prends mal. » (Je juge)

« Tu as un problème avec tes notes? » (Je questionne)

Mais un frérot intelligent essaiera d'appliquer le principe du miroir.

« Tu as l'impression qu'en ce moment, c'est dur pour toi à l'école, c'est ça? » (Principe du miroir)

« Le flip total. C'est vrai, quoi. Je n'ai pas une seule amie. Et cette Axelle Costes qui m'a fait un coup d'enfoirée. Je ne sais plus quoi faire. »

« Tu te sens un peu déboussolée, quoi. » (Principe du miroir)

« À fond. Moi qui ai toujours eu une cote d'enfer, là, on ne sait même pas comment je m'appelle. J'ai essayé de rencontrer des gens, mais ça n'a pas l'air de marcher. »

« Je sens que ça te mine. » (Principe du miroir)

« Ouais. Tu dois penser que j'ai pété les plombs ou un truc du style. Enfin bon, merci de m'avoir écoutée. »

« Y'a pas de souci. »

« Tu ferais quoi, toi, à ma place? »

Parce qu'il s'est borné à écouter, le grand frère a effectué un versement colossal sur le CE ouvert chez sa sœur. De plus, elle est maintenant ouverte à ses conseils. Le moment est propice : il peut à son tour essayer d'être compris, et donner son avis.

Voici le témoignage d'un garçon nommé Arthur :

J'étais très amoureux de ma copine, et on avait de gros problèmes de communication, tous les deux. Ça faisait un an qu'on sortait ensemble. On avait commencé à se disputer et à s'engueuler pas mal et j'avais plus ou moins peur qu'elle me quitte. Et même carrément. Quand j'ai appris à chercher d'abord à comprendre, ensuite à être compris, et aussi à appliquer le principe du Compte émotionnel à nos relations avec les autres, j'ai pris ça comme un défi personnel. J'ai compris que quand ma copine me parlait, j'essayais toujours d'interpréter, sans jamais écouter avec un esprit réellement ouvert. Ça a sauvé notre relation et aujourd'hui, deux ans plus tard, on est toujours ensemble. Depuis qu'on a tous les deux adopté l'Habitude n° 5, on fait preuve de beaucoup plus de maturité que beaucoup d'autres couples. On s'en inspire autant pour prendre des décisions importantes que pour des petits trucs, genre aller dîner dehors. Sincèrement, à chaque fois que je suis avec elle, je me dis en permanence : « Allez, boucle-la un peu et essaie plutôt de la comprendre. »

⦿ COMMUNIQUER AVEC SES PARENTS

D'une manière générale, communiquer avec les autres n'est déjà pas un truc évident. Mais balance là au milieu une mère ou un père et là, tu déclenches quelque chose qui échappe à tout contrôle. Quand j'étais ado, je m'entendais plutôt bien avec mes parents. Et pourtant, il y a eu des périodes ou j'ai vraiment eu l'impression que leurs crânes hébergeaient des cerveaux d'aliens. J'avais le sentiment qu'ils ne me comprenaient pas, qu'ils ne me respectaient

NOTRE MISSION : OBTENIR DES RENSEIGNEMENTS SUR LA JOURNÉE DE LA PETITE HUMAINE.

pas, et qu'ils me mettaient dans le même sac que tous les autres ados. Mais sache une chose : même si tu as le sentiment que tes parents vivent sur une autre planète, tout se passera beaucoup mieux si vous arrivez à communiquer.

Si tu souhaites améliorer la qualité de tes relations avec ton père et ta mère, essaie simplement de les écouter, exactement comme tu écouterais un ami. Il est certain que traiter ses parents comme si c'étaient des êtres normaux peut sembler un truc bizarre, mais essaie quand même, ça vaut le coup. On passe son temps à dire à nos parents : « Vous ne me comprenez pas. Personne ne me comprend. » Mais est-ce que tu t'es déjà arrêté cinq minutes pour te demander si, par hasard, ce ne serait pas toi qui ne les comprends pas ?

Figure-toi qu'à eux aussi, on leur met la pression. Toi, ce sont tes copines et ton contrôle d'Histoire imminent qui te causent du souci ; eux, c'est de gérer leur chef, et de trouver une solution pour arriver à te payer ton appareil dentaire. Il y a des jours où, comme toi, on leur manque de respect et où ils vont s'enfermer dans les toilettes pour aller pleurer un coup. Il y a des jours où ils se demandent comment ils vont arriver à régler toutes ces factures. Ta mère a sans doute rarement l'occasion de sortir toute seule, d'oublier ses tracas, et d'aller s'éclater. Peut-être que les voisins rigolent de ton père à cause de la voiture qu'il conduit. Peut-être que tes parents sacrifient certains de leurs propres rêves pour te permettre de réaliser les tiens. Hé ! Les parents sont des êtres humains, aussi. Ils rient, ils pleurent, ils sont blessés dans leur amour-propre, et certains jours, il peut leur arriver d'être un peu à côté de la plaque, tout comme toi et moi.

Si tu prends le temps de comprendre et d'écouter tes parents, il va se passer deux choses incroyables. Premièrement, ton respect pour eux grandira. À l'âge de dix-neuf ans, je me souviens avoir lu pour la première fois un des livres de mon père. Mon père était un auteur à succès et j'avais toujours entendu dire qu'il écrivait des méga-livres mais jusqu'alors, je n'avais jamais pris la peine d'en ouvrir un seul. Une fois la lecture de ce premier livre achevée, je me suis dit : « Trop fort ! J'ai vraiment un père intelligent. » Et moi, pendant toutes ces années, j'étais persuadé d'être plus intelligent.

Deuxièmement, si tu prends le temps de comprendre et d'écouter tes parents, tu obtiendras beaucoup plus souvent ce que tu désires. Il ne s'agit pas d'une technique de manipulation, mais simplement d'un principe. S'ils sentent que tu les comprends, ils t'écouteront d'autant plus, ils se montreront plus accommodants, et leur confiance en toi grandira. Un jour, une mère m'a sorti : « Si seulement mes ados de filles prenaient le temps de comprendre que je vis à cent à l'heure, et qu'elles faisaient des petits trucs à la maison pour m'aider, je leur accorderais tellement de privilèges qu'elles ne sauraient plus quoi en faire. »

Oui mais comment on s'y prend, pour mieux comprendre ses parents ? Commence par leur poser des questions. La dernière fois que tu as demandé à ta mère ou à ton père : « Ta journée s'est bien passée ? », ou : « Dis-moi ce que tu aimes bien et ce que tu aimes moins bien, dans ton travail », ou encore : « Qu'est-ce que je peux faire pour me rendre utile dans la maison ? », ça remonte à quand ?

De la même manière, tu peux commencer à effectuer de petits dépôts sur le CE ouvert chez eux. Pour cela, pose-toi la question suivante : « Un dépôt, ça pourrait être quoi, pour mes parents ? » Mets-toi à leur place et réfléchis-y en fonction de leur point de vue à eux, et non pas du tien. Un dépôt, à leurs yeux, ça pourrait par exemple consister à faire la vaisselle ou à sortir les poubelles sans qu'on te le demande. Ou bien à tenir tes engagements et rentrer à l'heure dite quand tu sors. Ou encore, si tu habites loin de chez eux, à leur passer un petit coup de fil le week-end.

Cherche ensuite à être compris $\widehat{J'}$ ai examiné les résultats d'une enquête interrogeant les gens sur leurs plus grandes peurs dans la vie. En deuxième position venait « Mourir. » Tu ne devineras jamais ce qui arrivait en première position. « S'exprimer en public » ! Mourir plutôt que s'exprimer en public. Incroyable, non ?

Il est certain que s'exprimer en public demande une certaine audace. Mais s'exprimer en général également. La deuxième moitié de l'Habitude n° 5, « Cherche ensuite à être compris », est aussi importante que la première, mais elle exige de nous quelque chose de différent. Si chercher d'abord à comprendre demande d'avoir de la considération pour les autres, chercher à être compris demande du courage.

Se contenter d'appliquer la première moitié de l'Habitude n° 5, « Cherche d'abord à comprendre », serait une marque de faiblesse. Un plan Perdant/Gagnant. C'est le syndrome de la carpette. Et pourtant, on a vite fait de s'y laisser piéger, surtout face à ses parents. « Pas question que je dise à ma mère ce que je ressens. Elle ne m'écoutera pas et de toute façon, elle ne peut pas comprendre. »

Résultat : nous refoulons tous ces sentiments au plus profond de nous-même, et nos parents, eux, continuent d'ignorer tout de ce que nous ressentons réellement. C'est malsain. Souviens-toi : les sentiments qu'on n'exprime pas ne meurent jamais. On les enterre vivants et ils ressortent tôt ou tard, aggravés. Et là, ce n'est pas beau à voir. Exprime tes sentiments, ou alors ils te rongeront de l'intérieur.

D'autre part, quand on a pris le temps d'écouter, on a toutes les chances d'être écouté à son tour. Dans le récit qui suit, regarde comment Nelly a appliqué concrètement les deux moitiés de l'habitude :

J'étais tombée malade et j'avais manqué l'école une journée. Mes parents trouvaient que j'étais en retard de sommeil et que je sortais trop tard le soir, et ça les préoccupait. Au lieu de leur sortir tout un tas d'excuses, j'ai essayé de comprendre leur raisonnement. Et je leur ai dit que j'étais d'accord avec eux. Mais je leur ai également expliqué que j'essayais de profiter un peu de mon année de terminale, et que pour cela, il fallait que je passe du temps avec mes amis. Ils ont fait un effort pour se mettre à ma place, et on a trouvé un arrangement : il fallait que ce week-end-là, je reste à la maison une journée entière et que je me repose. Je doute que mes parents se soient montrés aussi indulgents si je n'avais pas fait le premier pas pour essayer de les comprendre.

Lorsqu'on cherche à être compris, une partie importante du processus consiste à donner des informations en retour. Si on s'y prend bien, cela peut même constituer un versement sur le CE ouvert chez l'intéressé. Quelqu'un qui se balade avec sa braguette ouverte, par exemple, donne-lui l'information en retour ; crois-moi, on t'en sera reconnaissant. Si un (ou une) ami(e) proche a une haleine de chacal (au point que ça devienne une réputation qui lui colle à la peau), ne crois-tu pas que cette personne apprécierait d'avoir un feed-back sincère, s'il est exprimé avec délicatesse ? Il ne t'est jamais arrivé, en rentrant d'un rendez-vous amoureux, de découvrir que tu avais passé la soirée avec un gros morceau de viande coincé entre les dents ? Terrorisé, tu te repasses le film de tous les sourires que tu as lancés ce soir-là. Est-ce que tu n'aurais pas aimé que ton rendez-vous te le dise ?

Quand on a un CE créditeur, on peut ouvertement et sans hésiter donner de l'information en retour à la personne chez qui on l'a ouvert. Mon jeune frère Joshua, élève de terminale, témoigne :

Ce qui est cool, quand on a des frères et sœurs plus âgés, c'est qu'ils nous renvoient un feed-back.

Quand je rentre d'un match de foot ou de basket au lycée, mes parents sont là à m'attendre sur le pas de la porte, et ils passent au crible mes actions les plus remarquables. Ma mère s'extasie sur mes dons et mon père, lui, affirme que si mon équipe a remporté la victoire, c'est grâce à mes talents de meneur.

Quand ma sœur Jenny nous rejoint à la cuisine, je lui demande en général comment elle m'a trouvé. Et elle me balance que mon jeu était sans intérêt, que j'ai intérêt à me bouger si je veux me maintenir en première ligne, et qu'elle espère que je vais jouer un peu mieux à l'avenir parce que là, je lui colle la honte.

Comme Jenny et Josh sont très proches, c'est en toute sincérité qu'ils peuvent se renvoyer un feed-back. Garde les deux points suivants présents à l'esprit au moment où tu le feras à ton tour :

Premièrement, pose-toi la question suivante : « Est-ce que ce feed-back va réellement aider cette personne, ou bien est-ce que c'est pour moi que je le fais, dans le but de corriger cette personne à mon image ? » Si l'intention derrière le feed-back que tu renvoies n'est pas une volonté sincère de défendre les intérêts de l'intéressé, ce n'est sans doute ni le moment ni l'endroit pour le faire.

Deuxièmement, envoie des messages à la première personne plutôt qu'à la deuxième. Dis : « *Je* me demande si tu n'aurais pas un tempérament difficile », ou « *J'ai* l'impression que tu t'es conduit en égoïste. » Les messages à la deuxième personne ont tendance à sonner comme des menaces, parce que les gens ont le sentiment qu'on leur colle une étiquette. « C'est fou comme *tu* peux être égocentrique. » « *Tu* as vraiment un caractère de cochon. »

Voilà, je crois qu'on a fait le tour du problème. Il n'y a pas grand-chose à rajouter concernant cette habitude-là, à part éventuellement finir sur la pensée avec laquelle nous avons commencé : on naît avec une seule bouche, mais DEUX oreilles : alors utilisons-les dans ces proportions-là.

PROCHAIN ÉPISODE

Juste après ceci, nous allons voir comment
1 plus 1 font parfois 3. À plus !

PAS DE FOURMI

1. Vois combien de temps tu peux soutenir le regard de quelqu'un qui te parle.

2. Va dans une galerie marchande, trouve un endroit pour t'asseoir, et observe les gens communiquer entre eux. Vois ce qu'ils expriment à travers le langage du corps.

3. Aujourd'hui, à l'occasion de tes différentes rencontres, essaie d'appliquer le principe du miroir avec une personne, et essaie d'en singer une autre, juste pour le fun. Compare le résultat.

4. Pose-toi la question : « Dans lequel des cinq types de pseudo-écoute est-ce que je tombe le plus souvent : Perdu dans l'espace, Écoute simulée, Écoute sélective, Écoute superficielle, ou Écoute égocentrique (je porte un jugement, je donne des conseils, je questionne) ? » Bien. Maintenant, essaie de passer une journée entière sans t'y laisser prendre.

Style de pseudo-écoute dans lequel je tombe le plus souvent : _____

_____

5. Cette semaine, demande à ta mère ou à ton père : « Comment tu vas ? » Ouvre ton cœur et entraîne-toi à l'écoute réelle. Tu seras étonné(e) de tout ce que tu vas apprendre.

6.  Si tu as tendance à beaucoup tchatcher, fais-toi des vacances et passe ta journée à écouter. Ne parle que si tu ne peux pas faire autrement.

7. La prochaine fois que tu te surprendras à vouloir refouler tes sentiments au fond de toi, ne le fais pas. Au contraire, exprime-les d'une manière responsable.

8. Réfléchis à un cas de figure dans lequel le feed-back constructif que tu pourrais renvoyer à quelqu'un pourrait réellement aider l'intéressé(e). Trouve le moment propice et parle à cette personne.

Personne que je pourrais aider en lui renvoyant un feed-back : _____

_____

Crée un effet de

Synergie

$$1+1=3$$

La
Voie supérieure

Seuls nous pouvons faire si peu; ensemble, nous pouvons faire tant.
HELEN KELLER

Tu as déjà vu un de ces escadrons d'oies qui mettent le cap sur le Sud pour l'hiver, groupées en « **V** »? Les scientifiques ont découvert des trucs incroyables expliquant pourquoi elles se groupent en de telles formations :

...COIN!...

- En se groupant en escadron, la volée augmente sa vitesse de 71 % par rapport à celle d'un animal qui volerait en solo. À chaque battement d'aile, l'oie crée un courant d'air ascendant favorable à celle qui se trouve placée derrière elle.

...COIN!...

- Lorsque l'oie de tête est fatiguée, elle passe à l'arrière du « **V** », laissant sa place à une autre qui prend la tête de l'escadron.

- Les oies placées à l'arrière cacardent pour encourager celles du devant.

...COIN!...

- Lorsqu'une oie sort de la formation et tente de voler en solo, elle ressent immédiatement la résistance de l'air et réintègre rapidement la formation.

- Enfin, si une des oies tombe malade ou est blessée et qu'elle rompt les rangs, deux autres oies l'escortent jusqu'au sol pour lui porter assistance et assurer sa protection. Elles restent auprès de l'oie blessée jusqu'à sa guérison ou sa mort, puis rejoignent une autre formation, ou créent la leur de façon à rattraper le groupe.

Drôles d'oiseaux que ces oies! Intelligentes, non? En se faisant mutuellement profiter des courants ascendants, en organisant un tour pour la position de tête, en s'encourageant de coin-coins, en restant groupées en formation et en veillant sur les blessés, elles sont beaucoup plus performantes que si chaque animal volait en solo. Je me demande ce que ça donnerait si elles s'inscrivaient en Habitude n° 6, « Crée un effet de synergie ». Hmmmm...

Mais que signifie « créer un effet de synergie » ? En clair, on obtient un effet de synergie lorsque deux personnes ou plus travaillent ensemble à trouver une solution meilleure que celle à laquelle chacun aurait pu aboutir isolément. Ce n'est pas ma vision contre la tienne, mais une troisième, une voie supérieure.

L'effet de synergie est la récompense, le fruit délicieux qu'on savoure d'autant plus souvent qu'on applique les autres habitudes concrètement, au quotidien, en particulier jouer Gagnant/Gagnant et chercher d'abord à comprendre. Apprendre à créer un effet de synergie revient à apprendre à se grouper en « **V** » avec les autres, plutôt que d'essayer de jouer la carte de la voltige en solo. Le gain en termes de vitesse et de distance parcourue est tout simplement extraordinaire !

Afin de mieux comprendre ce qu'est la synergie, voyons ce que la synergie n'est pas :

CRÉER UN EFFET DE SYNERGIE, C'EST :	CRÉER UN EFFET DE SYNERGIE, CE N'EST PAS :
Se réjouir de nos différences	Tolérer nos différences
Travailler en équipe	Travailler pour soi
Avoir l'esprit ouvert	Penser qu'on a toujours raison
Trouver de nouvelles solutions plus efficaces	Trouver un compromis

⊛ LA SYNERGIE EST PARTOUT

La synergie existe partout dans la nature. Les grands séquoias (qui peuvent atteindre plus de 90 m de hauteur) poussent en bouquets et se partagent un enchevêtrement impressionnant de racines communes. Sans le soutien des autres, ces mêmes arbres ne résisteraient pas à une tempête.

De nombreuses plantes et animaux vivent en symbiose. Si tu as déjà vu l'image de petits oiseaux se nourrissant sur le dos d'un rhinocéros, tu as vu l'effet de synergie. Chacun en profite : l'oiseau trouve sa nourriture, et le rhino se fait nettoyer.

La synergie, ça n'a rien de nouveau. Si tu as fait partie d'une équipe, n'importe laquelle, tu as déjà ressenti son effet. Si tu as déjà travaillé en équipe sur un projet qui a réellement vu le jour, ou s'il t'est déjà arrivé de passer une bonne soirée avec tout un groupe d'amis, tu as déjà ressenti son effet.

Un parfait exemple de synergie, c'est un bon groupe de musique. Ce n'est pas uniquement la batterie, la guitare, le sax, ou la chanteuse qui « fait » le son du groupe, mais plutôt leur réunion. Chacun des membres met son talent au service du groupe, dans le but de créer quelque chose de supérieur à ce dont il aurait été capable tout seul. Aucun instrument n'est plus important qu'un autre : chacun est différent.

SE RÉJOUIR DE NOS DIFFÉRENCES

L'effet de synergie ne se crée pas spontanément. C'est un processus auquel il faut accéder. Et la base, pour y accéder, est la suivante : apprends à t'enrichir des différences.

Je n'oublierai jamais comment j'ai fait la connaissance d'un garçon originaire des Samoa nommé Fine (ça se prononce Fi-Ni) Unga. Au premier abord, j'étais terrorisé. C'est vrai, quoi, ce type était une véritable montagne de muscles, il avait une gueule de tueur, et il avait la réputation d'être un bastonneur de première. Tout chez nous était différent : nos traits, notre look, notre façon de parler, de penser, et même de manger (il fallait voir ce type à table). La seule chose qu'on avait en commun, c'était le foot. Alors quelqu'un peut-il m'expliquer comment on a fait pour devenir les meilleurs amis du monde ? Peut-être justement du fait de cette différence. Je ne savais jamais trop bien ce que Fine avait derrière la tête, ni quel serait son prochain coup et ça, c'était un grand coup de frais. J'appréciais tout particulièrement notre amitié lorsqu'une bagarre éclatait. Il avait des forces que je n'avais pas et moi, j'en avais que lui n'avait pas. Résultat : ensemble, nous formions une équipe redoutable.

Heureusement, d'ailleurs, que le monde n'est pas fait d'une bande de clones qui pensent et agissent rigoureusement comme moi ! Merci mon dieu pour nos différences !

Quand on entend le mot *différences,* on pense tout de suite à des différences de race ou de sexe. Mais ce n'est pas uniquement de cela qu'il s'agit, loin s'en faut : il y a également les caractéristiques physiques, la façon de s'habiller, de s'exprimer, le pouvoir d'achat, la situation de famille, les convictions religieuses, le style de vie, l'instruction, les centres d'intérêt, les compétences, l'âge, le style etc. etc. Comme dit le Dr Seuss dans *One Fish, Two Fish, Red Fish, Blue Fish* :

Ils vont.
Et ils viennent.
Il y en a des rapides.
Et puis des lents.
Certains vont par monts.
Et d'autres par vaux.
Il n'y en a pas deux
Qui se ressemblent.
Pourquoi ? Va savoir !
Demande donc
à ta mère.

De jour en jour, le monde est en train de devenir un immense melting-pot de cultures, de races, de religions et d'idées. Dans la mesure où cette diversité ne cesse de croître autour de toi, tu as une décision importante à prendre s'agissant de l'attitude que tu veux adopter. Trois approches s'offrent à toi :

Niveau 1 : Rejeter nos différences
Niveau 2 : Tolérer nos différences
Niveau 3 : Se réjouir de nos différences

Rejeter nos différences

Celui qui *rejette* nos différences a peur (parfois jusqu'à la terreur) de la différence de l'autre. Qu'on puisse avoir une autre couleur de peau, adorer un autre dieu, ou porter des jeans d'une autre marque le dérange, dans la mesure où il est convaincu que son style de vie à lui est « le meilleur », « le plus juste », voire « le seul » possible. Il prend plaisir à ridiculiser tous ceux qui sont différents, s'imaginant au passage sauver le monde de quelque redoutable épidémie. Au besoin, il n'hésite pas à avoir recours à la force pour y parvenir, et se joint volontiers à des bandes organi-

sées, des cliques, ou des groupes de pression car, en bande, on se
sent plus fort.

Tolérer nos différences

Celui qui *tolère* la diversité pense que chacun a le droit d'être différent. Si la différence ne le fait pas fuir, elle ne l'enthousiasme pas
non plus. Sa devise, c'est : « Tu restes à ta place et je reste à la mienne. Tu fais ton truc et tu me laisses faire le mien. Tu me laisses tranquille, et je te laisse tranquille. »

Bien qu'il s'en approche, il *n'accède* jamais à l'effet de synergie
car il voit dans la différence de l'autre un obstacle, et non pas une
force potentielle à partir de laquelle construire. Dommage pour
lui.

Se réjouir de nos différences

Celui qui *se réjouit* de nos différences apprécie la différence de
l'autre. Il y voit non pas une faiblesse, mais un avantage. Il a
compris que deux personnes qui pensent différemment peuvent
aller plus loin que deux personnes qui pensent de façon identique.
Il réalise que se réjouir de nos différences n'implique pas nécessairement d'*épouser* cette différence, comme se dire de droite ou de
gauche, par exemple, mais simplement de la *respecter.* À ses yeux,
Différence = Étincelles créatives = Opportunité.

Alors où te places-tu dans cet éventail ? Observe-toi sans complaisance. Si quelqu'un porte des vêtements dont le style n'est pas
conforme au tien, est-ce que tu apprécies la particularité de ce
style, ou est-ce que tu considères l'individu en question comme un
bouffon ?

Pense à une communauté dont les convictions religieuses sont
contraires aux tiennes. Est-ce que tu respectes leurs croyances, ou
est-ce que tu les prends pour une une bande d'illuminés ?

Ceux qui viennent d'un quartier différent du tien, considères-
tu qu'ils pourraient t'en apprendre, ou est-ce que tu leur colles une
étiquette en fonction de leur quartier d'origine ?

La vérité, c'est que pour la plupart d'entre nous, se réjouir de
nos différences exige de fournir un effort. Tout dépend de l'aspect
abordé. On peut très bien se réjouir de la différence d'une
personne au plan racial ou culturel, par exemple, et, dans le même
temps, snober cette même personne à cause des vêtements qu'elle
porte.

⚜ Chacun de nous constitue une minorité à lui tout seul

S'enrichir de nos différences devient beaucoup plus facile une fois qu'on a réalisé que chacun de nous constitue une minorité à lui tout seul. Rappelons-nous également qu'il ne faut pas réduire la différence à un phénomène purement extérieur, car c'est à l'intérieur qu'elle prend racine. Dans son livre *All I Really Need To Know I Learned in Kindergarten*, Robert Fulghum écrit : « Nous sommes aussi différents à l'intérieur de nos têtes que nos têtes ont l'air différentes vues de l'extérieur. » Mais en quoi sommes-nous différents à l'intérieur ? Eh bien…

Nous apprenons différemment : Tu l'auras sans doute remarqué, ton cerveau et celui de ta sœur ne fonctionnent pas de la même façon. Le Dr Thomas Armstrong a identifié sept profils de jugeotes et suppose que c'est en ayant recours à son intelligence dominante qu'un gamin apprend le plus efficacement.

- LINGUISTIQUE : Apprend par la lecture, l'écriture, la narration
- LOGIQUE-MATHÉMATIQUE : Apprend par la logique, les schémas, les catégories, les relations
- CORPOREL-KINÉSIQUE : Apprend par les sensations du corps, le toucher
- SPATIAL : Apprend par les descriptions et les représentations
- MUSICAL : Apprend par le son et le rythme
- INTERPERSONNEL : Apprend par l'interaction et la communication avec les autres
- INTRAPERSONNEL : Apprend par ses propres sensations

Aucun profil n'est meilleur qu'un autre, ils sont simplement différents. Tandis que chez ta sœur l'aspect dominant est peut-être Interpersonnel, le tien pourra très bien être Logique-Mathématique. Selon ton attitude face aux différences, tu peux soit décréter qu'elle est bizarre sous prétexte qu'elle parle beaucoup, soit tirer profit de ses différences et lui demander de t'aider pour tes exposés.

Nous voyons différemment : Chacun de nous a sa propre façon de voir le monde, et se perçoit lui-même, les autres, et la vie en général à travers des paradigmes qui lui sont propres. Pour comprendre ce que je dis, tentons une petite expérience. Observe le dessin ci-contre pendant quelques secondes. Maintenant observe le dessin placé en haut de la page 266 et décris ce que tu vois. Tu es capable

de prétendre que le dessin du haut de la page 266 est un gribouillis représentant une petite souris à longue queue.

Mais si je te disais que tu te trompes? Si je te disais que moi, ce n'est pas du tout une souris que je vois, mais un gribouillage représentant un homme portant des lunettes? Est-ce que tu respecterais mon point de vue, ou est-ce que tu me prendrais pour un bouffon sous prétexte que je ne vois pas la même chose que toi?

Pour comprendre mon point de vue, reporte-toi à la page 274 et examine un moment le dessin qui se trouve en haut. Puis retourne à la page 266. Bien. Tu vois ce que je vois?

Tout cela pour dire que tous les événements que nous avons vécu dans notre vie ont fini par constituer une optique (ou paradigme) à travers laquelle nous voyons le monde. Et comme il n'existe pas deux personnes au monde partageant rigoureusement le même vécu, il n'existe pas deux personnes au monde qui voient les choses de façon identique. Certains voient des souris, d'autres des hommes, et tous sont dans le vrai.

Une fois que tu auras saisi que chacun de nous voit le monde avec des yeux différents, tout en étant les uns et les autres dans le vrai, ta capacité à comprendre et à respecter des points de vue divergeants va s'amplifier (n'hésite pas à tenter cette même expérience avec un ou une amie).

Nous avons chacun un style, des particularités, et des traits de caractère différents : Le sympathique exercice qui suit n'a pas la prétention de proposer une analyse en profondeur, mais simplement une approche amusante de certaines de tes caractéristiques générales et des traits de ta personnalité. Adapté de _It's All in Your Mind_, de Kathleen Butler, il a été développé par une grande école de droit de Caroline du Nord.

Lis chaque ligne horizontalement, numérote de 1 à 4 les mots qui te décrivent le mieux, et répète l'opération pour chaque ligne.

EXEMPLE :

| Imaginatif | 2 | Investigateur | 4 | Réaliste | 1 | Analytique | 3 |

COLONNE 1	COLONNE 2	COLONNE 3	COLONNE 4
Imaginatif	Investigateur	Réaliste	Analytique
S'adapte	Inquisiteur	Organisé	Esprit critique
Établit des liens	Crée	Va droit au but	Discute
Individuel	Goût du risque	Sens pratique	Académique
Accommodant	Inventif	Précis	Systématique
Esprit d'équipe	Indépendant	Méthodique	Sens pratique
Coopératif	Compétitif	Perfectionniste	Logique
Sensible	Fonceur	Travailleur	Cérébral
Met en contact	Résout	Organise	Prescrit
Participe	Initie	Mémorise	Détaille
Spontané	Modifie	Éxécute	Évalue
Communique	Découvre	Prudent	Raisonne
Prend soin	Stimule	Exerce	Questionne
Ressent	Éprouve	Agit	Réfléchit

Maintenant fait le total de chaque colonne (en laissant de côté l'exemple, bien sûr) et place le résultat obtenu dans chacune des cases ci-dessous.

COLONNE 1   COLONNE 2   COLONNE 3   COLONNE 4
Raisin   **Orange**   **Banane**   **Pastèque**

Si ton total le plus élevé tombe dans la colonne 1, on va dire que tu es un Raisin.

Si ton total le plus élevé tombe dans la colonne 2, on va dire que tu es une Orange.

Si ton total le plus élevé tombe dans la colonne 3, on va dire que tu es une Banane.

Si ton total le plus élevé tombe dans la colonne 4, on va dire que tu es une Pastèque.

Maintenant, regarde ci-après, trouve le fruit qui te correspond, et vois ce que cela t'inspire.

RAISIN

Parmi les aptitudes naturelles des Raisins, on trouve :

- Aptitude à la réflexion
- Sens pratique
- Souplesse
- Créativité
- Préférence pour le travail en équipe

Les Raisins apprennent le mieux quand ils ou elles :

- Peuvent travailler et échanger des idées avec les autres
- S'amusent en travaillant
- Peuvent communiquer
- Ne sont pas mis en compétition

Les Raisins peuvent avoir du mal à :

- Donner des réponses précises
- Se concentrer sur une seule chose à la fois
- S'organiser

Pour s'épanouir, les Raisins doivent :

- Apporter plus d'attention aux détails
- Ne pas foncer tête baissée
- Dépassionner le débat pour prendre leurs décisions

ORANGE

Parmi les aptitudes naturelles des Oranges, on trouve :

- Expérimentation
- Indépendence
- Curiosité
- Création d'approches nouvelles
- Introduction de changements

Les Oranges apprennent le mieux quand ils ou elles :

- Peuvent procéder par tâtonnements
- Travaillent sur de vrais produits
- Sont mis en compétition
- Se gèrent eux-mêmes

Les Oranges peuvent avoir du mal à :

- Respecter leurs délais
- Suivre en cours
- Choisir parmi une palette d'options restreinte

Pour s'épanouir, les Oranges doivent :

- Déléguer
- Apprendre à accepter les idées des autres
- Apprendre à hiérarchiser les priorités

BANANE

Parmi les aptitudes naturelles des Bananes, on trouve :

- Sens de l'organisation
- Aptitude à réunir de l'information
- Assignation des tâches
- Suivi des instructions

Les Bananes apprennent le mieux quand ils ou elles :

- Doivent procéder selon une méthode
- Ont des objectifs clairement définis
- Travaillent en confiance
- Évoluent en terrain connu

Les Bananes peuvent avoir du mal à :

- Se mettre à la place des autres
- Gérer l'adversité
- S'adapter aux situations nouvelles qui surgissent

Pour s'épanouir, les Bananes doivent :

- Exprimer plus souvent ce qu'ils ou elles ressentent
- Demander des explications en cas de points de vue divergents
- Être moins rigide

PASTÈQUE

Parmi les aptitudes naturelles des Pastèques, on trouve :

- Échange de points de vue
- Élaboration de solutions
- Analyse des idées
- Capacité à déterminer la valeur ou l'importance

Les Pastèques apprennent le mieux quand ils ou elles :

- Ont accès aux sources
- Peuvent travailler de façon autonome
- Sont respectés pour leurs compétences intellectuelles
- Suivent des méthodes traditionnelles

Les Pastèques peuvent avoir du mal à :

- Travailler en équipe
- Supporter la critique
- Convaincre les autres par la diplomatie

Pour s'épanouir, les Pastèques doivent :

- Accepter les imperfections
- Examiner toutes les solutions
- Prendre en compte ce que ressentent les autres

❋ CÉLÈBRE TA PROPRE DIFFÉRENCE

La question qu'on aurait tendance à se poser est la suivante : *Lequel de ces fruit est le meilleur ?* Réponse : *Question stupide.*

J'ai trois frères. Bien que nous ayons pas mal de choses en commun — la taille du nez et les mêmes parents, par exemple — nous sommes très différents. Quand j'étais plus jeune, je passais mon temps à essayer de me prouver à moi-même que j'étais plus doué qu'eux. « OK, tu es peut-être plus ouvert que moi. Et alors ? Je suis meilleur que toi en classe et c'est ça qui compte. » Depuis, je me suis rendu compte de la stupidité de tels raisonnements, et j'apprends à apprécier nos points forts respectifs : chacun les siens. Personne n'est mieux ou moins bien ; on est simplement différents.

Alors ne te mets pas martel en tête quand un membre du sexe opposé (avec lequel tu meurs d'envie de sortir) ne craque pas pour toi. Tu auras beau être le plus suave et le plus alléchant de tous les raisins du secteur, c'est peut-être une banane que cherche cette personne. Et que tu aies envie de goûter à autre chose ou pas, tu resteras un raisin et l'autre continuera de chercher une banane.

Plutôt que d'essayer de te fondre dans la masse et de vouloir ressembler à tout le monde, sois fier(e) de tes différences et de tes qualités uniques, et réjouis-t'en. Une salade de fruits, c'est délicieux précisément parce que chacun des fruits qui la compose garde son goût spécifique.

❋ LES PRINCIPAUX OBSTACLES QUI NOUS EMPÊCHENT DE CÉLÉBRER NOS DIFFÉRENCES

Bien qu'il en existe un grand nombre d'autres, trois obstacles majeurs se dressent en travers de la route qui mène à la synergie : l'ignorance, l'appartenance à une clique, et les préjugés.

L'ignorance : Cela signifie qu'on ne sait pas de quoi on parle. On ne sait rien de l'autre : ni de ses convictions, ni de ses sentiments, ni des épreuves qu'il ou elle a dû subir. L'ignorance fleurit dès qu'il s'agit d'essayer de comprendre les personnes souffrant d'une infirmité, comme Crystal Lee Helms l'explique dans cet article proposé à *Mirror,* un journal de la région de Seattle :

Mon nom est Crystal. Je mesure 1,55 m et j'ai les yeux noisette. Passionnant, non ? Et si je vous disais que je suis sourde ?

Dans un monde parfait, ça n'aurait pas, ou ça ne devrait pas, avoir d'importance. Mais on ne vit pas dans un monde parfait, et donc ça en a.

*Dès l'instant où les gens s'aperçoivent que je suis sourde, leur attitude
change du tout au tout. Tout d'un coup, on me regarde différemment.
Vous seriez surpris de les voir faire.*

*La question à laquelle j'ai droit le plus souvent, c'est : « C'est arrivé
comment ? » Je leur réponds et là, j'ai droit à une réaction à peu près aussi
originale que la question elle-même : « Oh, ma pauvre, je suis désolé(e).
C'est trop triste. » À chaque fois, je me borne à les regarder droit dans les
yeux et je les informe calmement : « Non, je vous assure, ça n'a rien de
triste. Ne soyez pas désolé. » L'intention a beau être bonne, la pitié a le
don de me révulser.*

*Mais je ne me mets pas systématiquement sur la défensive. Certaines
attitudes sont même franchement drôles. Un jour, j'étais en train de chanter avec mes amis quand ce mec que je ne connaissais pas s'est approché
de moi et a commencé à me parler :*

« Ça fait quoi d'être sourd ? »

*« Je ne sais pas. Ça fait quoi d'entendre ? Je veux dire, ça fait rien du
tout. C'est, voilà tout. »*

*Alors juste un tuyau : si tu rencontres un sourd, ne lui colle pas une éti-
quette de handicapé ou d'infirme. Prends plutôt le temps d'apprendre à
le connaître et découvre par toi-même ce que c'est que d'être sourd.
Comme ça, tu t'ouvriras non seulement aux autres mais aussi à toi-même.
Et ça, c'est encore plus important.*

<u>*L'appartenance à une clique :*</u>
Il n'y a pas de mal à aimer la
compagnie de ceux parmi
lesquels on se sent bien.
Cela ne devient un problème qu'à partir du moment
où ce groupe d'amis devient
un club tellement fermé que
tout individu qui ne serait pas
conforme au modèle en est immédiatement exclu.

Difficile de s'enrichir des
différences au sein d'une
clique, tant la marge de
manœuvre est étroite. Tandis
que ceux qui se trouvent à l'extérieur
du cercle ont le sentiment d'être des citoyens de seconde zone,
ceux qui en sont membres, eux, souffrent fréquemment d'un com-

plexe de supériorité. Se faire accepter au sein d'une coterie n'est pourtant pas difficile. La seule chose à faire, c'est de renoncer à son identité, de s'assimiler, et de devenir soi-même un clone.

Les préjugés : Il ne t'est jamais arrivé de sentir qu'on te classait comme un stéréotype, qu'on te collait une étiquette, ou qu'on te jugeait d'avance sous prétexte que tu n'avais pas la couleur de peau requise, que ton accent était un peu trop marqué, ou que tu n'habitais pas le bon quartier? Ce sentiment, nous l'avons tous connu un jour, et c'est un sentiment insupportable, n'est-ce pas?

Tous les hommes naissent libres et égaux mais hélas, certains grandissent plus libres et égaux que d'autres. La triste vérité, c'est que des obstacles supplémentaires se dressent sur la route des minorités de toute nature, uniquement du fait de préjugés largement partagés. Le racisme est l'un des problèmes les plus anciens de notre monde. Écoute l'expérience de Nath :

> *Le racisme ne facilite pas la réussite. Quand on est Black et qu'à l'université, on fait partie du peloton des 10 % de tête dans sa discipline avec une moyenne annuelle qui tourne autour de 18-19, certains ont tendance à se sentir menacés. Je ne souhaite qu'une chose, c'est que les gens réalisent que chacun mérite d'avoir les mêmes chances, quels que soient son pays d'origine ou la couleur de sa peau. En ce qui me concerne, et pour mes amis aussi, c'est clair : nous nous battrons toujours contre les préjugés.*

On ne naît pas avec des préjugés. On nous les inculque. Un enfant, par exemple, ne fait pas la différence entre les différentes couleurs de peau. Mais en grandissant, il reprend les préjugés des autres et érige des murs à son tour, comme l'illustrent les paroles de cet air de la comédie musicale *South Pacific,* de Rogers et Hammerstein :

> *C'est bien parce qu'on nous l'apprend,*
> *Qu'on a peur de ceux dont le teint est différent,*
> *Et de ceux qui ont un drôle d'accent,*
> *C'est bien parce qu'on nous l'apprend,*
> *Consciencieusement.*

> *C'est bien parce qu'on nous l'apprend,*
> *Avant qu'il ne soit trop tard, à six, sept ou huit ans,*
> *Qu'on déteste tous ceux que détestent nos parents,*
> *C'est bien parce qu'on nous l'apprend,*
> *Consciencieusement !*

Le poème qui suit, une bien triste histoire dont la source n'est pas identifiée, illustre ce qui se passe lorsqu'on juge sans connaître.

LE FROID INTÉRIEUR

Six hommes,
dans le froid glacial et tranchant de l'hiver
D'un bout de bois chacun nanti, ensemble se retrouvèrent.
Écoute leur misère.

Le feu se mourrait, manquant cruellement de bûches
Mais plein de suspicion, le premier homme se retint
Car de la peau noire d'un visage, il n'appréciait pas le teint.

Le second, avisant l'assemblée
Objectant que tous ne fréquentaient pas son clocher,
Ne put se résoudre à mettre au feu son noyer.

Le troisième, vêtu de haillons, préféra rester chiche :
À quoi bon sacrifier sa bûche, pour réchauffer des riches ?

Un quatrième se tenait en retrait, songeant à sa noblesse.
Des mains de vils manants, il préservait sa richesse.

L'homme noir pleura de colère en voyant le feu rendre l'âme,
Vouloir priver l'homme blanc de bois, avait été son drame.

Le dernier homme de ce triste groupe était comme un vautour
Il ne donnait jamais trop rien sans espérer en retour.

Des bûches serrées dans leurs mains scellèrent à jamais
Le destin de ces hommes aux âmes pétrifiées.
Le froid qui soufflait en eux était bien pire encore
que celui de l'hiver : leur cœur était amer,
et leur corps était mort.

PRÔNER LA DIVERSITÉ

Par bonheur, il y a de par le monde un grand nombre de gens chaleureux sachant apprécier nos différences. L'histoire suivante, rapportée par Bill Sanders, est un merveilleux exemple de courage et un beau plaidoyer en faveur de la diversité :

Il y a quelques années, j'ai été témoin d'un acte de courage qui m'a donné des frissons dans le dos.

Lors d'une réunion de tous les élèves du lycée, j'ai parlé de notre tendance à harceler les gens, et évoqué une faculté qu'on a tous : défendre les autres, plutôt que de les enfoncer. Ensuite, chacun a été invité à descendre des gradins pour venir s'exprimer au micro. Les étudiants pouvaient par exemple remercier quelqu'un qui les avait aidés, et certains en sont restés là. Une fille a remercié des amis à elle qui l'avaient aidée à se sortir d'une crise familiale. Un type a parlé de gens qui l'avaient soutenu à une époque où il était un peu perturbé sur le plan émotionnel.

Et puis une fille de terminale s'est levée. Elle est montée sur l'estrade, s'est emparé du micro et, désignant du doigt le carré des troisièmes, elle a lancé un défi au lycée tout entier : « Arrêtons d'être toujours sur le dos de ce garçon. C'est vrai qu'il est différent, mais on est tous dans la même galère. Au fond, il est exactement pareil que nous, et on doit non seulement l'accepter tel qu'il est, mais aussi l'aimer, partager ses peines et lui monter qu'on le soutient. Il a besoin d'amis. Alors pourquoi passer notre temps à nous acharner sur lui et à le démolir ? Je lance un défi à tous les élèves de ce lycée : arrêtons de lui mettre la pression et donnons-lui sa chance ! »

> Chaque jour, nos différences nous mettent au défi de pousser les portes d nouveaux horizons
>
> Symbole en Langue des américaine pour dire
>
> **« DANS NOTRE DIVI SITÉ, NOUS SOMME COMPLÉMENTAIRES**

Tout le temps qu'elle était au micro, je tournais le dos au carré où se trouvait le type, et je n'avais pas la moindre idée de qui ça pouvait être. Mais tout le lycée le connaissait, c'était clair. Le pauvre garçon devait être écarlate de honte et n'avoir qu'une envie : aller se réfugier sous son siège loin des regards. J'avais presque peur de regarder dans sa direction. Mais quand je me suis retourné pour jeter un œil, j'ai vu un garçon qui avait la banane jusqu'aux oreilles. Il bondissait de joie sur place en brandissant son poing dans les airs. Son corps tout entier parlait et disait : « Merci, merci. Continue à leur dire, ne t'arrête surtout pas. Aujourd'hui, tu m'as sauvé la vie. »

Trouver la Voie supérieure

Une fois qu'on a accepté l'idée que nos différences constituent une force et non pas une faiblesse, et une fois qu'on a pris le parti de célébrer ces différences, ou tout au moins de s'y efforcer, on est mûr pour accéder à la Voie supérieure. La définition bouddhiste de la Voie du Milieu n'est pas « trouver un compromis », mais bien s'élever, comme au sommet d'un triangle.

Créer un effet de synergie, ce n'est pas simplement trouver un compromis ou se montrer coopératif. Trouver un compromis, c'est

1 + 1 = 1,5. Coopérer, c'est 1 + 1 = 2. Créer un effet de synergie, c'est 1 + 1 = 3, voire plus. C'est coopérer de façon créative, et j'insiste sur le mot *créative*. Le tout est supérieur à la somme des parties.

Les ouvriers du bâtiment le savent bien. Si une poutre de 5 × 10 cm peut supporter une charge de 275 kg, alors deux poutres de 5 × 10 cm devraient pouvoir supporter 550 kg. Pas vrai ? Eh bien deux poutres de 5 × 10 cm supportent en fait 825 kg. Quand on les cloue ensemble, elles supportent 2 210 kg. Et quand on en cloue trois ensemble, la charge totale supportée monte à 3 842 kg. Les musiciens également connaissent bien le principe. Ils savent qu'un Do et un Sol parfaitement accordés donnent une troisième note : un Mi.

On va toujours plus loin quand on trouve la Voie supérieure. C'est ce qu'Amélie a découvert :

> En guise de TP de Physique, le prof nous a fait une démonstration du principe des quantités de mouvement, et il nous avait demandé de construire une catapulte, comme au Moyen Âge. Nous, on appelait ça un lance-citrouille.
>
> Dans mon groupe, on était trois : deux garçons, et moi. Comme on était très différents, on a chacun proposé des idées très différentes.
>
> Pour actionner la catapulte, l'un de nous voulait se servir des élastiques dont on se sert pour le saut à l'élastique. Un autre voulait utiliser un système de cordes tendues. On a essayé chacune des techniques sans arriver à grand-chose, et puis on a eu l'idée de combiner les deux. Du coup, on a démultiplié la puissance de l'engin. Jamais on ne serait arrivé à un tel résultat chacun de notre côté. Cool, parce qu'on a multiplié par deux la portée de notre tir.

Un effet de synergie a été créé quand les fondateurs des États-Unis ont élaboré leur mode de gouvernement. William Paterson proposait le *New Jersey Plan,* selon lequel les États devaient avoir droit au même nombre de voix, indépendamment de la taille de

HABITUDE 6

leur population. Ce plan était favorable aux États de petite taille. James Madison avait une autre idée, connue sous le nom de *Virginia Plan* : il proposait au contraire que la représentation des États soit proportionnelle à leur population. Ce plan était favorable aux États les plus importants.

Après des semaines de délibération, on en arriva à une décision qui donnait satisfaction à chacun des deux camps. Il fut décidé que le Congrès serait divisé en deux branches. D'une part, le Sénat, au sein duquel chaque État serait représenté par deux voix, quelle que soit l'importance de sa population. D'autre part, la Chambre des Représentants, au sein de laquelle chaque État disposerait d'un nombre de voix proportionnel à son poids démographique.

Bien qu'elle porte le nom de Grand Compromis, cette célèbre décision devrait en réalité s'appeler la Grande Synergie, dans la mesure où elle s'est révélée meilleure que les propositions originales faites de part et d'autre.

● ACCÉDER À LA SYNERGIE

Que ce soit dans le cadre d'une dispute avec tes parents concernant tes petites sorties amoureuses et l'heure limite à laquelle tu dois être rentré(e) le soir, d'une activité scolaire à organiser avec tes camarades de classe, ou simplement de divergence d'opinions, il existe une technique pour *accéder à la synergie*. Voici un plan d'action tout simple, en cinq étapes, permettant d'y parvenir.

Objectif : Synergie
PLAN D'ACTION

 DÉFINITION DU PROBLÈME
OU L'OPPORTUNITÉ

 POINT DE VUE DE L'AUTRE
(Cherche d'abord à comprendre le point de vue des autres.)

 MON POINT DE VUE À MOI
(Cherche à être compris en exposant tes idées.)

 ÉCHANGE D'IDÉES
(Imagine de nouvelles solutions et de nouvelles idées.)

 VOIE SUPÉRIEURE
(Trouve la solution la plus appropriée.)

FAIS-TOI UNE COPIE DE CE PLAN D'ACTION ET PLACE-LA DANS UN ENDROIT OÙ TU POURRAS LA CONSULTER FRÉQUEMMENT.

Afin d'en vérifier le fonctionnement, essayons d'appliquer le plan d'action à un problème concret.

Les vacances

Ton père : *Je ne veux pas le savoir, ce que tu ressens. Tu viens en vacances, que ça te plaise ou non. C'est prévu depuis des mois, et je tiens à ce qu'on passe du temps en famille, tous ensemble.*

Toi : *Mais je n'ai pas envie d'y aller, moi. Je veux rester avec mes amis. Je vais tout rater.*

Ta mère : *Pas question que tu restes ici toute seule. Je serais inquiète tout le temps et ça me ficherait mes vacances en l'air. Tu viens avec nous.*

DÉFINITION DU PROBLÈME OU L'OPPORTUNITÉ

Dans ce cas de figure, c'est d'un problème qu'il s'agit. Ce problème est le suivant :

Mes parents veulent que je parte en vacances en famille, mais je préfèrerais rester à la maison et sortir avec mes amis.

POINT DE VUE DE L'AUTRE *(Cherche d'abord à comprendre le point de vue des autres.)*

Essaie d'avoir recours aux techniques d'écoute étudiées dans le cadre de l'Habitude n° 5, de façon à réellement essayer de comprendre ta mère et ton père. Souviens-toi que pour avoir un minimum de poids et exercer une quelconque influence sur tes parents, il faut qu'ils se sentent compris.

Si tu écoutes, tu vas apprendre ceci :

Pour mon père, ces vacances sont très importantes. Il tient à ce qu'on passe un bon moment tous ensemble, en famille. Il a le sentiment que sans moi, ce ne serait pas la même chose. Ma mère estime que si je restais seule à la maison, ils se feraient tellement de souci pour moi que leurs vacances seraient gâchées.

 MON POINT DE VUE À MOI *(Cherche à être compris en exposant tes idées.)*

Maintenant applique la deuxième moitié de l'Habitude n° 5 et aie le courage de dire ce que tu ressens. Si tu as pris le temps de les écouter, tu as d'autant plus de chances d'être écoutée à ton tour. Donc, tu exprimes à tes parents ce que tu ressens.

Maman, Papa, je voudrais rester à la maison et passer du temps avec mes amis. Ils comptent beaucoup pour moi. On a prévu de faire plein de trucs, ça va être top ; je ne voudrais surtout pas rater ça. En plus, passer la journée dans une voiture bondée avec mon petit frère et ma petite sœur, ça me saoûle.

 ÉCHANGE D'IDÉES *(Imagine de nouvelles solutions et de nouvelles idées.)*

C'est là que la magie opère. Fais appel à ton imagination et ensemble, trouvez de nouvelles idées auxquelles vous n'auriez jamais pensé chacun de votre côté. Tout au long de votre « remue-méninges », garde présents à l'esprit ces conseils :

- *SOIS CRÉATIF :* Laisse libre cours à tes idées les plus hardies. Lâche-toi.
- *ÉVITE DE CRITIQUER :* Rien n'anéantit plus le processus de création que les critiques.
- *REBONDIS :* Attrape les meilleures idées au vol et surenchérit. Une bonne idée en entraîne une deuxième, laquelle en entraîne une troisième.

Idées nées du brainstorming :
- *Papa a dit qu'on pourrait choisir une destination qui me plairait plus.*
- *J'ai proposé d'aller m'installer chez de la famille qui habite dans le coin.*
- *Maman m'a suggéré d'emmener une amie avec moi.*
- *J'ai proposé d'aller les rejoindre en car (avec mes économies), comme ça j'échapperais au voyage dans la voiture bondée.*
- *Pour me faciliter la vie, ma mère était prête à raccourcir la durée du séjour.*
- *J'ai proposé de rester à la maison une partie de leur séjour et de les rejoindre plus tard.*
- *Papa a dit d'accord si je profitais de leur absence pour repeindre le couloir de l'entrée.*

VOIE SUPÉRIEURE *(Trouve la solution la plus appropriée.)*

Après une bonne scéance de brainstorming, la meilleure idée finit généralement par se présenter. Il s'agit alors simplement de jouer le jeu :

Nous sommes tous tombés d'accord : je pourrais rester à la maison pendant la première moitié de la semaine, et puis j'irais les rejoindre en bus avec une amie, et on passerait le reste de la semaine en famille. Ils m'ont même proposé de nous payer nos tickets de car à toutes les deux si, de mon côté, je repeignais le couloir de l'entrée. Comme ce n'est pas un boulot insurmontable, ça me laisse du temps pour sortir avec mes amis. Ils sont contents, et moi aussi.

Si tu suis dans les grandes lignes les directives listées ci-dessus, tu seras stupéfait de ce que tu peux obtenir. Mais pour accéder à la synergie, il est nécessaire de faire preuve d'une maturité certaine. D'abord, il est impératif de s'ouvrir au point de vue des autres.

Ensuite, il faut avoir le courage d'exprimer son propre point de vue. Et finalement, il faut laisser libre cours à son imagination.

Regarde comment cette élève de seconde a accédé à la synergie :

On s'approchait à grand pas de la soirée de fin d'année [11], et j'avais repéré une robe qui me plaisait bien dans un magazine de mode. Le seul problème, c'est que comme je suis carrément grande, ça faisait un peu court pour moi. Et je savais que ça ferait flipper ma mère.

Le soir même, on s'est mis autour de la table et on a commencé à parler de la soirée et du garçon au bras duquel je m'y rendrais. Je lui ai montré la robe dans un magazine et, comme prévu, sa réaction a été : « Pas question ! C'est beaucoup trop court. » Je l'ai laissée exprimer son point de vue : ce qu'il fallait que je fasse, et dans quels magasins il fallait que j'aille chercher.

Rien de ce qu'elle disait ne me plaisait, mais bon, elle avait des idées bien arrêtées. Et là, on s'est mis à jeter des idées en vrac, comme ça. L'une d'elles était de trouver une couturière et de lui demander ce qu'elle pourrait nous sortir qui nous plaise à toutes les deux. J'ai illico appelé une copine, j'ai trouvé une couturière, et peu de temps après, on en était à faire des croquis, et à écumer les magasins à la recherche de tissus, unis et imprimés. Résultat : on a pondu un truc magnifique, vraiment personnel. Personne ne portait la même robe. J'ai dépensé moins d'argent que j'avais prévu, et ça a beaucoup plu à mes amis aussi.

Lance-toi

Le plan d'action « Objectif : Synergie » peut être déployé dans des situations de toute sorte :

- Dans le cadre d'un TD de biologie, on vient de te coller dans un groupe de travail avec trois personnes que tu ne connais ni d'Adam ni d'Eve.
- Ton petit copain et toi n'arrivez pas à vous mettre d'accord pour décider dans laquelle des deux familles vous allez passer le réveillon.
- Tu veux faire des études à l'université, mais tes parents ne sont pas prêts à t'aider financièrement.
- En qualité de représentant des étudiants, tu es chargé d'organiser avec ton équipe la plus grosse soirée de l'année.
- Ta belle-mère et toi n'arrivez pas à vous entendre sur l'heure à laquelle tu dois être rentrée le soir quand tu sors.

- Tu n'arrêtes pas de te disputer avec ton frère au sujet de l'ordinateur.

Le plan d'action « Objectif : Synergie » n'est qu'une grille de base, rien de plus. Il n'est pas forcément nécessaire de respecter la chronologie des étapes, ni de forcément appliquer *toutes* les étapes. Quand on bénéficie d'un CE largement créditeur auprès de telle ou telle personne, on peut virtuellement sauter les trois premières étapes pour se jeter directement dans le brainstorming. Inversement, en cas de CE débiteur, il peut être souhaitable de consa-

L'effet de synergie ne se crée pas spontanément. C'est un processus auquel il faut accéder.

crer plus de temps à écouter. Plusieurs conversations peuvent être nécessaires pour résoudre un problème, alors arme-toi de patience.

Parfois, on a beau faire des efforts herculéens pour trouver la Voie supérieure, en face, personne ne lève le petit doigt. Dans ce genre de situations, la meilleure chose à faire reste souvent de continuer à alimenter le CE ouvert chez l'intéressé.

Comment se règlent les conflits, la plupart du temps ? Le plus souvent, par l'affrontement (par les mots ou aux poings) ou la fuite (on se tait ou on s'en va). Le plan d'action « Objectif : Synergie » propose une alternative.

Imaginons que ta sœur et toi passiez votre temps à vous bagarrer pour savoir lequel des deux va prendre la voiture. Chacun est persuadé d'en avoir un besoin plus urgent que l'autre, et cela a créé un maximum de tirant entre vous. Comme récemment tu t'es familiarisé avec le plan d'action « Objectif : Synergie », tu décides de l'appliquer, pour voir.

DÉFINITION DU PROBLÈME OU L'OPPORTUNITÉ

« Sister, j'en ai marre de me bagarrer avec toi tout le temps pour la voiture. Si on parlait tous les deux et qu'on essayait de trouver une solution Gagnant/Gagnant ? »

« Oh, t'es gentil, tu me lâches avec tes plans *7 Habitudes* à la con ! »

« Sérieux, Frangine. Je voudrais vraiment qu'on règle ça. »

« OK, OK, qu'est-ce que tu proposes ? On est deux, et il n'y a qu'une seule voiture. »

POINT DE VUE DE L'AUTRE *(Cherche d'abord à comprendre le point de vue des autres.)*

« Bon, pour commencer, dis-moi pourquoi il te la faut tout le temps, cette voiture ? »

« Tu le sais très bien. Il me faut bien un moyen de transport pour rentrer après l'entraînement. »

« Tu ne peux pas demander à tes amis de te ramener avec eux ? »

« Ça m'arrive. Mais à chaque fois ça me gêne, parce que ça leur fait faire un détour gigantesque. »

« Je comprends. Et sinon, il y a autre chose ? »

« Euh, ouais. J'aime bien m'arrêter chez Jared sur le chemin du retour, parfois. »

« C'est important, pour toi ? »

« Un peu, que c'est important ! »

« Donc, je résume : tu n'aimes pas squatter la voiture des autres pour te faire ramener après l'entraînement, et tu aimes bien la liberté que la voiture te donne pour faire des trucs style passer voir Jared. C'est bien ça ? »

« Ouais. »

 MON POINT DE VUE À MOI *(Cherche à être compris en exposant tes idées.)*

« Ça t'intéresserait, de savoir pourquoi moi j'en ai besoin ? »

« Je crois que je le sais déjà, mais dis toujours. »

« Moi, c'est juste pour le boulot. Il faut que j'y sois tous les soirs à 6 heures, et toi, tu es rarement rentrée avant environ 6 heures et demi. Quand je demande à Maman de m'emmener, je suis en retard à tous les coups, et mon chef me tombe dessus. »

« Ouais, je sais ce que c'est, avec Maman. »

 ÉCHANGE D'IDÉES *(Imagine de nouvelles solutions et de nouvelles idées.)*

« Et si on essayait un truc, Sister ? Si tu essayais de sortir de l'entraînement un peu plus tôt ? Si tu arrivais à rentrer à six heures moins le quart, tu pourrais utiliser la voiture d'abord, et moi je la récupèrerais ensuite pour aller au boulot. »

« Si je pouvais, pourquoi pas, mais je ne peux pas quitter l'entraînement avant la fin. Et si toi tu prenais ton travail un peu plus tard ? »

« Hé, pas con ! C'est vrai que ça pourrait le faire. Je suis sûr que si je demandais à mon chef de commencer un peu plus tard, il serait OK, si je reste un peu plus tard le soir. On n'a qu'à essayer comme ça. Tu gardes la voiture jusqu'à la fin de ton entraînement, et moi, je la récupère pour aller travailler. »

« Et comment je fais, moi, pour passer voir Jared ? »

« Quand tu veux voir Jared, je te dépose en partant au boulot, et je te reprends le soir en rentrant. Ça t'irait, comme ça ? »

« Ouais, ça serait parfait. »

 Voie supérieure *(Trouve la solution la plus appropriée.)*

« Alors on roule comme ça ? »

« Ça marche. »

Ce n'est pas toujours aussi facile. Mais d'un autre côté, parfois, ça peut l'être.

⊛ TRAVAIL D'ÉQUIPE ET SYNERGIE

Les équipes de choc sont en général constituées de cinq profils de gens différents, voire plus, chacun des éléments jouant un rôle spécifique, mais d'égale importance.

Les Bûcheurs : Sûrs et fiables, il ne lèvent pas le nez tant que la tâche n'est pas menée à son terme.

Les Suiveurs : Ils soutiennent à fond les leaders. Quand ils s'enthousiasment pour une idée, ils démarrent au quart de tour.

Les Innovateurs : Ce sont les créatifs, les gens qui ont des idées. L'étincelle vient d'eux.

Les Conciliateurs : Ils soudent l'équipe, assurent le soutien, et stimulent la coopération. Déterminants pour la synergie dans le cadre d'un travail d'équipe.

Les Flambeurs : Fun dans le travail, ils sont parfois durs à gérer. Souvent, ils ajoutent le piment et la dynamique indispensable à la réussite globale de l'équipe.

On peut comparer un excellent travail d'équipe à un excellent morceau de musique. Les différentes voix et les différents instruments ont beau s'exprimer en même temps, rien ne lutte. Pris individuellement, chacun des instruments et chacune des voix suivent une partition différente, jouent des notes spécifiques, et marquent des silences selon une cadence qui leur sont propres : et pourtant, ces divers éléments fusionnent pour créer un son entièrement nouveau. C'est cela, l'effet de synergie.

Le livre que tu as entre les mains regorge de synergie. Quand j'ai décidé de l'écrire, je me suis senti quelque peu submergé. Alors,

pour m'y atteler, j'ai eu recours à la seule technique que je connaisse. Je me suis fait aider. J'ai immédiatement demandé à un ami de me donner un coup de main. Rapidement, j'ai constitué une équipe plus importante. J'ai identifié un certain nombre d'établissements scolaires et d'éducateurs susceptibles de me donner un feed-back à différents stades de la progression du manuscrit. J'ai commencé à interviewer des ados en tête-à-tête et en groupe. J'ai fait appel à un illustrateur. J'ai monté différents concours invitant des ados à raconter leur histoire reliées aux 7 Habitudes. Au total, je dirais qu'une bonne centaine de personnes se sont impliquées pour que ce livre voie le jour.

Lentement mais sûrement, les différentes pièces du puzzle se sont assemblées. Chacun a mis son talent dans l'escarcelle et, à sa manière, a apporté sa pierre à l'édifice. Tandis que, de mon côté, je me concentrais sur la partie écriture, chacun se concentrait sur la partie relevant de ses compétences spécifiques. Un tel était bon pour ramener des témoignages. Une autre pour aller pêcher des citations magnifiques. Un troisième était doué pour l'editing. Il y avait là des bûcheurs, des innovateurs, et aussi des flambeurs. Bref, du vrai travail d'équipe, et de la synergie avec un grand S.

Le travail d'équipe et l'effet de synergie ont une formidable conséquence indirecte, c'est qu'ils créent des liens. L'athlète olympique Deborah Miller Palmore l'a très justement formulé : « On a beau avoir joué le match de basket de sa vie, ce qu'on garde au fond de soi, c'est le sentiment d'unité de l'équipe. Les matches qu'on a disputés, les lancers, et les scores, on les oublie. Mais il y a un truc qu'on n'oublie jamais, ce sont les coéquipiers. »

PROCHAIN ÉPISODE

Continue à lire, et tu découvriras la véritable raison qui fait que
Michelle Pfeiffer est si canon.
Allez, courage! Encore
quelques pages, et tu seras arrivé au bout!

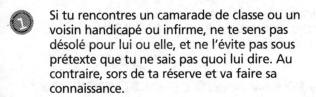

PAS DE FOURMI

1 Si tu rencontres un camarade de classe ou un voisin handicapé ou infirme, ne te sens pas désolé pour lui ou elle, et ne l'évite pas sous prétexte que tu ne sais pas quoi lui dire. Au contraire, sors de ta réserve et va faire sa connaissance.

2 La prochaine fois que tu auras un différend avec quelqu'un de ta famille, essaie de déployer le plan d'action « Objectif : Synergie ». 1/Définis la nature du problème. 2/Écoute ce que la personne a à dire. 3/Expose ton propre point de vue. 5/Échangez vos idées. 6/Trouve la solution la plus appropriée.

3 Confie-toi à un adulte en lequel ou laquelle tu as totale confiance, à propos d'un problème personnel. Vois si l'échange de points de vue qui s'ensuit débouche sur un éclairage nouveau de ce problème, et te permet de trouver des idées pour le régler.

4 Cette semaine, regarde autour de toi et vois à quel point l'effet de synergie opère partout, comme par exemple dans deux mains qui travaillent ensemble, dans un groupe qui travaille en équipe, dans la symbiose des relations dans la nature, ou dans la faculté de résoudre un problème en ayant recours à son imagination.

5 Pense à quelqu'un qui t'agace. Qu'est-ce que cette personne a de différent?

Que pourrais-tu apprendre de cette personne?_____

_____

6 Organise un brainstorming avec tes amis et imaginez un truc fun, nouveau et différent à faire ce week-end, plutôt que de refaire éternellement les mêmes vieux plans.

7. Évalue ton ouverture à nos différences dans chacune des catégories suivantes. Es-tu plutôt du genre à les rejeter, à les tolérer, ou à t'en réjouir?

	JE REJETTE	JE TOLÈRE	JE ME RÉJOUIS
Race			
Sexe			
Religion			
Âge			
Look			

Que peux-tu envisager de faire pour devenir une personne qui, dans chacune de ces catégories, se réjouit de nos différences?

_____

QUATRIÈME PARTIE

Renouveler ses ressources

Habitude n° 7 : Aiguise tes facultés
Et maintenant, prends soin de toi

Garde espoir!
Tu déplaceras des montagnes, mon Enfant

Aiguise tes **Facultés**

**Et maintenant,
prends soin de toi**

C'est quand le soleil brille qu'il faut réparer le toit.

JOHN F. KENNEDY, PRÉSIDENT DES ÉTATS-UNIS

Il ne t'arrive jamais de te sentir déboussolé(e), stressé(e), ou vide? Si la réponse est oui, tu vas adorer l'Habitude n° 7, parce que ce chapitre a été spécialement conçu pour s'attaquer à ce genre de problèmes. Pourquoi l'avoir intitulé « Aiguise tes facultés? » Eh bien imagine qu'en allant faire une promenade dans la forêt, tu tombes sur un type qui s'échine à scier le tronc d'un arbre.

« Qu'est-ce que tu fais? », demandes-tu.

« Je coupe un arbre », te répond-on sur un ton cassant.

« Depuis combien de temps? »

« Bientôt quatre heures, mais j'avance à grands pas », répond le type, le menton dégoulinant de sueur.

« Ta scie m'a l'air sérieusement émoussée. Pourquoi tu ne prends pas cinq minutes pour l'affûter? »

« Impossible. Tu ne vois pas que je suis occupé à scier, abruti? »

Comme quoi un abruti peut en cacher un autre, n'est-ce pas? Si ce type prenait une pause d'un quart d'heure pour affûter sa scie, il y a fort à parier qu'il irait trois fois plus vite.

Il ne t'arrive jamais d'être trop occupé à conduire pour penser à t'arrêter prendre de l'essence?

Il ne t'arrive jamais d'être trop occupé à vivre pour penser à t'arrêter pour renouveler tes ressources?

L'idée de l'Habitude n° 7, c'est de veiller à ce que ta nature profonde soit toujours bien affûtée, de façon à être mieux armé pour affronter la vie. En d'autres termes, il s'agit de régénérer et de consolider régulièrement les quatres dimensions de ta vie : ton corps, ton esprit, ton cœur, et ton âme.

CORPS   **Dimension physique**
Fais de l'exercice, mange sainement, dors suffisamment, repose-toi.

ESPRIT   **Dimension mentale**
Lis, apprends, écris, acquiers de nouvelles compétences.

CŒUR   **Dimension émotionnelle**
Noue et entretiens des relations (CEP, CE), rends service, rigole.

ÂME   **Dimension spirituelle**
Médite, tiens un journal, prie, veille à la qualité des médias que tu absorbes.

L'ÉQUILIBRE EST PRÉFÉRABLE

La sagesse antique des Grecs et leur fameux « Rien à l'excès » est là pour nous rappeler à quel point il est important de trouver son équilibre et de garder un contact étroit avec chacune des quatre dimensions de la vie. Certains passent d'innombrables heures à se sculpter un corps de rêve mais négligent leur esprit. D'autres se dotent d'un esprit capable de soulever 180 kg à l'arraché, mais laissent leur corps dépérir ou en oublient complètement d'avoir une vie sociale. Pour fonctionner au maximum de ses possibilités, il est capital de trouver son équilibre à l'intérieur de chacune de ces quatre dimensions.

Pourquoi est-il si important de trouver son équilibre ? Tout simplement parce que notre comportement à l'intérieur d'une dimension affecte les trois autres. Réfléchis un peu. Si l'un de tes pneus est dégonflé, ce n'est pas seulement le pneu en question qui se trouvera déséquilibré, mais les quatre pneus de la voiture. Difficile de se montrer aimable (cœur) quand on est épuisé (corps). L'inverse se vérifie également. Quand on se sent motivé et en harmonie avec soi-même (âme), on est plus enclin à se concentrer sur ses études (esprit) et à se montrer aimable (cœur).

À l'époque où j'étais au lycée, je me souviens avoir étudié la vie de pas mal de grands artistes, écrivains ou musiciens, du calibre de

Mozart, Van Gogh, Beethoven ou Hemingway. La plupart semblaient plutôt perturbés sur le plan émotionnel. Pourquoi ? Je ne sais pas ce que tu en penses mais personnellement, je dirais que c'est parce qu'ils n'avaient pas trouvé leur équilibre. On a l'impression qu'ils se concentraient avec une telle intensité sur une seule et unique chose, leur musique ou leur peinture, qu'ils en négligeaient les autres dimensions de leur vie et se retrouvaient plongés dans la confusion. Comme dit le vieil adage : « Équilibre et modération en toute chose. »

PRENDS LE TEMPS DE TE REPOSER

Exactement comme une voiture, toi aussi tu as besoin d'une petite révision / vidange à intervalles réguliers. De temps en temps, tu as besoin de faire un break pour renouveler ta ressource la plus précieuse : toi-même !
Il faut que tu prennes le temps de te relaxer et décompresser, de prendre soin de toi, et de te faire plaisir, avec tendresse et dévouement. C'est cela, « aiguiser ses facultés ».

Dans les pages qui vont suivre, nous allons examiner chacune de ces dimensions — le corps, l'esprit, le cœur et l'âme — et pour chacune, nous évoquerons les techniques permettant de s'aiguiser comme un rasoir. Alors poursuis ta lecture !

Prends soin de Ton Corps

J'ai détesté mes premières années de lycée. J'étais gêné aux entournures. Je manquais d'assurance. Je ne savais pas très bien qui j'étais, ni si je cadrais vraiment dans le décor. Et puis je sentais qu'il se passait toutes sortes de trucs bizarres dans mon corps. Je me souviens de mon premier jour en classe de gym. Je venais d'acheter le premier slip de sport de ma vie, et je n'avais pas la moindre idée de comment on portait ce truc. Au vestiaire des garçons, on était tous si gênés de se voir tout nu pour la première fois qu'on restait plantés là comme des idiots, à rigoler bêtement sous la douche.

Au cours de tes années d'adolescence, ta voix va muer, tes hormones vont se déchaîner, et tu vas voir des muscles ou des formes surgir dans tous les sens. Bienvenue dans ton nouveau corps!

De fait, ce corps qui est le tien et qui est en mutation constante est une machine véritablement extraordinaire. Alors tu as le choix : ou tu le traites avec égards, ou tu le maltraites. Ou tu le contrôles, ou c'est lui qui te contrôlera. En clair, ton corps est un outil. Traite-le avec égards, et il sera ton allié.

Voici une liste de dix techniques permettant aux ados d'affûter leur dimension physique :

1. Manger sainement
2. Se relaxer dans son bain
3. Faire du vélo
4. Soulever des poids
5. Dormir suffisamment
6. Faire du Yoga
7. Faire du sport
8. Faire de la marche
9. Faire du stretching
10. Faire de la gymnastique

Les quatre clés d'un corps en bonne santé sont les suivantes : sommeil régulier et en quantité suffisante, relaxation physique, alimentation saine, et exercice physique approprié. Penchons-nous sur l'alimentation et sur l'exercice.

✦ DIS-MOI CE QUE TU MANGES, ET JE TE DIRAI QUI TU ES

Un proverbe américain dit que « nous sommes ce que nous mangeons », et il y une grande part de vérité dans cet adage. Je ne suis pas un expert en diététique, mais à vue de nez, je dirais qu'il y a deux règles générales à garder à l'esprit.

Première règle générale : Être à l'écoute de son corps. Sois attentif aux réactions qu'engendrent dans ton corps les différents types de nourriture; et à partir de là, établis ta *propre* liste rouge et ta propre liste verte. On réagit tous différemment à la nourriture. Moi, par exemple, je sais que si j'ai le malheur de faire un repas important juste avant de me mettre au lit, je vais être dans un état pitoyable au réveil. Et si par mégarde j'ingurgite trop de frites, de chips ou de pizza, j'ai des « montées de cholestérol » (ça te dit quelque chose?). Toutes ces choses figurent donc sur ma liste rouge. Inversement, je me suis aperçu que quand je mangeais beaucoup de fruits et de légumes, et que je buvais des tonnes d'eau, j'avais une pêche d'enfer. Ces choses-là figurent donc sur ma « liste verte ».

Deuxième règle générale : Consommer avec modération et éviter les extrêmes. Pour la plupart (et je n'y échappe pas), on fait tous plus volontiers dans les extrêmes que dans la modération. Résultat : on se retrouve à faire le yo-yo entre les jours de régime « Herbivores » et les jours de régime « Junk Food ». Mais attention : une alimentation basée sur les extrêmes présente des risques. Bon, une petite cochonnerie de temps en temps, ce n'est pas ça qui va nous ruiner la santé (c'est vrai, quoi, que serait la vie sans un petit Sundae Fraise, de loin en loin?). Le tout, c'est de ne pas craquer tous les jours.

La pyramide alimentaire de l'USDA [12] offre une approche équilibrée et modérée de l'alimentation, que je recommande chaleureusement. Elle encourage à manger plus de céréales complètes, de fruits, de légumes, de produits laitiers à faible teneur en matières grasses, et moins de fast-food, de cochonneries, de trucs à grignoter, lesquels sont souvent saturés en graisses, sucre, sel et autres saloperies.

Souviens-toi : ce que tu manges, tu le deviens. Alors ne mange pas n'importe quoi.

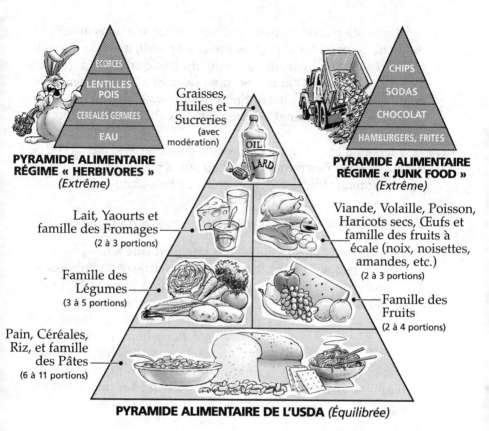

PYRAMIDE ALIMENTAIRE RÉGIME « HERBIVORES »
(Extrême)

ÉCORCES
LENTILLES POIS
CÉRÉALES GERMÉES
EAU

Graisses, Huiles et Sucreries
(avec modération)

OIL
LARD

PYRAMIDE ALIMENTAIRE RÉGIME « JUNK FOOD »
(Extrême)

CHIPS
SODAS
CHOCOLAT
HAMBURGERS, FRITES

Lait, Yaourts et famille des Fromages
(2 à 3 portions)

Viande, Volaille, Poisson, Haricots secs, Œufs et famille des fruits à écale (noix, noisettes, amandes, etc.)
(2 à 3 portions)

Famille des Légumes
(3 à 5 portions)

Famille des Fruits
(2 à 4 portions)

Pain, Céréales, Riz, et famille des Pâtes
(6 à 11 portions)

PYRAMIDE ALIMENTAIRE DE L'USDA *(Équilibrée)*

ROULE, OU CROULE

Un de mes films préférés, c'est *Forrest Gump*. C'est l'histoire d'un jeune naïf au grand cœur de l'Alabama qui, contre toute attente, va de succès en succès. À un moment dans le film, Forrest est déprimé et se sent déphasé. Alors que fait-il? Il se met à courir, et il ne s'arrête plus. Après avoir fait deux aller et retour et demi au pas de course d'une côte à l'autre des États-Unis, il finit par se sentir mieux et parvient à mettre de l'ordre dans sa vie.

Il nous arrive à tous de traverser des moments de déprime, de confusion ou d'apathie. Et c'est sans doute dans ces moments-là que le meilleur cadeau qu'on puisse se faire à soi-même, c'est de faire comme Forrest : faire plus d'exercice physique. Faire de l'exercice est non seulement bon pour le cœur et les poumons mais en plus, c'est un extraordinaire moyen de recharger les accus, de se débarrasser du stress et de se vider la tête.

HABITUDE 7

Il n'existe pas de méthode miracle. Nombre d'ados aiment les sports de compétition. D'autres préfèrent courir, marcher, faire du vélo, du roller en ligne, de la danse, du stretching, de la gym ou soulever des poids. D'autres encore préfèrent aller se dépenser au grand air. Pour un résultat optimum, on devrait faire un minimum de trois séances de vingt à trente minutes chacune, trois fois par semaine.

Mais au mot « exercice », n'associe pas immédiatement celui de « douleur ». Choisis plutôt un truc que tu as plaisir à faire, de façon à pouvoir maintenir la cadence sans qu'il t'en coûte trop.

L'IMPORTANT, C'EST MOINS TON *APPARENCE* QUE TA *FORME* PHYSIQUE

Mais prudence! Dans ta quête vers une meilleure *forme* physique, prends garde que l'*apparence* physique ne tourne pas à l'obsession. Tu l'as sans doute remarqué, nous vivons dans une société totalement inféodée au « look ». Pour le vérifier, va faire un tour dans n'importe quelle maison de la presse et jette un œil aux canons qui font la couverture de la quasi-totalité des magazines. On finit par se trouver pas terrible, avec toutes nos imperfections physiques, tu ne trouves pas?

> C'est notre perception qu'il faut changer.
> Ce n'est pas une histoire de kilos. Ce qui compte, c'est de se respecter au quotidien.
>
> OPRAH WINFREY,
> ANIMATRICE TV

Quand j'étais gamin, j'étais très embarrassé par mes joues de poupon. Mon père disait toujours qu'à ma naissance, j'avais des joues tellement grasses que les docteurs ne savaient pas dans quel sens me prendre pour me donner la fessée. Je me souviens parfaitement d'un jour où une voisine s'est payé ma tête à cause de mes grosses joues. Héroïquement, mon frère David a pris ma défense en précisant que c'était tout du muscle. Ça m'est revenu en boomerang et de tous mes surnoms, « Bajoues d'acier » est celui que j'ai le plus détesté.

En classe de cinquième, histoire de m'endurcir, mon père m'a envoyé faire un trek de survie (façon élégante de dire qu'on passait nos journées à crapahuter et à mourir de faim). Le bénéfice inespéré de la chose, c'est que j'y ai perdu mes joues. Mais au fil de l'adolescence, toutes sortes d'autres choses ont commencé à m'embarrasser : ne pas avoir le sourire parfait de certains de mes camarades, par exemple, ou encore ces boutons qui me resurgissaient éternellement sur le visage comme une mauvaise habitude dont on n'arrive pas à se défaire.

Alors avant de commencer à te comparer aux canons — filles ou garçons — qu'on voit en couverture de *Elle* ou de *Muscle & Fitness*, et de commencer à détester ton corps et ton apparence, s'il te plaît, souviens-toi qu'il y a des milliers d'ados heureux et en pleine santé qui n'ont ni les pommettes saillantes, ni des tablettes de chocolat en guise d'abdos, ni des fesses en béton. De nombreux chanteurs ou chanteuses, présentateurs ou présentatrices télé, danseurs ou danseuses, sportifs ou sportives, acteurs ou actrices ont eux-mêmes toutes sortes d'imperfections physiques. Pas obligé d'ingurgiter des anabolisants ou de se faire refaire les seins pour vivre heureux. Si tu n'as pas le « look » ou le corps décrétés « parfaits » par notre société, et alors ? Ce qui est à la mode aujourd'hui ne le sera plus demain, de toute manière.

Ce qui compte avant tout, c'est de se sentir bien dans sa peau en termes de *forme* physique, plus que d'*apparence* physique. C'est l'animatrice télé Oprah Winfrey [13] qui l'exprime le mieux : « C'est notre perception qu'il faut changer. Ce n'est pas une histoire de kilos. Ce qui compte, c'est de se respecter au quotidien. »

Naturelle ou retouchée ?

D'autre part, au cas où tu ne serais pas au courant, ce qu'on voit en couverture des magazines n'est pas la vérité. Il s'agit simplement d'« images ». Il y a des années, le magazine *Esquire* avait mis la superbe actrice Michelle Pfeiffer en couverture, avec comme accroche principale : « Michelle Pfeiffer : Il ne lui manque qu'une chose, c'est… Strictement rien ! »

En vérité, il lui manquait bien plus qu'il n'y paraissait, comme l'a révélé l'auteur Allen Lichfield dans *Sharing the Light in the Wilderness* :

Mais dans son édition du mois suivant, un autre magazine, Harper's Bazaar, nous a donné la preuve que même les « beautiful people » ont besoin d'un petit coup de main. Harper's s'est procuré la facture de l'atelier de retouche pour le travail effectué sur la photo de Michelle Pfeiffer choisie par Esquire pour faire sa couverture. L'atelier avait facturé 1 525 dollars pour l'exécution des corrections suivantes : « Nettoyage de la peau, adoucissement du sourire, détourage du menton, estompe de ride sous le lobe de l'oreille, rajout de matière dans les cheveux, rajout de matière sur le front pour rééquilibrage des proportions, et estompe des muscles du cou ». La rédaction en chef de Harper's avait choisi de publier l'article parce que, précisait-on, « les magazines nous confrontent constamment à la perfection; il s'agit ici de rappeler aux lectrices... qu'il ne faut pas confondre la vraie vie, et l'art ».

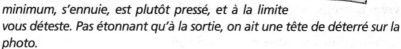

Voilà pourquoi il ne faut jamais comparer la photo de son permis de conduire ou de sa carte d'étudiant avec celles des couvertures de magazines. Le photographe qui la prend est payé le strict minimum, s'ennuie, est plutôt pressé, et à la limite vous déteste. Pas étonnant qu'à la sortie, on ait une tête de déterré sur la photo.

Souvenons-nous que le culte du corps ciselé n'a pas toujours été la tendance dominante. Qu'est-ce que ça devait être sympathique de vivre au XVIIIe siècle en Europe, ou plus on était gros plus on était « tendance », ou encore au Haut Moyen Âge, où tout le monde portait d'amples robes et où personne n'avait idée des formes de l'autre? C'était pas le bon temps, ça?

Travaillons dur, certes, pour avoir le meilleur physique possible et rester présentable, mais restons vigilant, car l'obsession du look peut mener à de graves désordres alimentaires du type boulimie, anorexie, voire à la dépendance à des produits dopants tels que les stéroïdes. Or infliger à son corps un traitement de prisonnier de guerre dans le but d'être accepté par un tiers est un combat qui n'en vaut pas la peine.

Si tu te débats contre un quelconque désordre alimentaire, ne te sens pas isolé(e). C'est un problème largement répandu parmi les ados. Reconnais que tu as un problème, et fais-toi aider (tu trouveras en fin de livre une liste d'organismes susceptibles de t'aider).

◉ **J'ARRÊTE QUAND JE VEUX**

De même qu'il existe des techniques pour prendre soin de son corps, il en existe pour le détruire. Et pour y parvenir, consommer des substances engendrant une dépendance — telles qu'alcool, drogue ou tabac — est idéal. L'alcool, par exemple, est fréquemment associé aux trois principales causes de mortalité chez les ados : accidents de la route, suicide, et homicide. Ensuite vient le tabac, dont il a été prouvé qu'il induisait des troubles de la vue, et engendrait le vieillissement prématuré de la peau, le jaunissement des dents, une mauvaise haleine, la multiplication par trois des caries dentaires, le décollement des gencives, la coloration de la peau du bout des doigts, un état de fatigue général, et le cancer (le plus incroyable est qu'il s'en trouve encore pour oser fumer). Pour couronner le tout, fumer se révèle être peu séduisant. Je suis tombé sur cette pub du Département de la Santé publique du Massachussetts, que je trouve plutôt efficace :

Alors voilà, ... (insère ici le nom de la personne qui te fait craquer) se tient là, tout(e) seul(e). Une occasion en or. Tu vérifies ton look, tes cheveux, tu t'allumes une cigarette, tu vérifies une nouvelle fois tes cheveux et tu te diriges lentement vers cette personne. Il ou elle t'adresse la parole : « Je peux te demander un service ? » Déjà tu souris. Tu t'approches imperceptiblement, accroché à ses paroles : « Tu veux bien aller fumer un peu plus loin ? »

Fumer n'est pas aussi sexy que tu le crois. Une étude a révélé que 8 garçons sur 10, et 7 filles sur 10, ont déclaré qu'ils ne veulent pas d'un fumeur comme partenaire. Alors si tu es fumeur, autant t'habituer tout de suite à embrasser ta petite cigarette, parce que c'est avec elle que tu vas passer tes soirées.

Sache simplement que les fabricants de cigarettes dépensent 500 000 dollars à l'heure, 24 heures sur 24, pour faire la promotion et la publicité de la cigarette. Ton argent les intéresse. Un paquet par jour, ça fait 7 000 francs à la fin de l'année. Imagine le nombre de CD que tu pourrais te payer avec cet argent-là. Ne te laisse pas pigeonner !

Cela dit, c'est clair : on n'a jamais vu personne décider de devenir accro. Les choses se mettent en place de manière tout à fait sournoises. Trop souvent malheureusement, faire joujou avec des « drogues-relai » telles que l'alcool ou le tabac mène au haschisch, puis à d'autres drogues, mortelles celles-là, telles que la cocaïne, le LSD, le PCP, les opiacés ou l'héroïne. Beaucoup se mettent à l'alcool, au tabac ou à la drogue dans le but d'afficher leur *liberté*, pour finalement s'apercevoir qu'ils n'arrivent qu'à une chose, c'est à développer une dépendance qui *détruit* toute liberté. Crois-moi, il existe d'autres façons d'affirmer sa personnalité.

Le pire quand on glisse vers l'état de dépendance, c'est ceci : ce n'est plus toi qui es aux commandes, c'est ta dépendance. Elle te dit *saute*, tu sautes. Tu ré-agis. Adieu proactivité! Au travail, je suis toujours consterné de voir ces pauvres fumeurs réduits à sortir dans la rue pour aller s'en griller une, puisque c'est interdit dans l'enceinte de l'immeuble [14]. Quelle tristesse, de les voir plantés sur un trottoir dans la chaleur de l'été ou dans le vent glacial de l'hiver [15], à tirer fébrilement sur leur cigarette, incapables de juguler leur pulsion.

On pense toujours que l'état de dépendance est quelque chose qui n'arrive qu'aux autres et que soi-même, on arrête quand on veut. N'est-ce pas? En réalité, c'est difficile. Seuls 25 % des ados qui essaient d'arrêter de fumer, par exemple, y parviennent. J'aime bien la façon dont Mark Twain a exprimé la facilité avec laquelle on arrête de fumer : « J'ai déjà réussi une centaine de fois. »

Voici l'histoire de la lutte qu'a dû mener un ado pour se sevrer de sa dépendance à la drogue :

La toute première fois que j'ai essayé la drogue et l'alcool, j'avais 14 ans. La drogue, je ne savais même pas ce que c'était. D'ailleurs ça ne m'intéressait pas. Tout le monde m'avait dit que c'était très dangereux, c'est tout. Et puis mon pote m'a dit : « Hé, essaie ça, c'est trop cool. » Alors j'ai essayé. Au début, c'était juste pour me la jouer. Et puis après, ce n'était plus la pression des autres. C'était juste moi.

J'ai commencé à boire et à me droguer de plus en plus souvent, et mes résultats scolaires ont commencer à chuter. Mes relations avec les autres ont commencé à se dégrader. Avec mes parents, le courant passait de moins en moins et ça, je détestais. Mon attitude face à la vie a radicalement changé, je suis devenu, comment dire, carrément négatif. Sans compter que je voyais de moins en moins ma copine.

En plus, j'avais à peine commencé à boire et à prendre de la dope que j'ai noté certaines dégradations physiques. J'étais constamment fatigué. Et puis j'ai perdu pas mal de poids, pas loin de 15 kg en deux mois.

Il y avait un autre truc, c'est que si par exemple je rentrais chez moi et que je m'apercevais que mon tube de dentifrice était vide, j'étais capable

de me mettre à pleurer. Mes réactions était complètement disproportion-
nées. Je pétais les plombs pour un rien.

Environ un mois après le jour de mes dix-sept ans, je me suis fait cho-
per avec de la dope au lycée. J'ai pris un blâme d'une semaine et là, pour
moi, c'était un signe : il fallait que je me reprenne. Donc, j'ai essayé de
décrocher, mais c'était impossible. Exactement comme avec les cigarettes.
Tu en écrases une et tu te dis que tu vas arrêter, que demain tu arrêtes,
mais en fait, c'est carrément dur.

Alors j'ai arrêté de voir mes anciens potes. J'ai commencé à fréquen-
ter les réunions des Alcooliques Anonymes (AA) et je me suis trouvé un
consultant. Chez les AA, c'est pour la vie : tu craques pour un seul verre, et
tout ce que tu as construit jusque-là est anéanti. Beaucoup d'amis qui fré-
quentaient les AA ont replongé. Mais moi, mon consultant m'a vraiment
aidé à m'en sortir. Sûr que sans cette cure, je n'aurais jamais arrêté.

Depuis que je suis ce programme, j'ai une super vie. Je ne bois pas. Je
ne prends pas de dope. Je me suis remis à travailler au lycée. Je suis proche
de ma famille comme jamais on ne l'avait été. Avant, j'étais incapable de
me maintenir plus de deux semaines dans un boulot. Résultat : j'ai travaillé
dans pratiquement tous les fast-foods de la ville. Mais là, ça fait à peu près
deux mois que j'ai le même emploi. Je suis retourné au lycée et j'ai com-
mencé à me préoccuper des autres. Maintenant, je suis aimable avec les
gens, même avec ceux qui ne le sont pas. Ma vie a changé du tout au tout.
J'envisage même de faire des études universitaires, et je me suis mis à faire
des tonnes de trucs auxquels je n'aurais jamais pensé avant. Le truc que je
n'arrive pas à m'expliquer, c'est comment on peut passer ses années de
lycée dans l'alcool. Ça fait froid dans le dos, comme vie.

APPRENDRE À DIRE NON

Se tenir systématiquement à l'écart de toute drogue est beaucoup
plus facile à dire qu'à faire. Voici les étapes établies par *The Refusal
Skill* ™ 16, une méthode que tu pourras éventuellement essayer la
prochaine fois qu'on te mettra la pression pour boire, fumer, ou
prendre de la drogue, alors que tu n'en as pas véritablement envie,
ou pour t'aider à ne pas céder à la tentation.

1. Pose des questions : Pose-toi des questions directes et sans
complaisance qui t'obligent réellement à réfléchir à ce que tu fais.

« Pour quelle raison est-ce que je fumerais ? »

« Qu'est-ce qui va se passer pour moi si je me déchire la tête ce
soir ? »

2. Donne un nom au problème : Efforce-toi de donner un visage à ce que tu fais.

« Fumer du cannabis, c'est illégal. »

« Fumer, ça donne mauvaise haleine. »

3. Évalue les conséquences : Anticipe les conséquences de tes actes.

« Si je me fais arrêter en possession de drogue, je suis passible de poursuites légales. »

« Si je me déchire la tête ce soir, quelqu'un pourrait abuser de moi. »

4. Propose une alternative : Aie toujours à l'esprit ta propre liste de solutions de rechange pour t'amuser, et sois prêt(e) à la dégainer chaque fois qu'on tentera de t'entraîner.

« Hé, et si on allait plutôt au ciné? »

« Je préfèrerais faire une partie de basket. »

5. Bouge de là : Si tu te retouves dans une situation limite, ne te soucie pas de ce que les autres peuvent penser, contente-toi de dégager… et vite.

« Désolé, mais moi, je m'en vais. Salut à tous. »

Si tu fais preuve d'imagination, tu peux élaborer ta propre approche pour simplement éviter ce genre de situations, comme l'a fait Jim :

C'est simple, mes amis et moi, on en avait marre de toutes ces galères d'alcool et de drogue, et donc on a formé un petit groupe. On était environ une dizaine d'amis, fermement déterminés à s'aider les uns les autres à éviter les galères. On passait pas mal de temps ensemble et une fois par semaine, on se prévoyait un dîner-spaghetti et on s'organisait pour savoir comment s'aider les uns les autres. Le moyen le plus efficace qu'on ait trouvé, c'est qu'à chaque fois qu'on sentait quelqu'un perdre pied ou prêt à flancher, on lui parlait. On lui expliquait que franchement, on n'avait pas besoin de tout ça pour être dans le coup, et on lui proposait de venir s'éclater avec nous à la place. Ça marchait, et ça nous a tous vraiment aidés.

Crois-moi, on ne rate pas grand-chose quand on se tient à distance de tous ces trucs. « La vraie planerie, a dit la chef-cuisinière de la télé Julia Child, c'est la vie elle-même. » Ce n'est même pas la peine de faire l'expérience. La sensation passagère de planerie vaut rarement la dévastation à long terme qu'elle engendre. Si tu ne fumes pas, si tu ne bois pas et si tu ne prends pas de drogue, alors pourquoi commencer ? Et si tu le fais, pourquoi ne pas essayer de te faire aider, et arrêter ? Il y a des moyens beaucoup plus sains et beaucoup plus naturels de planer. Et si tu les essayais (pour plus d'informations, reporte-toi aux numéros listés à la fin de ce livre) ?

Prends soin de ton Esprit

Un jour, j'ai entendu une légende populaire selon laquelle un jeune homme se serait approché de Socrate, le grand sage, et lui aurait dit : « Je désire savoir tout ce que tu sais. »

« Si tel est ton désir, répondit Socrate, « alors suis-moi jusqu'à la rivière. » Plein de curiosité, le jeune homme suivit Socrate jusqu'à la rivière, située non loin. Ils s'assirent au bord de l'eau, et Socrate dit la chose suivante : « Regarde attentivement la rivière, et dis-moi ce que tu vois. »

« Je ne vois rien », dit le jeune homme.

« Regarde de plus près », répondit Socrate.

Le jeune homme se pencha par dessus la berge, s'approcha de la surface de l'eau et fixa l'eau attentivement. C'est alors que Socrate lui saisit la tête et la lui enfonça sous l'eau. Tentant désespérément de se dégager, le jeune homme battait violemment des bras, mais de sa main puissante, Socrate lui maintenait la tête sous l'eau. L'homme était sur le point de succomber, noyé, quand Socrate lui sortit la tête de l'eau et le remonta sur la berge.

L'homme s'égosilla en toussant : « Tu es fou, vieil homme ? Qu'essaies-tu de faire, me tuer ? »

« Lorsque je te maintenais sous l'eau, quel était ton souhait le plus cher ? », demanda Socrate.

« Respirer. Je voulais de l'air ! », fut sa réponse.

« Mon jeune ami, dit Socrate, ne commets jamais l'erreur de penser que la sagesse vient facilement. Lorsque ton aspiration à apprendre sera aussi forte que l'était ton envie de respirer il y a un instant, reviens me trouver. »

La démonstration est limpide. Dans la vie, rien

ne tombe du ciel. Chaque chose a son prix! Et ce prix, chacun de nous doit le payer. Écris-le noir sur blanc. Apprends-le par cœur. Souligne-le. Quoi qu'on en dise, on n'a rien sans rien! Quelle naïveté, de la part de ce jeune homme, que de s'imaginer qu'on peut acquérir la sagesse de toute une vie sans en payer le prix! Mais sommes-nous moins naïfs que lui, lorsque nous-même nous figurons qu'on peut s'assurer un bon emploi et un avenir prometteur sans avoir payé le prix qu'il faut payer pour développer un esprit fort?

De fait, s'assurer une solide instruction est fort probablement le prix le plus essentiel à payer, car il y a fort à parier que c'est ce que tu feras de cette masse de matière grise coincée là, entre tes deux oreilles, qui, sans doute plus que tout, déterminera ton avenir. Disons même que, à moins que tu comptes faire griller des burgers toute ta vie et encore habiter chez tes parents à trente ans, tu as tout intérêt à commencer à payer ce prix dès aujourd'hui.

L'idée de la dimension mentale de l'Habitude n° 7, « Aiguise tes facultés », c'est d'utiliser ta scolarité, tes activités extra-scolaires, tes passe-temps, tes jobs, et toutes les autres expériences susceptibles d'élargir tes horizons, pour développer un esprit fort.

La clé qui t'ouvrira les portes de l'avenir Un jour, dans le cadre d'une étude menée auprès d'un groupe d'adolescents, j'ai demandé : « Quelles sont vos peurs? » J'ai été surpris du nombre de ceux qui étaient très préoccupés par la volonté de mener une scolarité réussie, d'accéder à des études universitaires, et par la suite de se trouver un bon emploi. « Que faire pour être certain de trouver un emploi et de subvenir à ses besoins? », a demandé l'un d'eux. La réponse est fort simple. On peut tenter sa chance au Loto. On a à peu près une chance sur un million de gagner. Ou alors, on peut faire en sorte de recevoir une instruction solide. C'est de loin le moyen le plus sûr de

s'assurer plus tard un bon emploi, et de subvenir à ses propres besoins.

Qu'est-ce qu'un esprit instruit? C'est beaucoup plus qu'un simple diplôme accroché au mur, même si c'est là un élément important. Une définition plus juste de la chose consisterait à dire qu'un esprit instruit est un peu comme une danseuse au sommet de sa forme. La danseuse exerce un contrôle absolu sur la totalité de ses muscles. À son signal, son corps se plie, se tord, saute, et tourne à la perfection. De la même manière, un esprit instruit est capable de se concentrer, se synthétiser, d'écrire, de s'exprimer, de créer, d'analyser, d'explorer, d'imaginer et bien d'autres choses encore. Toutefois, pour qu'il y parvienne, il faut l'entraîner. Tout seul, il en est incapable.

Personnellement, je recommande de s'instruire au maximum. Toute forme d'instruction au-delà des études secondaires — diplôme universitaire, formation professionnelle ou technique, apprentissage, ou formation dans n'importe quelle institution militaire — vaut largement le temps et l'argent investi. Vois ça comme un investissement dans ton avenir. Les statistiques montrent qu'aux États-Unis, un diplômé universitaire gagne à peu près deux fois plus qu'un simple diplômé du baccalauréat. Et ce fossé se creuse de jour en jour. Ne prétexte pas un manque d'argent pour te dispenser d'une instruction approfondie. Comme a dit Derek Bok, ex-président de l'Université de Harvard : « Ceux qui trouvent que l'instruction coûte cher paieront le prix de l'ignorance. » Même si tu dois faire des sacrifices et t'échiner au travail pour te payer des études, le jeu en vaut largement la chandelle. Tu serais stupéfait(e) de voir le nombre de bourses universitaires, de subventions, de prêts, et d'aides aux étudiants qui existent, pour peu qu'on se donne la peine de creuser un peu. De fait, chaque année aux États-Unis, des millions de dollars en bourses d'études restent à dormir dans les caisses pour la bonne et simple raison que personne ne prend la peine de venir les réclamer.

❋ Affûte ton esprit

Il existe d'innombrables moyens de s'ouvrir l'esprit. Toutefois, la meilleure des approches reste sans doute la lecture. Comme dit l'adage, la lecture est à l'esprit ce que l'exercice est au corps. La lecture constitue la base de tout le reste et, contrairement à d'autres méthodes plus coûteuses comme voyager par exemple, ne revient pas trop cher. Voici vingt moyens possibles de s'affûter l'esprit. Je suis sûr qu'en cherchant bien, tu peux en trouver une cinquantaine d'autres.

- Lire un journal chaque jour
- S'abonner à *Géo* ou à *Science & Vie*
- Voyager
- S'occuper d'un jardin
- Observer la nature
- Assister à une conférence traitant d'un sujet intéressant
- Regarder les émissions du *Discovery Channel* ou de *Planète* sur le câble
- Fréquenter une bibliothèque
- Écouter les informations
- Faire des recherches sur ses ancêtres
- Écrire une histoire, un poème ou une chanson
- Jouer à des jeux de société stimulants pour l'esprit
- Discuter
- Faire une partie d'échecs
- Aller au musée
- Prendre la parole en cours
- Aller voir un spectacle de danse, un opéra ou une pièce de théâtre
- Apprendre à jouer d'un instrument
- Avoir des conversations intéressantes entre amis
- Faire des mots croisés

TROUVE TON CRÉNEAU

Même si dans le cadre de ta scolarité tu dois subir des sujets qui t'inspirent peu, identifie ceux qui te plaisent et approfondis-les. Prends des cours supplémentaires, trouve des livres, et regarde des films qui traitent du sujet. Ne réduis pas la totalité de ton instruction à ta seule scolarité. Fais du monde entier ton campus !

Toutefois, attends-toi à rencontrer des difficultés dans certaines matières. À moins de s'appeler Einstein, on ne peut pas être un crack dans toutes les disciplines. Euh, attends une seconde… Je retire ce que je viens de dire. Le fait est que le célèbre Albert Einstein s'est fait recaler en maths et que pendant des années, on l'a pris pour un sous-doué.

Si jamais l'école te décourage, surtout ne laisse pas tomber (tu le regretterais toute ta vie). Continue à explorer. Un jour ou l'autre, tu finiras forcément par trouver un aspect qui te procureras du plaisir, ou une discipline dans laquelle tu pourras exceller.

Un jour, j'ai interviewé un garçon plutôt manuel nommé Chris. Il m'a confié le temps qu'il a mis à s'intégrer dans son école et à trouver son créneau :

> *J'ai eu une enfance heureuse jusqu'à ce que je rentre à l'école. Là, les gamins se sont aperçus que j'avais des difficultés à apprendre, ils se sont mis à me montrer du doigt et à m'insulter. J'étais médiocre en maths, en Français et en Grammaire. Je me souviens d'un jour, en classe, où on nous avait divisés en groupes. Une fille de mon groupe s'est levée et a lancé en me montrant du doigt : « Ça ne marchera jamais, avec ce demeuré! » Je me suis senti minable.*
>
> *Du cours élémentaire à la cinquième, j'arrivais à peine à lire. Un jour, un pro est venu à la maison et après m'avoir fait passer toute une série de tests, il a dit à ma mère que je n'y arriverais jamais. Elle était tellement furieuse qu'elle l'a prié de prendre la porte.*
>
> *Un jour, des années plus tard, je venais de rentrer au lycée, et j'ai mis la main sur un roman de science-fiction. Soudain, à ma grande surprise, c'était facile à lire. Il contenait des histoires qui me stimulaient l'imagination, et les mots n'étaient plus des mots, mais des images qui prenaient vie dans ma tête. J'ai lu toute la série des autres volumes et puis je me suis mis à lire d'autres livres. Tout à coup, j'adorais lire et apprendre. J'ai acquis un gros vocabulaire, et je me suis mis à m'exprimer avec facilité et à utiliser des mots plus longs.*
>
> *C'est à peu près à cette époque que je me suis découvert une véritable vocation pour les arts graphiques. J'ai découvert que j'avais un œil incroyable pour les formes et les couleurs. Je suis devenu bon en gouache, huile, en peinture, en dessin et en mise en page. En plus, j'écris plutôt bien. J'écris au sujet de mes expériences. J'écris des poèmes. Au lycée, vers la fin, j'ai participé à des expos et remporté un grand nombre de prix, et j'ai pris beaucoup d'assurance.*

❋ NE LAISSE PAS L'ÉCOLE TE DÉCOURAGER D'APPRENDRE

Les notes, c'est important, en particulier parce que cela permet d'accéder plus tard à différents choix en matière d'éducation et d'emploi. Mais l'instruction ne se réduit pas à des notes, loin s'en faut.

Dans ma famille, question technique, on est tous des sous-doués. Pour le gêne déficient, voyez du côté de mon père. Je l'ai surpris plus d'une fois en « situation délicate », techniquement parlant. Par exemple quand il tente de soulever le capot de la voiture (comme s'il était capable de réparer quoi que ce soit), ou encore quand il s'avise de changer une ampoule. Je peux même témoigner que dans ce genre de situations périlleuses, son cerveau tombe en rideau et cesse littéralement de fonctionner. C'est un phénomène tout à fait extraordinaire ! Étant du genre proactif, j'ai décidé, en classe de terminale, de surmonter cette tare génétique. Donc, je me suis inscrit à un cours de mécanique automobile. C'était une question de vie ou de mort : il fallait que j'apprenne à vidanger un moteur.

Crois-le si tu veux, mais j'ai décroché un 18 dans cette matière. Pourtant, j'ai un peu honte de le dire, je n'ai quasiment rien appris. C'est bien simple : au lieu de payer le prix et d'apprendre, j'ai passé mon temps à *regarder,* quand j'aurais dû *faire.* Je ne faisais jamais un seul devoir. Et quand on avait un examen, je me mettais à y bosser la veille, frénétiquement. L'épreuve était à peine terminée que j'avais déjà tout oublié. Résultat : j'ai bel et bien obtenu la note, mais s'agissant de l'apprentissage, j'ai échoué sur toute la ligne.

Les résultats sont importants, certes. Mais le plus important, c'est d'acquérir une réelle instruction. Alors un conseil : n'oublie jamais pourquoi tu vas à l'école.

Au fil des ans, j'ai vu trop de gens sacrifier leur instruction pour des raisons stupides, par exemple se figurer qu'ils pouvaient se passer d'étudier, ou faire une fixation sur un job à temps partiel, une petite copine, une voiture ou un groupe de rock.

De la même façon, j'ai vu trop de sportifs sacrifier leur éducation sur l'autel du sport. J'ai souvent été tenté d'écrire des lettres à ces jeunes sportifs tellement fixés sur leur discipline qu'ils en sabotent complètement leur scolarité. À vrai dire, j'en ai rédigé une, mais à l'attention d'un athlète imaginaire. Pour le coup, elle s'adresse à un sportif. Mais en réalité, elle s'adresse à toute personne qui néglige complètement de se cultiver l'esprit.

LETTRE À UN
SPORTIF INCONNU

Cher(e)................,

Je suis un défenseur acharné des vertus du sport. Toutefois, suite à la visite que je t'ai rendue l'autre jour, j'ai été choqué d'être informé de ton attitude envers le lycée.

Tu dis que tu mises sur une carrière de pro et que tu ne ressens pas le besoin de t'instruire. Je te réponds que tu as à peu près autant de chances de devenir pro que mon père en a de voir un jour son crâne se regarnir. « Un jeune qui mise tout son avenir sur une carrière de sportif professionnel, c'est un peu comme un ouvrier qui se paierait un seul ticket de Loto et qui, persuadé de décrocher la super cagnotte, donnerait sa démission avant même le tirage. » Ce n'est pas moi qui le dis, c'est une ex-star de la NBA, le sénateur Bill Bradley. Des études ont prouvé que seuls 1 % des sportifs qualifiés au niveau lycéen se qualifient en Division 1 au niveau universitaire, et que sur 10 000 sportifs lycéens, un seul parviendra à passer pro.

Sur les centaines de sportifs au côté desquels j'ai joué dans le cadre de rencontres universitaires et qui voulaient faire pro, j'ai beau me creuser la tête, je n'en compte qu'une poignée qui y ont réussi. En revanche, j'en connais un paquet qui ont complètement sacrifié leurs méninges au nom du sport, et qui se sont retrouvés catapultés sur le marché du travail totalement désarmés et sans l'ombre d'une chance.

Je ne suis pas prêt d'oublier le jour où, à la veille d'un match contre une université rivale, un de mes coéquipiers a tenté de nous galvaniser le moral en nous balançant un speech. Ayant toujours négligé de s'instruire et donc peu doué pour s'exprimer, la seule chose qu'il soit arrivé à faire, c'est à nous dévider un torrent de grossièretés tel qu'une forêt entière n'y aurait pas résisté. En l'espace de trois minutes, il a réussi l'exploit de mitrailler le mot enc... une quarantaine de fois, en l'accommodant à toutes les sauces, du nom à la conjonction, en passant par le verbe, l'adjectif, le pronom, et même un participe passé. J'ai quitté ce briefing en me disant : « Fais quelque chose, Man ! »

Ouvre les yeux! La clé qui t'ouvrira les portes de l'avenir, c'est d'étudier.

Tu dis ne pas aimer l'école. Et moi je te réponds : « Quel rapport? » Tu connais des belles choses faciles à obtenir, toi, dans la vie? Faire de l'exercice tous les jours, tu aimes ça, peut-être? Et un étudiant en médecine, tu crois qu'il trouve ça rigolo, de devoir faire des études pendant 8 ans? Depuis quand le fait d'aimer ou ne pas aimer faire quelque chose détermine qu'on le fasse ou pas? Il y a des moments où il faut savoir s'astreindre à une discipline et faire des choses qu'on n'aime pas faire, tout simplement parce qu'il y a un enjeu à la clé.

Tu dis que tu essaies de t'asseoir à un bureau et d'étudier, mais que tu n'y arrives pas, sous prétexte que ton esprit se met à vagabonder. Et moi je te réponds qui si tu es incapable de discipliner ton esprit, tu n'arriveras jamais à rien. Discipliner son esprit est une forme de rigueur infiniment plus subtile que discipliner son corps. Entraîner son corps pour fonctionner au maximum de ses possibilités, c'est une chose; mais contrôler le flux de sa pensée, arriver à rester concentré pendant des longues périodes, avoir un esprit synthétique, et réfléchir en faisant preuve d'imagination et d'esprit analytique, c'en est une tout autre.

C'est bien gentil de dire « J'essaie ». Mais il y a des moments où ce genre d'excuse, c'est un peu léger. Imagine l'absurdité de la situation si je te posais une question du genre : « Tu comptes manger, aujourd'hui, ou juste essayer de manger? » Impose-toi une discipline, et fais les choses.

Tu dis que tu peux t'en sortir sans étudier, qu'il te suffit de bûcher comme un forcené à quelques jours de l'examen, et d'exploiter les failles du système, pour décrocher des résultats suffisants et être reçu. Et moi je te réponds : on récolte ce que l'on sème. Tu te figures que le paysan peut attendre le dernier moment pour travailler sa terre? Tu t'imagines que pour faire une bonne récolte, il lui suffit de semer ses graines au printemps, de passer l'été à se la couler douce, et d'attendre l'automne pour mettre toute la gomme? Parce que toi, aux haltères, tu arrives à améliorer ta performance en soulevant quelques kilos de temps en temps, peut-être? Il en va du cerveau comme des biceps : pour améliorer sa puissance, sa vitesse et son endurance, il est nécessaire de le soumettre à un entraînement régulier. Il n'existe pas de raccourcis. N'espère pas débarquer un jour chez le Magicien d'Oz et le voir te remettre un méga-cerveau.

Imagine-toi cinq paires de mains. L'une d'elle appartient à un pianiste de concert, capable d'envoûter des salles entières par la beauté de ses interprétations. Une deuxième, à un grand ophtalmologue capable de rendre la vue perdue grâce à sa maîtrise de la micro-chirurgie des yeux. Une troisième, à un pro du golf qui, même sous la pression, fait régulièrement le coup idéal. Une quatrième à un non-voyant capable de déchiffrer à toute allure le braille, ces tout petits marquages de rien du tout embossés sur les pages. Et la dernière, à un artiste capable de réaliser des sculptures d'une telle puissance que son inspiration nous remue jusqu'aux tréfonds de l'âme. En apparence, ces paires de mains sont très similaires; mais il y a derrière elles des années de sacrifice, de discipline et de persévérance. Ces mains-là ont payé le prix! Tu t'imagines que les personnes auxquelles elles appartiennent ont attendu le dernier moment pour bachoter, et rattraper ainsi le temps perdu? Tu crois réellement que c'est en exploitant les failles du système qu'elles en sont arrivé là?

L'un des plus grands regrets de ma vie, c'est qu'au lycée, au lieu de lire mes 100 romans, je n'en ai finalement lu qu'une poignée, et encore, dans des versions abrégées. J'ai un ami qui, au contraire, a profité de son adolescence pour lire des centaines de livres. Son cerveau à lui est capable de soulever 180 kg tranquille. Et moi, je donnerais un orteil… non, deux… pour en avoir un pareil.

Qui ne paie pas le prix décroche à la limite le diplôme, mais échoue au plan de l'instruction. Et la différence est considérable. Certains de nos plus grands penseurs, hommes ou femmes, se sont instruits par eux-mêmes sans jamais obtenir le moindre diplôme. Comment? En lisant. Lire est tout simplement l'habitude la plus extraordinaire qu'il nous soit donné de prendre. Et pourtant, peu le font régulièrement. Beaucoup cessent de lire et d'apprendre sitôt l'école terminée. Il en résulte ce qu'on appelle une atrophie des méninges. S'instruire est un processus qui dure toute la vie. Celui qui ne lit pas n'est guère plus avancé que celui qui ne sait pas lire.

Tu dis que tu vis l'instant et que demain est un autre jour. Et moi je te réponds que la principale différence entre ton chien et toi, c'est que toi, tu es capable de penser à demain. Lui, non. Ne prends pas de décisions à long terme en te fondant sur des émotions passagères, comme le ferait un étudiant ou une étudiante qui choisirait de se spécialiser dans telle ou telle branche sur le seul critère de la longueur de la queue le jour de l'inscription. Élabore un plan pour ton avenir, et prends tes décisions en sachant dès le départ où tu veux aller. Pour avoir un bon emploi demain, fais tes devoirs ce soir.

Ce proverbe résume tout : « Chéris ton instruction; ne la néglige pas; sois vigilant, car elle est ta vie. »

Tu sembles dire que tu n'as pas vraiment besoin d'un cerveau pour fonctionner. Et moi je te réponds : cultive le tien, avant de parler!

J'espère ne pas t'avoir offusqué. C'est pour ton bien que je dis cela. Simplement, je n'aimerais pas te retrouver dans dix ans, comme notre ami l'Épouvantail, à chanter :

> Je ne serais pas un moins-que-rien,
> Avec une tête bourrée de crin,
> … Si seulement j'avais une cervelle.

À bon entendeur, salut!

SEAN

ORIENTATION PÉDAGOGIQUE APRÈS LE LYCÉE

Évite de faire une fixation sur la matière principale que tu auras choisie au lycée. Apprends déjà à raisonner avec intelligence, et cela te donnera accès à un vaste choix d'orientations possibles, tant au niveau de l'emploi que des études. Ce n'est pas tellement ta matière principale qui intéresse les services des inscriptions des universités [17] ou les entreprises qui recrutent. Ce qu'ils veulent, ce sont des preuves tangibles d'un esprit sain. Ce qui les intéresse avant tout, c'est la certitude de ton potentiel à être reçu au niveau supérieur. Mais attention : si tes résultats dans les disciplines classiques ne sont pas ceux que tu aurais espéré, ne va pas revoir tes ambitions à la baisse. Pour peu que tu aies des compétences dans d'autres disciplines, l'admission aux cursus et emplois convoités reste jouable. Ils examineront pour cela différents points :

1. Motivation : Quelle est ta réelle détermination à rentrer spécifiquement dans cette école-là, ou à suivre ce cursus en particulier ? Es-tu suffisamment motivé pour briguer ce poste ?

2. Niveau de formation : Quel est ton niveau dans les disciplines classiques ?

3. Divers : Dans quel type d'autres activités (sport, travail à temps partiel, club ou amicale, représentation des étudiants, communauté, etc.) t'es-tu impliqué ?

4. Lettres de recommandation : Quelle impression as-tu fait ?

5. Moyenne générale : Quels ont été tes résultats dans les différentes matières durant ta scolarité ?

Apprends déjà à raisonner avec intelligence, et cela te donnera accès à un vaste choix d'orientations possibles, tant au niveau de l'emploi qu'à celui des études.

6. Compétences en matière de communication : Quelles sont tes compétences en matière de communication écrite (sur la base de tes résultats à l'écrit), et orale (sur la base d'un entretien) ?

Et puis ne te laisse pas impressionner par les rumeurs qui circulent au sujet de la difficulté de l'examen d'entrée aux universités[18] et autres grandes écoles. Pour peu que tu sois prêt à fournir le minimum d'effort requis dans ta démarche, ce n'est pas forcément aussi difficile qu'on se l'imagine. Toutefois, ce sera plus difficile que ne pourrait le laisser croire l'examen d'entrée ci-contre (hé, j'ai été footballeur, j'ai bien le droit de me chambrer un peu, non?).

❖ OBSTACLES PSYCHOLOGIQUES

Si tu as décidé de te muscler le cerveau, il va falloir franchir quelques obstacles. En voici trois à ne pas sous-estimer :

1. Accro à l'écran : Fais le décompte de toutes les heures que tu passes devant un écran, quelle que soit la nature de celui-ci : télévision, ordinateur, jeu vidéo ou cinéma. Passer un temps *raisonnable* devant un écran peut avoir du bon, mais passer *des heures* à jouer à des jeux vidéo, à regarder des séries télé, ou à participer à des forums de discussions sur Internet anesthésie rapidement les méninges. Sais-tu que l'ado de base passe plus de vingt heures par semaine à regarder la télé? Cela équivaut à quarante-trois jours entiers par an, soit au total huit années de sa vie passées à regarder la télé. Tu n'es pas l'ado de base? Alors tant mieux pour toi. Pense à tout ce que tu pourrais faire de productif chaque année avec ces quarante-trois jours passés devant la télé : apprendre l'anglais, danser, programmer des ordinateurs, etc.

Impose-toi une discipline rigoureuse pour limiter tes heures à l'écran, et n'en démords pas. Ou alors égare ta télécommande. Ça fonctionne bien également.

2. Syndrome du fayot : Bizarrement, certains ados répugnent à trop bien travailler à l'école, de peur de passer pour des élèves sérieux (fayots), pensant qu'être un élève sérieux, c'est mal vu. J'ai également entendu des filles m'expliquer qu'elles n'ont pas envie de passer pour des « têtes », sous prétexte que les « têtes », ça intimide les garçons. Non mais qu'est-ce qu'il faut pas entendre, franchement! Le type qui est intimidé par l'intelligence d'une fille, on a de sérieuses raisons de penser qu'il est lui-même sous-équipé en neurones, non? Sois fier de tes capacités intellectuelles et de l'estime dans laquelle tu tiens les études. En attendant, moi, je connais un paquet de prétendus fayots qui ont réussi et même très bien réussi dans la vie.

EXAMEN D'ENTRÉE À L'UNIVERSITÉ
(Version simplifiée pour les footballeurs)

1. Quelle langue parle-t-on en Italie ?

   _____

2. Vous engageriez William Shakespeare plutôt pour :
   ☐ Construire un pont
   ☐ Piloter un voilier
   ☐ Mener une armée
   ☐ ÉCRIRE UNE TRAGÉDIE

3. Quelle est la religion du Pape ?
   ☐ Juif
   ☐ Catholique
   ☐ Hindou
   ☐ Polonais
   ☐ Agnostique

4. Comment appelle-t-on les habitants du sud de la France ?
   ☐ Les gens du Nord
   ☐ Les gens du Sud
   ☐ Les Parisiens

5. Six rois d'Angleterre ont porté pour nom George, le dernier étant George VI.
   Donnez le nom des cinq précédents :

   _____

   _____

   _____

   _____

6. Combien de Commandements ont été remis à Moïse ? (donner un chiffre approximatif)

   _____

7. Êtes-vous capable d'expliquer la théorie de la Relativité d'Einstein ?
   ☐ Oui
   ☐ Non

8. À quoi sert un porte-manteaux ?

   _____

9. Expliquez le principe de l'équilibre dynamique de Le Chatelier *ou* écrivez votre nom en LETTRES CAPITALES.

   _____

10. Hautes Études mathématiques : si vous avez trois pommes, de combien de pommes disposez-vous ?

    _____

Trois bonnes réponses minimum sont nécessaires pour être admis.

3. Pression extérieure : Il arrive qu'on ait peur de trop bien travailler à l'école, sous prétexte que cela pourrait inciter notre entourage à nourrir des attentes déraisonnables. On se dit que si on ramène à la maison un trop bon bulletin qui nous vaut plein d'éloges, on met la barre trop haut. Et on se met à stresser. Alors qu'avec un bulletin médiocre, il n'y a ni attentes, ni pression.

Souviens-toi juste d'une chose : le stress qui résulte de bons résultats est largement plus supportable que le regret de n'avoir pas fait le maximum pour les obtenir. Alors n'en rajoute pas. Cette pression-là est parfaitement supportable.

⬧ AVANT TOUT, IL FAUT Y CROIRE

En dernière analyse, la clé d'un esprit affûté est notre détermination à apprendre. Il faut réellement avoir envie d'apprendre. Il faut avoir soif d'apprendre. Il faut payer le prix. Le témoignage qui suit est l'histoire d'une personne qui, mue par une inextinguible soif d'apprendre, a payé le prix fort, simplement pour avoir droit au bonheur de lire. « L'oxygène » de cette personne-là, c'était la lecture.

La porte de la cuisine s'ouvrit. Trop tard, j'étais pris en flagrant délit. Plus question de faire disparaître la preuve; elle était là, manifeste, accablante même, grande ouverte sur mes genoux. Mon père, ivre, les yeux injectés de sang, titubait devant moi, l'œil mauvais, menaçant. Mes jambes tremblaient. J'avais neuf ans. Il allait me frapper, je le savais. Pas d'échappatoire possible : mon père m'avait surpris en train de lire...

Alcoolique comme ses parents, mon père m'avait déjà frappé, souvent et encore plus fort, et dans les années qui allaient suivre, il me refrapperait, encore plus souvent et encore plus fort, jusqu'au jour où finalement, à seize ans, j'ai quitté l'école puis la maison. Pourtant, de toutes les violences qu'il m'a infligées tout au long de mon enfance, c'est la rage obstinée dans laquelle me voir lire le plongeait qui m'a été le plus pénible : j'avais le sentiment d'être prisonnier des mâchoires d'un monstrueux étau car je ne voulais, ni ne pouvais, m'arrêter de lire. Ce n'était pas seulement la curiosité qui me poussait à lire des livres, mais une sorte d'urgence : j'avais ce besoin irrésistible de me transporter ailleurs... Donc, j'ai tenu tête à mon père. Et, comme je viens de l'évoquer, il m'est arrivé de payer le prix fort pour cet acte de défi. Mais je ne l'ai jamais regretté.

Ce témoignage est signé de Walter Anderson, auteur du livre *Read with Me*, dont il est extrait. Depuis, Walter Anderson a fait carrière et rencontré le succès dans l'édition. Membre de nombreux cercles littéraires, il a publié quatre livres sous son nom. Il enchaîne plus loin :

> *J'ai grandi dans un cadre familial violent, et dans un quartier lui-même violent. Mais il y avait un endroit où je pouvais aller me réfugier, c'était la bibliothèque. Et tous les bibliothécaires ne faisaient que m'encourager à une chose, c'était de continuer à lire. Il me suffisait d'ouvrir un livre pour être instantanément transporté ailleurs, n'importe où. J'allais où je voulais. Je pouvais m'imaginer loin de toute cette misère. Je me suis arraché à la misère à la force de mes lectures bien avant de m'en arracher à la force de mon travail.*

Si à ce jour tu n'as pas encore payé le prix pour te cultiver l'esprit, il n'est jamais trop tard pour bien faire. Apprends déjà à raisonner avec intelligence, et l'avenir sera pour toi une mine d'opportunités. C'est juste une histoire de jugeotte. Alors fonce.

Prends soin de
ton Cœur

L'après-midi touchait à sa fin. On frappait à la porte.

« Qui ça peut bien être ? »

J'ai ouvert la porte et c'était ma petite sœur, 19 ans, secouée de sanglots.

« Qu'est-ce qui t'arrive ? », lui ai-je demandé en l'accompagnant dans le vestibule, alors que je savais pertinemment ce qui s'était passé. C'était la troisième fois en un mois qu'elle me faisait le coup des larmes.

« Quel lourd, a-t-elle pleuniché en se frottant les yeux, rouges et gonflés. Il a osé, il a osé me le faire. À moi ! C'est minable. »

« Qu'est-ce qu'il a bien pu te faire, ce coup-là ? », j'ai demandé. J'en avais déjà entendu de bien bonnes mais là, j'avais hâte d'entendre ce qu'elle allait me sortir.

Quoi qu'il arrive, fais toujours en sorte que celui qui vient vers toi s'en retourne plus léger et plus heureux. Sois l'expression vivante de la bonté de Dieu : bonté dans ton visage, bonté dans tes yeux, bonté dans ton sourire.

MÈRE TERESA

D'un ton larmoyant, elle a gémi : « Eh bien… genre, il m'a demandé de passer chez lui pour qu'on étudie ensemble. Et pendant qu'on travaillait tous les deux, d'autres filles sont passées le voir. Et là, il a fait comme s'il ne me connaissait pas. »

« N'en fais pas une montagne. Ce genre de trucs, je le faisais tout le temps, moi aussi », j'ai répondu, finaud.

Elle chialait. « Mais ça fait deux ans qu'on sort ensemble. Et quand elles lui ont demandé qui j'étais, il a dit que j'étais sa sœur. »

Aïe !

Elle était dévastée. Mais je le savais : d'ici quelques jours, peut-être même quelques heures, elle le regarderait à nouveau comme la plus belle invention depuis le fil à couper le beurre. Et ça n'a pas raté. Quelques jours plus tard, elle craquait à nouveau complètement pour lui.

Il ne t'arrive jamais, un peu comme ma sœur, d'avoir des hauts et des bas, et de passer de la déprime à l'euphorie, et de l'euphorie à la déprime ? Tu n'as jamais le sentiment d'être la créature la plus lunatique que la Terre ait jamais porté ? Et de vivre sous la domination de tes émotions ? Si la réponse est oui, alors bienvenue au club, car pour un ado, ce sont là des sentiments plutôt normaux. Eh oui, le cœur est par nature très capricieux. Et puis, exactement comme le corps, il demande d'être constamment nourri et entretenu.

Le meilleur moyen d'aiguiser ses facultés et de se nourrir le cœur, c'est de se concentrer sur sa relation aux autres. En d'autres termes, cela consiste à effectuer des dépôts réguliers sur les divers Comptes émotionnels ouverts chez les uns et les autres, ainsi qu'à alimenter notre propre Compte-épargne personnel. Examinons la nature de ces versements :

Versements sur un CE (Compte émotionnel)

- Tenir ses promesses
- Avoir de petites attentions pour les autres
- Être intègre
- Être à l'écoute
- Présenter des excuses
- Jouer cartes sur table

Versements sur le CEP (Compte-épargne personnel)

- Tenir ses résolutions
- Avoir de petites attentions pour les autres
- Ne pas être trop sévère avec soi-même
- Être intègre
- Renouveler ses ressources
- Développer ses dons

Tu l'as sans doute remarqué, les dépôts qu'on effectue sur notre propre CEP sont très similaires à ceux qu'on effectue sur nos différents CE auprès des autres. Pour une raison simple, c'est qu'en général, les dépôts effectués chez les autres finissent par nous être crédités également.

Chaque jour, sitôt levé, cherche des occasions d'effectuer des versements et bâtis des amitiés durables. Écoute attentivement un ami, un parent, un frère ou une sœur, sans rien attendre en retour. Aujourd'hui, distribue dix compliments. Prends la défense de quelqu'un. Rentre à l'heure à laquelle tu as promis à tes parents de rentrer.

Mère Teresa l'a exprimé en des termes que j'aime beaucoup : « Quoi qu'il arrive, fais toujours en sorte que celui qui vient vers toi s'en retourne plus léger et plus heureux. Sois l'expression vivante de la bonté de Dieu : bonté dans ton visage, bonté dans tes yeux, bonté dans ton sourire. » Si tu abordes la vie avec cette philosophie-là, en essayant systématiquement de trouver un moyen de construire plutôt que de détruire, tu seras stupéfait(e) de tout le bonheur que tu donneras autour de toi, et dans lequel tu nageras toi-même.

Et puisqu'on en est au rayon cœur, profitons-en pour examiner quelques autres points.

RELATIONS SEXUELLES ET RELATIONS TOUT COURT

Une jeune fille témoigne :

Quel que soit le type de ta relation avec une personne, et aussi irréprochable que tu puisses être, c'est toujours la même histoire... La question du sexe est toujours dans l'air. Que tu sois en tête-à-tête sur la banquette d'une voiture ou chez toi devant la télé, la question est toujours dans l'air.

Les relations sexuelles, ce n'est pas seulement une histoire physique, ayant exclusivement trait au corps. Loin de là. Le cœur aussi est directement impliqué. À la limite, les décisions qu'on prend dans ce domaine affectent la perception qu'on a de soi et la qualité de nos relations avec les autres plus que toute autre. Avant de décider si tu veux avoir — ou continuer à avoir — une aventure sexuelle, sonde ta conscience et réfléchis... attentivement. Le texte suivant, extrait d'une brochure éditée par Journeyworks Publishing, devrait t'y aider.

Tu te dis prêt(e) à faire le pas ? Tu en es bien sûr(e) ? Les MST (maladies sexuellement transmissibles), les grossesses non désirées, et les doutes qui peuvent nous assaillir sont autant de bonnes raisons pour se poser la question à deux fois ! Avant de faire quelque chose que tu pourrais regretter, jette un œil à cette liste. Ou complète la phrase toi-même avec tes propres mots :

Tu n'es pas prêt(e) pour les relations sexuelles si...
1. Tu penses que Sexe = Amour.
2. Tu sens qu'on te force la main.
3. Tu as peur de dire non.
4. Finalement, c'est plus simple de céder.
5. Tu penses que tous les autres en ont (Faux !).
6. Ton instinct te dit de ne pas le faire.
7. Tu ne t'y connais pas en matière de grossesse.
8. Tu ne comprends pas comment la contraception fonctionne.
9. Tu penses qu'une femme ne peut pas tomber enceinte la première fois (Si, elle peut).
10. Cela va à l'encontre de tes convictions morales.
11. Cela va à l'encontre de tes convictions religieuses.
12. Tu risques de le regretter au réveil.
13. Tu éprouves de la gêne ou de la honte.
14. Tu le fais pour prouver quelque chose.
15. Tu ne peux pas assumer un enfant.
16. Tu ne peux pas t'assumer toi-même.
17. Pour toi, « avoir des responsabilités » se résume à louer une cassette vidéo pour 3 jours.
18. Tu es contre les relations sexuelles avant le mariage.
19. Tu ne sais pas comment on se protège du virus VIH, le virus du SIDA.
20. Tu ne connais ni les signes ni les symptômes des maladies sexuellement transmissibles (MST).
21. Tu penses qu'après, ton ou ta partenaire t'aimera davantage.
22. Tu penses qu'après, tu aimeras davantage ton ou ta partenaire.

23. Tu penses que cela va souder votre relation.

24. Tu espères que ça va changer ta vie.

25. Tu ne veux pas que ça change ta vie.

26. Tu n'es pas prêt(e) à voir la relation évoluer.

27. Tu es en état d'ébriété.

28. Tu regrettes de ne pas être en état d'ébriété.

29. Ton ou ta partenaire est en état d'ébriété.

30. Tu t'attends à ce que ce soit parfait.

31. Tu ne supporterais pas que ça ne soit pas parfait.

32. Vous n'êtes pas capables de rigoler ensemble de coudes retournés et de zips coincés.

33. Tu ne te sens pas prêt(e) à enlever tes habits.

34. Tu penses qu'il n'y a que les autres qui peuvent contracter le VIH, le virus du SIDA.

35. Tu penses pouvoir dire si quelqu'un est porteur du virus du SIDA, simplement en le regardant.

36. Tu penses que les ados ne peuvent pas contracter le virus du SIDA (Faux, ils peuvent).

37. Tu ignores que l'abstinence est la seule protection sûre à 100 % contre les maladies sexuellement transmissibles et contre la grossesse.

38. Vous n'avez pas parlé des conséquences que cela pourrait avoir.

39. Tu n'oses pas penser aux conséquences que cela pourrait avoir.

40. Ce serait dramatique si tes parents l'apprenaient.

41. Tu le fais uniquement pour que tes parents l'apprennent.

42. Tu as trop peur pour avoir les idées claires.

43. Tu penses que cela fera grimper ta cote de popularité.

44. Tu penses que « tu dois bien ça » à ton partenaire.

45. Tu penses qu'être vierge, ce n'est pas bien.

46. Tu ne penses qu'à toi-même.

47. Tu oublies de penser à toi-même.

48. Tu meurs d'envie d'aller le raconter à tout le monde.

49. Tu espères que ça ne reviendra aux oreilles de personne.

50. Tu ne regrettes qu'une chose, c'est que la question ait été soulevée.

Alors si tu préfères attendre, PAS DE SOUCI : ATTENDS !

Tu t'en sortiras ! **U**n petit coup de déprime de temps en temps, c'est tout à fait normal. Mais quand on a le cafard à longueur de journée et que la dépression s'installe, c'est une toute autre histoire. Si ta vie n'est plus qu'un long tunnel obscur dont tu ne vois pas le bout, si tu as l'impression d'être pris dans une nasse de laquelle tu n'arriveras jamais à t'extirper, il faut faire quelque chose. Fort heureusement, la dépression, ça se soigne. N'hésite pas à te faire aider, soit en envisageant un traitement médical approprié, soit en parlant avec un spécialiste de ce genre de problèmes.

S'il t'arrive d'avoir des pulsions de suicide, écoute attentivement ceci. Accroche-toi à la vie, la vie est précieuse. Tu vas t'en sortir. Les choses finiront par s'arranger. Je te le promets. Tu as une valeur inestimable et le monde a besoin de toi. La roue tourne… Toujours. La nuit engendre le jour. Un jour, tu te retourneras sur ton passé et tu seras content(e) d'avoir tenu le coup, comme cette jeune fille, écoute :

Je fais partie de ces nombreuses gamines nées dans un cocon et qui n'ont aucune raison d'aller s'embringuer dans des histoires. Et pourtant je suis tombée dedans. Au lycée, j'ai commencé à bloquer sur les amis, et à m'ennuyer ferme à la maison. Chaque jour, je n'avais qu'une idée en tête : m'échapper de chez moi pour aller retrouver mes potes et traîner dehors avec eux. En l'espace de deux ans, j'ai fait à peu près toutes les conneries possibles et imaginables. Ça ne m'a pas soulagé pour autant. Au contraire.

C'en est arrivé à un point où rien que rentrer à la maison me coûtait. Pousser la porte de cette demeure paisible, inondée de soleil, où ça sentait bon les petits plats mijotés, c'était limite pas supportable. Ils avaient tous l'air si irréprochables, si propres sur eux, et moi, j'avais l'impression de ne pas être à la hauteur. Je ne pourrais pas dire pourquoi mais j'avais l'impression de faire tache. On ne peut pas dire qu'ils étaient très fiers de la vie que je menais. La seule chose que j'arrivais à faire, c'était de les rendre malheureux. Alors j'ai commencé à ruminer des idées noires. Et puis des idées noires, je suis passée aux tentatives de suicide. Pour de vrai.

À l'époque, je tenais un journal. Aujourd'hui, quand je vois à quel point j'étais au bord du gouffre, prête à sauter, ça me fait froid dans le dos. À peine quelques années ont passé et aujourd'hui, je fais mes études à l'université, je rafle les meilleures notes, j'ai plein d'amis avec qui on sort souvent, j'ai un petit copain qui m'adore, et avec ma famille, les relations sont au beau fixe. J'ai des tonnes de projets, des tonnes de trucs à faire. J'adore la vie, il y a plein de trucs qui me donnent envie de vivre. J'ai du mal à croire que ça n'a pas toujours été le cas, et pourtant si. Il m'a fallu

plusieurs électrochocs pour avoir le déclic et réaliser que je pouvais être différente. Dieu merci, je suis toujours en vie.

Souviens-toi que les luttes que tu mènes aujourd'hui seront une source à laquelle tu puiseras des forces demain. Dans les termes du philosophe Khalil Gibran : « Ce même puits duquel montent nos rires, nous l'avons maintes fois rempli de nos larmes. Plus le chagrin creuse notre cœur, peut il pourra s'emplir de joie » (v. en fin de livre la liste des Numéros Verts et sites Internet, si tu as besoin d'aide).

RIS, SINON TU PLEURERAS

Une fois le problème examiné sous toutes ses coutures, il reste une dernière clé permettant de maintenir un cœur vigoureux et en bonne santé. Il s'agit tout simplement de rire. Oui oui, tu as bien entendu : de rire! Hakuna matata! *Don't worry, be happy!* Il y a des moments tellement craignos, dans la vie, qu'il n'y a pas grand-chose à faire pour y remédier. Alors le mieux est encore d'en rire.

Dommage qu'en grandissant, on aie tendance à oublier ce qui rend l'enfance si magique. Une étude a établi qu'à l'âge où on rentre en maternelle, on rit en moyenne 300 fois par jour. À l'autre bout du spectre, l'adulte de base rit dix-sept misérables petites fois par jour. On comprend pourquoi les enfants sont tellement plus heureux! Pourquoi sommes-nous si sérieux? Peut-être parce qu'on nous a enseigné que rire, c'est un truc de gamins. Eh bien pour reprendre les termes de Yoda, le grand maître Jedi : « Tu dois désapprendre ce que tu as appris. » Il faut réapprendre à rire.

J'ai lu un article véritablement passionnant dans *Psychology Today*, signé Peter Doskoch, traitant des vertus du rire. Voici quelques-unes de ses découvertes clés :

Le rire :
- Assouplit les mécanismes mentaux et stimule l'imagination
- Permet d'endurer les réalités de la vie avec plus de recul
- Réduit le niveau de stress
- A des vertus relaxantes dans la mesure où il ralentit le rythme cardiaque et fait tomber la pression artérielle
- Nous relie aux autres et neutralise le sentiment d'aliénation, facteur majeur dans la dépression et le suicide
- Déclenche la sécrétion d'endorphines, anesthésiants naturels du cerveau

Il a par ailleurs été prouvé que le rire est bon pour la santé et qu'il accélère la guérison en cas de maladie. On m'a rapporté plusieurs témoignages de gens atteints de maladies graves qui se sont remis sur pied grâce à un traitement à base d'ingestion massive de déconnade. Le rire peut également avoir de grandes vertus thérapeutiques lorsqu'il s'agit de raccommoder des relations dégradées. C'est sans doute ce qui a fait dire au comique Victor

Borge que « le rire est ce qui rapproche le plus facilement deux individus ».

Si tu ris peu, comment t'y prendre pour recommencer à rire ? Je te suggère de démarrer ta propre « compil' du rire ». Collectionne des livres, des BD, des vidéos, des idées : ce que tu veux, à partir du moment où tu trouves ça drôle. Et à chaque fois que tu auras un coup de cafard ou que tu te prendras un peu trop au sérieux, va piocher dedans. Moi, par exemple, j'aime bien les films débiles. Rien qu'à entendre le nom de certains acteurs, je suis déjà mort de rire. Je me suis payé un maximum de leurs films dans les collections économiques, et à chaque fois que j'ai besoin d'un petit « remontant », je m'en visionne un ou deux. Mon frère Stephen, lui, a accumulé une collection d'albums de *The Far Side* [19] tellement tentaculaire qu'aucun collectionneur de BD de la galaxie n'arrivera jamais à rivaliser avec lui. À l'en croire, sans ces dessins-là, il aurait pété les plombs plus d'une fois lors de ses périodes de méga-stress.

Apprends à rigoler de toi-même quand il t'arrive des trucs bizarres ou stupides, car il t'en arrivera. Comme je ne sais plus trop qui l'a dit : « Dans la vie, un des meilleurs jokers qu'on puisse avoir dans sa manche, c'est un bon sens de l'humour. »

Prends soin de ton Âme

Qu'est-ce que c'est, toi, qui te fait vibrer? Un grand film? Un bon livre? Il t'est déjà arrivé de regarder un film et d'en avoir les larmes aux yeux? Qu'est-ce qui t'a ému, au juste?

La chose qui te transporte le plus, c'est quoi? La musique? Les beaux-arts? La nature?

Par « âme », je veux parler de cette nature profonde tapie bien loin sous la surface de ta nature ordinaire. Ton âme est ton centre, le siège de tes valeurs et de tes convictions les plus profondes. Elle est source. Celle du sens de ta vie, de ta mission, et de ta paix intérieure. Aiguiser tes facultés au plan spirituel, cela signifie consacrer du temps à éveiller cette nature profonde qui est la tienne, afin de pouvoir t'y ressourcer. Dans les termes de la célèbre romancière Pearl Buck : « Il existe au fond de moi un endroit où je vis toute seule, et c'est là que jaillissent des sources intarissables auxquelles je viens me retrouver. »

Comment se nourrir l'âme

Quand j'étais ado, je puisais ma force dans trois choses : tenir mon journal, écouter de la bonne musique, et passer des moments de solitude dans la montagne. C'était ma façon à moi de me ressourcer, même si à l'époque je ne savais pas qu'on appelait ça comme ça. Ma force, je la puisais également dans des citations qui m'inspiraient, comme par exemple celle-ci, d'Ezra Taft Benson, ex-ministre de l'Agriculture des États-Unis :

« Les hommes et les femmes qui s'en remettent à Dieu s'apercevront qu'Il fera d'eux beaucoup plus que ce qu'ils ne sont. Il intensifiera leurs joies, leur permettra de voir plus

POURQUOI IL MANGE AUTANT ?

IL DIT QU'IL SE « NOURRIT L'ÂME ».

loin, affûtera leur cerveau, musclera leur corps, élèvera leur esprit, multipliera leurs bienfaits, augmentera leurs chances, et les emplira de paix. »

L'âme est un domaine très personnel de notre vie. Il existe de nombreuses façons de la nourrir, bien sûr. En voici quelques unes, suggérés par des ados :

- Méditer
- Aider les autres
- Tenir mon journal
- Faire des balades
- Lire des livres qui m'inspirent
- Dessiner
- Prier
- Écrire des poèmes, composer de la musique
- Me plonger dans mes pensées
- Écouter de la musique qui me fait vibrer
- Jouer d'un instrument
- Pratiquer une religion
- Parler avec un(e) ami(e) avec qui je peux être moi-même
- Réfléchir à mes objectifs ou à ma charte personnelle

Voici quelques techniques particulièrement intéressantes pour se nourrir l'âme.

REVENIR À LA NATURE

Revenir à la nature, c'est quelque chose de magique qui n'a pas tout simplement pas son égal. Même quand on habite en milieu urbain, loin de tout fleuve, de toute montagne ou de toute plage, on trouve en général un parc relativement facile d'accès. Un jour, j'ai eu un entretien avec un garçon nommé Florent qui, empêtré dans une crise familiale aigüe, venait de découvrir les vertus apaisantes de Mère Nature.

À un moment, au lycée, j'ai traversé une période noire. J'avais l'impression que tout s'effondrait autour de moi. C'est à cette époque que j'ai trouvé ma cachette, près de la rivière. C'était une berge toute simple perdue dans les arbres, cachée derrière une vieille ferme. Ça ne payait pas de mine, mais c'est devenu mon refuge. Il n'y avait jamais personne, on n'y entendait jamais un bruit. C'était magique. Nager là-dedans me procurait un senti-

ment de paix et de communion avec la nature. J'allais m'y réfugier à chaque fois que je stressais. On aurait dit que là-bas, ma vie redevenait normale.

Il y en a qui se tournent vers les religions organisées pour qu'on leur indique la voie mais moi, ce n'est pas mon truc. Une religion, j'en ai une, et j'y tiens. Mais il y a des moments où j'ai vraiment du mal à me lever pour aller à l'église, surtout si c'est pour entendre des trucs du style : « Allez, souris. Tu vas voir, ça va s'arranger. Garde la foi. Tu vas voir, ça va s'arranger, dans ta famille. » Pour moi, tout ça, c'est du pipeau. C'est vrai, quoi, il y a des familles où ça ne s'arrange jamais. Dans la mienne, par exemple, c'est n'importe quoi.

Mais quand j'allais à la rivière, la rivière ne me jugeait pas. Elle ne me disait pas ce que j'avais à faire. Elle était là, c'est tout. Sa présence me suffisait. Je suivais son exemple, et la paix et la sérénité qui régnaient me gagnaient. Ça me donnait l'illusion que tout allait s'arranger.

⚘ LE MEILLEUR AMI DE L'ADO

De la même manière que communier avec la nature, tenir un journal peut se révéler un merveilleux réconfort pour l'âme. Ton journal peut devenir ta consolation, ton meilleur ami, et le seul endroit où t'exprimer sans contrainte, que le sentiment qui prédomine en toi soit la colère, la joie, la peur, l'amour fou, le doute, ou la confusion. Tu peux lui ouvrir ton cœur et tout lui raconter, il sera toujours là pour toi; à l'écoute. Il ne te reprendra pas. Et il n'ira pas parler derrière ton dos. Mettre par écrit tout ce qui te passe par la tête sans te censurer te permettra de te vider la tête, de prendre une grande assurance, et de te trouver.

Tenir un journal affûtera également celui de tes outils propres à l'homme qu'on appelle *conscience de soi*. C'est rigolo et plein d'enseignements de se relire une fois que le temps a passé. On réalise à quel point on a mûri, combien stupide et immature on a pu être à une époque de sa vie, où à quel point on a pu faire une fixation sur tel ou tel garçon ou telle ou telle fille. Une fille m'a raconté comment, en relisant de vieilles pages de son journal, elle s'est évité de replonger avec un ex qui la maltraitait.

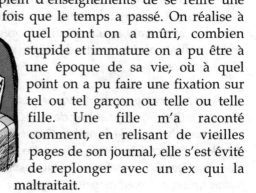

Il n'existe pas de technique officielle pour tenir un journal. On est libre d'y coller des souvenirs, des souches de billets, des mots doux, et toute chose susceptible de garder une trace. Mes vieux journaux à moi regorgent de dessins pas terribles, de mauvais poèmes et d'odeurs bizarres.

Tenir un journal, c'est juste une façon un peu formelle pour dire : mettre ses pensées par écrit. La chose peut prendre d'autres appellations et d'autres formes. Allison s'écrit des petits mots à elle-même et les range dans une boîte qu'elle appelle sa boîte sacrée. Nina, elle, se ressource en tenant un « Livre de Gratitude » :

J'ai un livre qui m'aide à être plus positive dans la vie. Je l'appelle mon Livre de Gratitude. Dans ce livre, je note les choses qui m'inspirent de la reconnaissance et tous les trucs positifs qui peuvent m'arriver dans la journée. Ce livre m'a changé la vie et m'a donné un recul énorme, parce que je me concentre sur les trucs positifs. Les autres, je les laisse de côté. Ce qui est très différent de tenir un journal, dans lequel on note tout, aussi bien le bon que le mauvais. Un journal, j'en tiens un aussi, mais ça, c'est différent. J'ai des pages à thème pour mes trucs préférés : les chansons, les émotions (mon frère qui me prend dans ses bras), les sons (Maman qui éclate de rire), les sensations (la brise qui me rafraîchit le visage), etc. Je note aussi des petits trucs, style « Ludovic a proposé de me faire une place à la table », ou « Aujourd'hui, Michaël a fait un détour pour venir me dire bonjour ». Tous ces trucs, ça te donne la pêche. Je me replonge dedans de temps en temps et toutes ces bonnes choses me reviennent en mémoire. Les autres, les moins bonnes, je les oublie. On efface. C'est fini, elles ne peuvent plus m'atteindre.

J'ai offert deux ou trois livres comme ça à des amies et elles disent toutes que ça les a vraiment aidées. C'est ma façon à moi de leur dire : « La seule personne qui peut te rendre heureuse, c'est toi-même. Personne d'autre. »

NOURRITURES SPIRITUELLES

Je me suis souvent demandé ce qu'il adviendrait d'un individu qui se nourrirait exclusivement de chocolat et ne boirait que des boissons gazeuses sucrées, à l'exception de toute autre chose, plusieurs années d'affilée. Que finirait-il par éprouver à la longue, et à quoi finirait-il par ressembler? À une loque, j'imagine. Alors pourquoi s'imaginer qu'il pourrait en être autrement s'agissant de notre âme, si nous passions notre temps à la nourrir de daube? On peut décliner le proverbe *Dis-moi ce que tu manges, et je te dirai qui tu es* et s'apercevoir qu'il fonctionne également lorsqu'on remplace *ce que tu manges* par « ce que tu écoutes », « ce que tu lis », et « ce que tu regardes ». Plus important encore que ce dont tu nourris ton corps, il y a ce dont tu nourris ton âme.

Alors toi, quel type de régime suis-tu, sur un plan spirituel ? Ton âme à toi, tu aurais plutôt tendance à l'enrichir de mets délicats, ou à t'en servir comme d'une poubelle à déchets radioactifs ? Quels types de médias acceptes-tu d'absorber ? T'es-tu jamais posé la question ?

Le fait est que nous infusons dans un monde de médias sans même en avoir conscience. Essaie de passer une journée entière sans adjonction de médias et tu verras ce que je veux dire : une journée entière sans écouter de musique, sans regarder ni télé ni vidéo, sans lire ni livre ni magazine, sans te connecter à Internet ni regarder une seule affiche (ça aussi, ça fait partie des médias). Tu vas t'apercevoir que non seulement c'est quasiment impossible, mais en plus, que tu pourrais bien te retrouver en état de manque sévère.

Prends la musique, par exemple. Des études ont montré que l'ado de base en écoutait quatre heures par jour. Ça fait un paquet de tubes, ça ! Quand tu te réveilles, le matin, quel est ton premier geste ? Tu allumes ta radio ou ta stéréo. Ensuite tu prends ton bus, ton métro ou ta voiture et qu'est-ce que tu fais ? Tu te disputes avec tes parents, tu fonces dans ta chambre, et qu'est-ce que tu fais ? Serais-tu prêt à regarder une pub TV, une émission à la télé ou un film, s'il n'y avait pas un peu de musique derrière ?

Maintenant si tu penses que les médias n'ont pas d'incidence sur ce que tu es, pense simplement à ta chanson préférée et aux émotions qu'elle éveille en toi. Ou pense à la dernière fois que tu as vu des représentants du sexe opposé à moitié déshabillés, en train de tortiller des hanches au milieu de l'écran ou de la page. Ou encore essaie de te souvenir du dernier flacon de shampooing que tu as acheté. Pourquoi as-tu acheté celui-là et pas un autre ? Probablement à cause d'un spot TV de trente secondes, ou d'une page de pub dans un magazine. Et si une page de pub suffit à vendre un shampooing, tu ne penses pas qu'un film, un magazine ou un CD peuvent vendre une attitude tout entière ?

Comme pour toute chose, les médias ont leur versant lumineux et leur versant obscur. C'est à toi de voir quel type de nourriture tu veux bien absorber. Je ne dirais qu'une chose : agis en ton âme et conscience, et traite ton âme avec le même respect qu'un ou une athlète olympique traiterait son corps. Si par exemple la musique que tu écoutes ou les films que tu regardes induisent en toi un sentiment de déprime ou de confusion, déclenchent des pulsions de colère ou de violence, ou ont le don de te mettre en chaleur, alors à ton avis? On peut penser qu'ils sont avilissants, et tu n'as pas besoin de t'avilir. Inversement, s'ils induisent en toi un sentiment de bien-être, de bonheur, d'élévation, d'espoir ou de paix, continue à t'en nourrir. Un jour ou l'autre, ce qu'on regarde, ce qu'on écoute et ce qu'on lit, on le devient. Alors pose-toi toujours la question : « Est-ce que c'est à *ça*, que j'ai envie de ressembler? »

LÀ, VOUS ME POURRISSEZ MES NUITS!

Je suis tombé sur un mail pêché sur le site internet *YO! (Youth Outlook)* signé d'une certaine Ladie Terry qui en avait marre de la daube que bombardent les chaînes musicales américaines. Son courrier était adressé « À toutes les Sisters qui se croient obligées d'onduler du derrière sur mon écran télé ». Avec son autorisation, je vous en livre quelques extraits :

STOP! JE DÉGAGE LA TÉLÉ! ON REPASSE AU JUKE-BOX!

J'imagine l'éclate que ça doit être de se retrouver dans une vidéo musicale. Mais est-ce que vous vous rendez compte du dégât que vous faites dans la tête et dans la vie de toutes vos Sisters? Ça vous arrive de penser aux plus jeunes, qui apprennent vite et qui vous copient comme des clones? Vous avez noté ces gamines de 12-13 ans qui se fagotent comme des pétasses pour faire croire qu'elles en ont 20? Ou alors est-ce que les temps sont si durs que ça vous est égal, de savoir à qui vous faites du tort?

Je me suis souvent pourri avec mon ex qui passait son temps vissé devant MTV, parce que la majorité des vidéos, c'étaient des meufs à moitié nues qui ondulaient du derrière comme des déchaînées... Voir mon ex bloquer sur l'écran, avec ses yeux hallucinés qui roulaient de haut en bas, c'était trop! [...]

Ma voisine me racontait que quand elle regardait des vidéos avec son copain sur une chaîne musicale, il lui sortait : « Voilà, c'est un corps comme ça que tu devrais avoir. » J'ai une autre copine, 16 ans, qui me dit que les mecs lui demandent : « Et pourquoi tu danses pas comme ça, toi ? »

Qu'est-ce que vous foutez à la télé, moulées à mort dans des ras-la-touffe, à vous tortiller comme des débiles ? [...] Vous êtes canon, Sisters. Et même top-canon ! Pas besoin de vous déshabiller pour réussir ou pour qu'on vous remarque. Vous voulez que les petits frères respectent ? Alors imposez-leur le respect dans des fringues classe, et même classiques. Et achevez la démonstration en vous servant de votre tchatche et de votre intelligence. Les fringues qu'on porte en disent long sur les idées qu'on a derrière la tête [...] Soyez plus classe dans votre façon de vous habiller et de penser, et vous verrez qu'un paquet de Brothers reverront à la hausse la façon dont ils vous traitent.

Alors arrêtez la surenchère pour savoir laquelle aura le look le plus pétasse, et pensez un peu à autre chose, parce que là, vous me pourrissez mes nuits !

❋ LA GRENOUILLE ÉBOUILLANTÉE

Toutes les formes de dépendance, qu'il s'agisse de dépendance à la drogue, aux ragots, au shopping, aux excès alimentaires ou au jeu, présentent des caractéristiques en commun.

La dépendance :
- Engendre un plaisir à court terme
- Devient le centre des préoccupations
- Procure un soulagement provisoire
- Crée un sentiment artificiel d'estime de soi, de puissance, de maîtrise, d'assurance et de proximité
- Aggrave les problèmes et les émotions qu'on essaie de fuir

L'une des dépendances les plus sournoises mais des plus redoutables qui soit, c'est la dépendance au « X », lequel est aisément disponible partout. On pourra polémiquer jusqu'à la nuit des temps sur ce qui doit être classé X ou pas, mais je pense qu'en ton for intérieur, tu sais très bien de quoi on parle. Le X a peut-être la saveur du fruit défendu sur le moment mais à l'usage, petit à petit, il finit par émousser notre sensibilité plus subtile — comme cette voix intérieure que l'on nomme *éthique* — jusqu'à complètement l'étouffer.

À ce stade, tu te dis peut-être : « Flippe pas, Sean. Quelques petits poils, ça n'a jamais tué personne. » Le problème, c'est que comme toute dépendance, la dépendance au X s'installe de façon sournoise. Ça me rappelle une histoire de grenouilles que j'ai lue un jour. Quand on jette une grenouille dans de l'eau bouillante, elle bondit instantanément pour en ressortir. Mais si on met une grenouille dans de l'eau tiède et qu'on monte la flamme tout doucement, la grenouille sera morte ébouillantée avant même que l'idée de sauter hors de la casserole ne l'ait effleurée. Avec le X, c'est pareil. Il y a un an, ce que tu regardes aujourd'hui t'aurait peut-être choqué. Mais la température a monté si sournoisement que tu ne t'es rendu compte de rien. Et pendant ce temps, ton éthique a grillé.

Aie le courage de passer ton chemin, d'éteindre, ou de jeter à la poubelle. Tu vaux mieux que ça. Écoute le témoignage de ce garçon :

L'été qui a précédé mon année de terminale, j'ai travaillé pour une entreprise de construction. Un jour, le patron m'a demandé de vérifier un truc auprès du chef de chantier, qui avait installé son bureau dans une caravane située sur le site.

Quand j'ai poussé la porte de la caravane, il y avait des photos de magazines X sur tous les murs. J'étais tellement sous le choc que pendant quelques secondes, je ne savais même plus pourquoi j'étais rentré là, ni ce que j'étais censé demander aux types. Ça a attisé ma curiosité. À peine sorti de la caravane, je me suis demandé où je pourrais bien me procurer des trucs comme ça et en voir plus. Ça n'a pas traîné.

Au début, quand je matais les images, j'étais intimidé et gêné aux entournures, comme si j'étais en train de faire un truc pas bien, mais je suis rapidement devenu accro. Ça a commencé à me ronger, au point que plus rien d'autre ne comptait : ni ma famille, ni mon travail, ni mon sommeil. Mon estime de moi en a pris un coup, et l'image que j'avais de moi-même a commencé à se dégrader.

Au boulot, pendant les pauses, on se retrouvait dans le véhicule de l'un ou de l'autre, il y en a un qui sortait un magazine, et on balançait des vannes à n'en plus finir. Les plus impliqués ne se contentaient pas de mater. Ils parlaient de toutes les filles avec lesquelles ils avaient couché et pour eux, c'est clair, il n'y a que ça qui comptait. Leur seul sujet de conversation, c'était sous la ceinture : les magazines, les films, et leurs propres exploits...

Un jour, en fin d'après-midi, j'étais en train de travailler et j'ai entendu des collègues siffler et balancer des remarques obscènes. J'ai levé les

HABITUDE 7

326   LES 7 HABITUDES DES ADOS BIEN DANS LEUR PEAU

yeux pour voir ce qui pouvait bien les mettre dans un état pareil, et là, je vois ma petite sœur en train de sortir de sa Coccinelle pour venir me chercher. J'ai entendu derrière moi : « T'as vu le morceau ? J'en ferai bien mon quatre heures ! » Je me suis retourné et j'ai balancé : « Va mourir ! C'est ma petite sœur ! » J'avais la rage.

Ma parole, j'étais dégoûté. J'ai quitté le boulot direct, avant l'heure, et j'ai tourné tout seul en voiture pendant un bon moment. Je n'arrivais pas à me défaire de l'image de ma petite sœur, qui s'était fait traîner dans la boue alors qu'elle était venue tout gentiment, et qui devait être complètement minée.

Le lendemain, de retour au boulot, quand les types ont commencé à se faire passer les magazines, je me suis levé et je suis sorti. Au départ, j'ai vraiment du me faire violence. Mais après, c'est devenu de plus en plus facile. Dès que la conversation commençait à voler bas et même à prendre un tour franchement crade, je prenais mes cliques et mes claques et j'allais ailleurs. Je ne trouvais plus ça drôle du tout. Pour moi, c'était devenu clair : la fille qu'on vannait, c'était toujours la sœur de quelqu'un.

RÊVE PAS !

Puisqu'on en arrive à la fin de ce chapitre, laisse-moi te faire part d'une ou deux petites réflexions. Un jour, je parlais d'aiguiser ses facultés à une fille nommée Patricia, et je m'en suis pris plein les gencives : « Rêve pas, Sean ! Tu crois que j'ai le temps, peut-être ? Je passe mes journées au lycée ; après, j'ai mes activités ; et le soir, je révise mes exams. Pour être admise, il me faut un minimum de résultats. Alors qu'est-ce que tu veux que je fasse ? Que je me couche plus tôt et que je me vautre à mon contrôle de maths demain, c'est ça ? »

Alors juste une remarque. Il y a un temps pour tout. Un temps pour l'équilibre et un temps pour le déséquilibre. Il y a des moments où il faut tenir le coup sans beaucoup dormir, ou pousser son corps au maximum de ses possibilités pendant 24 heures, une semaine, ou même pendant une saison toute entière. On peut aussi se retrouver dans des cas où la seule chose à faire pour ne pas rester le vendre vide, c'est de se nourrir de la junk-food qu'on trouve dans les distributeurs. La réalité, c'est aussi ça. Mais il y a également un temps pour se ressourcer.

Quand on tire sur la ficelle, on finit par avoir l'esprit qui s'embrume, les nerfs à fleur de peau, et un sérieux manque de recul. Tu te dis peut-être que tu n'as pas le temps de faire de l'exercice, de bâtir des amitiés solides ou de te ressourcer. La vérité, c'est que tu n'as pas le temps de ne *pas* le faire. Le temps « perdu » à aiguiser ses facultés est immédiatement payé en retour car, au moment de se remettre en selle, on est beaucoup plus performant.

À toi de jouer   Tu passes déjà sans doute pas mal de temps à aiguiser tes facultés sans même le savoir. Si tu travailles dur en classe, tu aiguises ton esprit. Si tu fais du sport ou de la gym, tu prends soin de ton corps. Si tu t'efforces de bâtir des amitiés solides, tu nourris ton cœur. On aiguise souvent ses facultés dans plusieurs domaines à la fois. Un jour, Camille m'a raconté comment l'équitation lui permettait d'y arriver. L'aspect physique de l'équitation lui permettait d'entraîner son corps. Se concentrer profondément lors des parcours lui permettait de s'entraîner l'esprit. Et le contact avec la nature lui permettait de se nourrir l'âme. Je lui ai posé la question suivante : « Et tes relations avec les autres ? Est-ce que l'équitation te permet aussi de t'ouvrir le cœur ? » Voilà ce qu'elle m'a répondu : « Oui. J'apprends à connaître mon cheval. » Pourquoi pas. Après tout, un cheval a également droit à notre respect, non ?

Aiguiser ses facultés demande de s'investir un minimum. Dans la mesure où c'est une activité du Quadrant 2 (Important mais pas Urgent), c'est à toi d'avoir une attitude proactive et de faire l'effort de les aiguiser. Le mieux est d'y consacrer un moment chaque jour,

même si ce n'est qu'un quart d'heure ou une demi-heure. Certains ados se bloquent un créneau bien précis — tôt le matin, après les cours, ou en fin de soirée — pour se retrouver face à eux-mêmes, pour réfléchir, ou pour faire de l'exercice. D'autres préfèrent s'y consacrer le week-end. Il n'y a pas de méthode absolue ; à toi de définir celle qui te convient le mieux.

Un jour, Abraham Lincoln s'est entendu poser la question suivante : « Que feriez-vous si vous disposiez de huit heures pour abattre un arbre ? » Et il donna cette réponse : « Je passerais les quatre premières à aiguiser ma scie. »

★★★

PROCHAIN ÉPISODE

Tu vas adorer le prochain chapitre, tellement il est court.
Alors pendant que tu y es, finis le livre.
Tu y es presque !

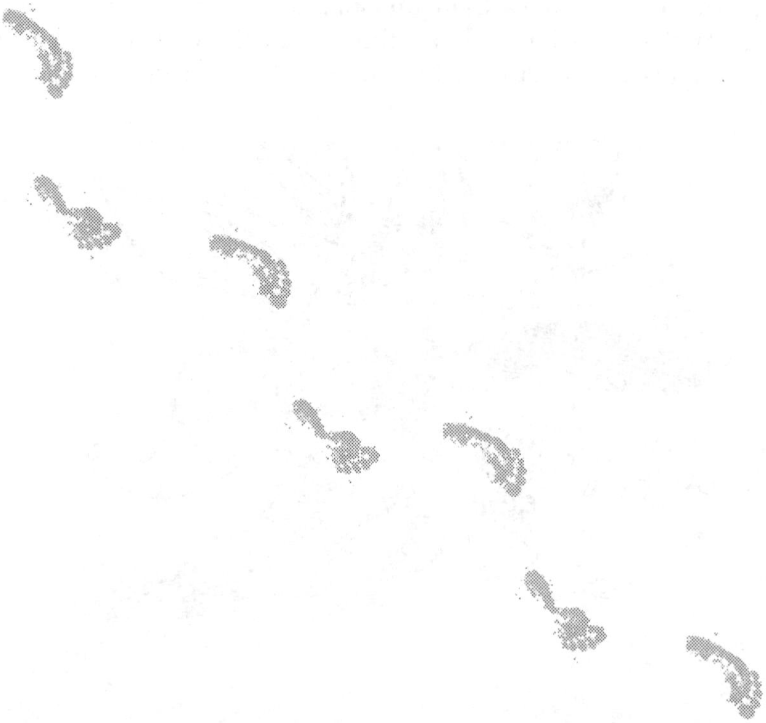

Corps

1. Prends ton petit déjeuner.

2. À partir d'aujourd'hui, démarre un programme d'exercices et suis-le consciencieusement pendant 30 jours d'affilée. Marche, cours, nage, fais du vélo, soulève des poids, etc. Choisis quelque chose que tu aimes vraiment faire.

3. Renonce à une mauvaise habitude pendant une semaine. Laisse tomber l'alcool, les sodas, les aliments frits, les donuts, le chocolat, ou n'importe quel autre truc nuisible pour ton corps. Une semaine plus tard, vois comment tu te sens.

Esprit

4. Abonne-toi à un magazine à valeur éducative, comme Géo ou Science et Vie.

5. Lis un quotidien chaque jour. Accorde une attention toute particulière au sujet qui fait la Une, ainsi qu'aux billets des éditorialistes et aux pages d'opinions.

6. La prochaine fois que tu fileras un rencard, allez visiter un musée ou allez manger dans un restaurant de cuisine ethnique où tu n'as jamais mis les pieds. Élargis tes horizons.

Cœur

7. Fais-toi une petite sortie en tête-à-tête avec un membre de ta famille, ta mère ou ton frère par exemple. Allez voir un match, faites-vous un ciné, allez faire les magasins, ou payez-vous une glace.

8. Démarre aujourd'hui ta compil' du rire. Découpe tes dessins humoristiques préférés dans les journaux, achète des films fendards, ou commence ta collection personnelle d'histoires drôles. En un rien de temps, tu sauras vers où te tourner dans les moments de stress.

Âme

9. Ce soir, regarde le soleil se coucher, ou lève-toi demain matin tôt et assiste à son lever.

PAS DE FOURMI

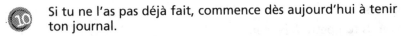 Si tu ne l'as pas déjà fait, commence dès aujourd'hui à tenir ton journal.

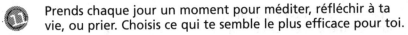 Prends chaque jour un moment pour méditer, réfléchir à ta vie, ou prier. Choisis ce qui te semble le plus efficace pour toi.

Garde
Espoir !

TU DÉPLACERAS DES MONTAGNES, MON ENFANT

Il y a quelques années, à la Convention Démocrate pour les élections présidentielles américaines, le Révérend Jesse Jackson a prononcé un discours. Il y faisait passer un message puissant qui a enflammé toute la Convention. Trois mots lui ont suffi : « Gardons l'espoir ! Gardons l'espoir ! *GARDONS L'ESPOIR !* »

Ces mots, il les martelait, et il les martelait, et il les martelait encore. On aurait dit qu'il n'allait jamais s'arrêter. La foule était secouée de tonnerres d'applaudissements. Sa voix rayonnait de sincérité. Tous vibraient. Il avait allumé la flamme de l'espoir.

C'est pour cette même raison que j'ai écrit ce livre… *pour allumer en toi la flamme de l'espoir !* L'espoir de pouvoir te transformer, te libérer d'une dépendance, d'améliorer la

> Alors quand tu avances, sache où tu mets les pieds.
>
> À l'heure où tu t'élances, agis avec doigté. La vie, souviens-toi, est un grand Balancier.
>
> Si tu vas réussir ?
> Oui, évidemment !
> (Garanti à 98,75 %)
>
> Tu déplaceras des montagnes, mon Enfant.
>
> Dᴿ SEUSS
> EXTRAIT DE *OH, THE PLACES YOU'LL GO*

GARDE ESPOIR

qualité d'une relation importante dans ta vie. L'espoir de trouver des réponses aux questions que tu te poses et d'atteindre ton potentiel maximum. Alors tant pis si dans ta famille ça se passe mal, tant pis si tes résultats scolaires sont médiocres, et tant pis si la seule personne avec qui tu entretiennes encore de bonnes relations est ton chat (qui t'a d'ailleurs un peu lâché, ces derniers temps). *Garde espoir!*

Si, après avoir lu ce livre, tu te sens déboussolé(e) et que tu ne sais plus par où commencer, je te suggère ceci : zappe à travers les différents chapitres pour repérer les idées clés, ou pose-toi la question : « Quelle est l'habitude qui me pourrit le plus la vie? » Puis choisis simplement deux ou trois points sur lesquels travailler (pas la peine de fayoter et d'en choisir vingt). Mets-les par écrit et place les en évidence dans un endroit bien en vue. Et puis, jour après jour, laisse-les t'inspirer... Pas te culpabiliser.

Tu seras stupéfait des résultats qu'on peut obtenir à partir de petits changements de rien du tout. Petit à petit, on gagne en assurance, le bien-être s'installe, on est gagné par une euphorie « naturelle », les objectifs qu'on s'est fixés deviennent des réalités concrètes, la qualité de nos relations avec les autres s'améliore, et finalement, un sentiment de paix intérieure nous gagne. Un simple pas suffit à déclencher tout le processus.

Si tu tombes sur une habitude ou une idée qui trouve en toi une résonnance particulière — « Sois proactif » ou « Le Compte émotionnel » par exemple — la meilleure technique pour l'intérioriser consiste à l'enseigner à un(e) autre pendant que c'est encore frais dans ta tête. Guide cette personne étape par étape en ayant recours à tes propres exemples et à tes propres mots. Qui sait, tu provoqueras peut-être un déclic chez cette personne, et elle aura peut-être envie de faire ce travail avec toi.

Si tu sens que tu pars à la dérive ou que tu n'y arrives pas, *ne te décourage pas*. Pense à la trajectoire d'un avion. Lorsqu'un avion décolle, il a un plan de vol à suivre. Toutefois, tout au long du vol, le vent, la pluie, les turbulences, le trafic aérien, l'erreur humaine et divers autres facteurs n'ont de cesse de faire dévier l'appareil de sa trajectoire. De fait, un avion fait fausse route 90 % du temps. La clé, c'est que le pilote n'a de cesse de redresser le cap, en s'aidant de ses instruments et en communiquant avec la tour de contrôle. Résultat : il atteint sa destination.

Si ta trajectoire est constamment déviée par rapport à ton plan de vol et que tu as l'impression de faire fausse route 90 % du temps… et alors ? Contente-toi d'en revenir à ton plan de vol, redresse le cap petite touche par petite touche, et garde espoir : tu finiras par atteindre ta destination.

Voilà, c'est la fin du livre. Merci d'avoir fait le voyage avec moi, et bravo pour être allé jusqu'au bout. Je voudrais simplement te dire une chose. Je crois sincèrement en ton avenir. De grandes choses t'attendent. N'oublie jamais que tout ce dont tu as besoin pour réussir, tu es venu au monde avec. Ne va pas chercher plus loin. La Force et la Lumière sont en toi !

Et avant de te tirer ma révérence, j'aimerais te laisser avec une de mes citations favorites qui résume tout. On la doit à Bob Moawad. Que le bon œil soit sur toi. Sayonara !

Ce n'est pas en restant assis sur ton derrière
Que tu laisseras ton empreinte dans les Sables du Temps.
À moins qu'en guise d'empreinte dans les Sables du Temps
Tu ne comptes laisser la marque de ton derrière.

Notes

1. NdT : Les systèmes scolaires et universitaires américains sont particuliers. À l'inverse de la France où les universités sont des institutions publiques auxquelles le baccalauréat donne systématiquement accès, celles des États-Unis sont des institutions privées soumettant les candidats à un examen d'entrée. Les systèmes de notation diffèrent également.
2. NdT : Jour de la rédaction de la Déclaration d'Indépendance des États-Unis, le 4 juillet est un anniversaire célébré chaque année, phare de la vie américaine, équivalant au 14 juillet commémorant la Révolution française.
3. NdT : Terme signifiant petit copain, employé au Canada.
4. NdT : Livre culte pour enfants de Roald Dahl, contant les aventures d'une bande de sales gosses capricieux dans la fabrique de chocolat d'un fou nommé Willie Wonka, et habitée par d'adorables petites créatures, les Umpalumpa.
5. NdT : Surnommé Le Pelé du hockey, ce buteur de légende a contribué à populariser ce sport dans le monde entier.
6. NdT : Surnom affectueux donné à George Herman Ruth, célèbre champion de baseball réputé pour ses *homeruns*.
7. NdT : Aux États-Unis, la *prom* est un bal donné par les élèves d'une classe dans un lycée ou un *college*, assorti de toute une étiquette : location de la tenue de soirée, de la limousine, etc.
8. NdT : cf. NdT n° 1.
9. NdT : cf. NdT n° 1, et p. 202.
10. NdT : Avec son frère Orville, l'aviateur américain Wilbur Wright (1867-1912) expérimenta tout d'abord des planeurs. Le 17 décembre 1903, à bord d'un aéroplane équipé de deux hélices et d'un moteur à explosion conçu par eux, Orville effectua le premier vol mécanique d'un appareil plus lourd que l'air après l'expérience d'Ader.
11. NdT : cf. NdT n° 7.
12. NdT : *United States Department of Agriculture*, le ministère de l'Agriculture américain.
13. NdT : Star du talk show télé, modèle de réussite, la ronde Oprah Winfrey est également la vedette du film *Beloved*, de Jonathan Demme.
14. NdT : Règlementation largement répandue aux États-Unis où, du coursier au pdg, tout individu est tenu de sortir non seulement des locaux, mais également de l'immeuble, pour fumer.

15. NdT : Rappelons que l'auteur vit à Provo, dans l'Utah.

16. *The Refusal Skill* ™ est une marque déposée de la Comprehensive Health Education Foundation (C.H.E.F.®), et le modèle *The Refusal Skill* ™ est sous copyright du C.H.E.F.®, Seattle (État de Washington). Reproduction interdite sans autorisation écrite expresse de C.H.E.F.®. Autorisation pour le ci-présent ouvrage accordée par C.H.E.F.®. Tous droits réservés.

17. NdT : cf. NdT n° 1.

18. NdT : cf. NdT n° 1.

19. NdT : BD culte de Gary Larson, à l'humour lunaire et dévastateur, mettant en scène vaches, bébés, dinosaures, insectes, aliens et personnages bizarres de toute sorte dans des situations grinçantes, paraboles d'une certaine Amérique.

REMERCIEMENTS

On dit qu'écrire un livre, c'est un peu comme d'avoir à avaler un éléphant. Moi, au cours des deux années passées à écrire celui-ci, ce n'est pas un éléphant, mais un troupeau tout entier d'éléphants que j'ai eu l'impression d'avoir à avaler. Mais par bonheur, je n'ai pas eu à les avaler tout seul. Beaucoup d'autres ont contribué, chacun à leur façon, à l'élaboration de ce livre. J'aimerais les remercier personnellement :

Merci, Annie Oswald, d'avoir supervisé la direction des opérations de ce projet, et pour ton endurance, ton leadership et tes initiatives. Il est clair que tu as été la clé de voûte de ce livre.

Merci, Trevor Walker, pour ton « esprit battant » et pour m'avoir aidé à mettre ce livre sur les rails lors de sa gestation.

Merci, Jeannette Sommer, pour ton dévouement rare et pour ta surprenante faculté à toujours dégoter « le » témoignage parfait.

Merci, Pia Jensen, d'être un des piliers de l'équipe depuis plus de deux ans et pour tes témoignages incroyables.

Merci, Greg Link, mon ami, pour ta virtuosité de négociateur, et pour ta gestion de la promotion et des opérations marketing.

Merci, Catherine Sagers, ma sœur, pour ton admirable travail sur les « Pas de Fourmi » et pour ta collaboration à de multiples niveaux. LOVE!

Merci, Cynthia Haller, ma sœur aînée et notre « mère poule », pour ta magistrale assistance éditoriale, tes témoignages et tes idées. LOVE!

Merci, Mark Pett, d'avoir été le cerveau créatif derrière la plupart des illustrations et pour celles que tu as réalisées toi-même.

Merci, Eric Olson (Premier illustrateur) et Ray Kuik (Directeur artistique) de chez Raeber Graphics, Inc., pour votre génie créatif et pour avoir concrétisé mon rêve de faire de ce livre un régal pour les yeux. Je n'ai qu'une chose à dire, Messieurs : « Respect! »

Merci, Debra Lund, ainsi qu'à toute ton équipe, pour votre acharnement proactif à aller pêcher tous ces merveilleux témoignages.

Merci, Tony Contos et toute l'équipe du lycée de Joliet Township, en Illinois, pour nous avoir fourni notre site d'essais n° 1 (Tony, tes encouragements constants m'ont aidé à tenir le cap). Merci en particulier à Sandy Contos, Flora Betts, Barbara Pasteris, Gloria Martinez, Linda Brisbin, Susan Graham, John Randica, Lynn Vaugh, Jennifer Adams, Marie Blunk, Cathe Disera, Marvin

Reed, Bonnie Badurski, Judy Bruno, Richard Dobbs, Pat Sullivan, Shawna Kocielko, Reasie McCullough, Nicole Nelson, Michael Stubler, Nichol Douglas, Joseph Facchina, Kaatrina Voxx, Joy Denewellis, Jordan McLaughlin, Allison Yanchick, Stephen Davis, Chris Adams, Neal Brockett, et Marisha Pasteris.

Merci, Rita Elliot et tous le staff et élèves de la North Carolina Legislator's School, pour vos idées et vos entretiens. Merci en particulier à Kia Hardy, Natarsha Sanders, Crystal Hall, Tarrick Cox, Adam Sosne, Heather Sheehan, Tara McCormick et Terrence Dove.

Merci, Kay Jensen et l'équipe du Sanpete Child Abuse Prevention, pour nous avoir si courageusement confié vos témoignages.

Merci, Cindi Hanson et les élèves de classe technique avancée du lycée de Timpview, de m'avoir laissé vous enseigner les 7 Habitudes. Merci en particulier à Kristi Borland, Spencer Clegg, Kelli Klein, Jennie Feitz, Brittney Howard, Tiffany Smith, Becky Tanner, Kaylin Ellis, Rachel Litster, Melissa Gourley, T. J. Riskas, Willie Morrell, Brendon Kraus, Stephan Heilner, Monica Moore, et Amanda Valgardson.

Merci aux élèves des lycées de l'Utah Valley pour votre participation à de multiples groupes de réflexion. Merci en particulier à Ariel Amata, Brett Atkinson, Amy Baird, David Beck, Sandy Blumenstock, Megan Bury, Brittany Cameron, Laura Casper, Estee Christensen, Ryan Clark, Carla Domingues, Ryan Edwards, Jeff Gamette, Katie Hall, Liz Jacob, Jeff Jacobs, Jeremy Johnson, Joshua Kautz, Arian Lewis, Lee Lewis, Marco Lopez, Aaron Lund, Harlin Mitchell, Kristi Myrick, Chris Nibley, Whitney Noziska, Dianne Orcut, Leisy Oswald, Jordan Peterson, Geoff Reynolds, Jasmine Schwerdt, Josie Smith, Heather Sommer, Jeremy Sommer, Steve Strong, Mark Sullivan, Larissa Taylor, Callie Trane, Kelli Maureen Wells, Kristi Woodworth, et Lacey Yates.

Merci aux multiples intervenants, auteurs, et éducateurs qui ont apporté leur soutien d'une façon ou d'une autre, notamment à Brettne Shootman, Mona Gayle Timko, James E. H. Collins, Brenton G. Yorgason, James J. Lynch, Matt Clyde, Dan Johnson, Deborah Mangum, Pat O'Brien, Jason Dorsey, Matt Townsend, John Bytheway ainsi qu'a l'équipe de Premier School Agenda.

Merci tout particulièrement à toutes celles et tous ceux qui ont participé aux interviews et apporté leur témoignage, notamment à Jackie Cago, Sara Duquette, Andy Fries, Arthur Williams, Christopher Williams, Tiffany Tuck, Dave Boyer, Julie Anderson, Liz Sharp, Renon Hulet, Dawn Meeves, Chris Lenderman, Jacob Sommer, Kara Sommer, Sarah Clements, Jeff Clements, Katie Sharp, Brian Ellis, Donald Childs, Heidi Childs, Patricia Myrick, Naurice Moffett, Sydney Hulse, Mari Nishibu, Andrew Wright, Jen Call, Lena Ringheim Jensen, Bryan Hinschberger, Spencer Brooks, Shannon Lynch, Allison Moses, Erin White, Bryce Thatcher, Dermell Reed, Elizabeth Jacob, Tawni Olson, Ryan Edwards, Ryan Casper, Hilda Lopez, Taron Milne, Scott Wilcox, Mark C. Mcpherson, Igor Skender, Heather Hoehne, Stacy Greer, Daniel Ross, Melissa Hannig, Coleen Petersen, Joe Jeagany, Tiffany Stoker Madsen, et Lorilee Richardson.

Et enfin, merci aux centaines d'autres qui, à leur manière, ont apporté leur contribution à ce livre.

Numéros Verts et sites Internet

Voici une liste d'associations à contacter en cas de problème. N'hésite pas à appeler. Les personnes qui t'accueillent sont là pour t'aider. Tous les appels à ces numéros sont totalement gratuits et l'anonymat est garanti. Si tu ne parviens pas à joindre la personne adéquate du premier coup, réessaye. Et souviens-toi : garde espoir !

Si tu as un(e) ami(e) victime de mauvais traitement, tu peux appeler **Allô Enfance maltraitée** au 119 ou au 0 800 05 41 41.

Pour les problèmes d'ordre sanitaire, tu peux avoir recours au service téléphonique **Croix-Rouge Ecoute** qui t'accueille au 0 800 858 858.

Si quelqu'un dans ton entourage a développé une dépendance à la drogue et que tu ne sais pas à qui t'adresser pour l'aider, appelle **Drogues Info Service** au 0 800 23 13 13.

Pour plus d'informations, tu peux aussi essayer leur site Internet : http://www.drogues-info.fr

Le service d'informations **Fil Santé Jeunes** te renseigne sur toutes les questions en rapport avec la santé et te dit quel organisme contacter en fonction de tes besoins particuliers. Tu peux les joindre au 0 800 235 236.

Si tu crains d'avoir contracté le Sida au cours de rapports sexuels sans préservatif ou si tu veux simplement t'informer sur la façon dont on peut se protéger efficacement, **Sida Info Service** répond à tes questions au 0 800 840 800.

L'association dispose également d'un site Internet : http://www.sida-info-service.org

À propos de Franklin Covey Co.

Sean Covey est vice-président des magasins Franklin Covey Co., entreprise internationale de 4 000 membres se consacrant à aider les particuliers, les organisations et les familles à accroître leur niveau de performance. Franklin Covey Co. est le prestataire n° 1 mondial de services professionnels intégrés et de solutions produits axés sur des principes dont la viabilité et l'efficacité durable sont prouvées. Le portefeuille clients de l'entreprise compte 82 des 100 entreprises leaders du magazine *Fortune*, plus des deux tiers des 500 entreprises leaders au classement du même magazine, ainsi que plusieurs milliers de petites et moyennes entreprises, des unités gouvernementales, institutions pédagogiques, communautés, familles, ainsi que des millions de particuliers. Franklin Covey Co. a par ailleurs mis en place des partenariats pilotes avec des municipalités désireuses de se constituer en communautés réglées par des principes, et enseigne aujourd'hui les 7 Habitudes à des professeurs et des administrateurs dans plus de 4 500 établissements scolaires et universités américaines, et, à l'initiative de pédagogues, dans 27 Etats répartis d'un bout à l'autre des États-Unis.

La vision de Franklin Covey Co. est d'éduquer ses élèves à s'éduquer eux-mêmes et devenir indépendants de l'entreprise. À l'adage éternel de Lao-tseu « Donne un poisson à un homme et tu le nourris pour la journée ; apprends-lui à pêcher et tu le nourris pour la vie », elle ajoute « Forme des enseignants pêcheurs et tu élèveras la société tout entière ». Ce processus de responsabilisation est conduit dans le cadre de programmes enseignés dans les montagnes Rocheuses de l'Utah (États-Unis), de prestations de consulting sur mesure, de suivi individualisé, de formation sur mesure au sein des entreprises et de formations assurées par le client lui-même, ainsi que dans le cadre d'ateliers ouverts au public proposés dans plus de 500 villes d'Amérique du Nord et 40 pays dans le monde.

Franklin Covey Co. a sous licence plus de 19 000 responsables autorisés enseignant ses programmes au sein même des organisations, et forme plus de 750 000 participants chaque année. Des outils pratiques dont le *Franklin Planner*, le *7 Habits Organizer*, et un vaste choix de cassettes audio et vidéo, de livres ainsi que de logiciels, permettent de mémoriser et d'appliquer au quotidien les concepts et les techniques. Ces produits ainsi que d'autres, rigoureusement choisis et validés par Franklin Covey Co., sont disponibles dans plus de 128 points de vente Franklin Covey Co. répartis en Amérique du Nord et dans divers autres pays. Les produits et le matériel Franklin Covey Co. sont aujourd'hui disponibles en 32 langues, tandis que ses produits de planification sont utilisés par 15 millions d'individus à travers le monde. Avec plus de 15 millions de livres en circulation, l'entreprise enregistre chaque année des ventes supérieures au million et demi d'exemplaires.

Pour plus de renseignements sur le point de vente ou bureau international Franklin Covey Co. le plus proche de votre lieu de résidence, ou pour obtenir gracieusement un catalogue des produits et des programmes Franklin Covey Co., écrire ou téléphoner à :

Franklin Covey Co.
2200 West Parkway Boulevard
Salt Lake City, Utah 84119-2331 USA
Numéro vert (USA) : 800-952-6839 **Fax** : (801) 496-4252
International : (801) 229-1333 ou **Fax** : (801) 229-1233
Internet : http : / / www.franklincovey.com

Les produits et programmes Franklin Covey Co. offrent une large gamme de ressources aux particuliers, aux familles, et aux organisations commerciales, gouvernementales, à but non lucratif et pédagogiques, notamment :

Programmes

Leadership Week
Presentation Advantage
Principle-Centered Leadership
Writing Advantage
The 7 Habits of Highly Effective People
Building Trust
What Matters Most Time Management Workshop
Getting to Synergy
The Power Principle
The Power of Understanding
Planning for Results
Principle-Centered Community Projects

FRANKLIN COVEY ®
International Field Offices
DIRECT OPERATIONS

AUSTRALIA

Brisbane Office (head office)
Ground Floor, Fujitsu House
159 Coronation Dr.
Milton, QLD 4064
Australia
Tel (61-7) 3259-0222
info@franklincovey.com.au
Fax (61-7) 3369-7810

Melbourne Office
Franklin Covey Pty Ltd
Level 2, 494 St. Kilda Road
Melbourne, Victoria 3004
Australia
Tel (61-3) 9804 5099
Fax (61-3) 9804-5710

Sydney Office
Franklin Covey Pty Ltd
Suite 4602, Level 46
MLC Centre
19-29 Martin Place
Sydney NSW 2000
Australia
Tel (61-2) 9221-5311
Fax (61-2) 9221-7811

CANADA

1165 Franklin Blvd.
Cambridge Ontario

NIR 8EI Canada
Tel (519) 740-2580
Fax (519) 740-8833

EUROPE

Drive 161, Bldg. N
1410 Waterloo
Belgium
Tel (322) 352-8886
Tel (322) 352-8885
Fax (322) 352-8827/8889

JAPAN

Bldg 7F, 3-3
Chiyoda-Ku, Tokyo
102-0083 Japan
Tel 81-3-3264-7495
Fax 81-3-3264-7402/7485

MEXICO

Monterrey Office (head office)
Edificio Losoles D-15
Avenida Lazaro Cardenas
#2400 Pte.
San Pedro Garza Garcia
NL 66220 Mexico
Tel (52-8) 363-2171
(52-8) 363-6931
Fax (52-8) 363-5314

Mexico City Office

Florencia #39 Tercer Pisa
Col. Juarez Delgacion
Cuahutemoc
Mexico DF 06600 Mexico
Tel (52-5) 533-5201 / 5194
Fax (52-5) 533-9103

Guadalajara Office

Country Club
Prol. Americas 1600 2o. Piso
Guadalajara, Jal. 44610
MEXICO
Tel (52-3) 678-9211
Fax (52-3) 678-9271

NEW ZEALAND

---

111 Valley Road
Mount Eden
Auckland, New Zealand

Delivery Address
Private Bag 300981
Albany
Auckland, New Zealand
Tel (64-9) 415-4922
Fax (64-9) 415-4966

Wellington Office

Level 4 Harcourts Building
28 Grey St.
Wellington, New Zealand
Tel (64-4) 473-1563
Fax (64-4) 473 1573

UK/IRELAND

Grant Thornton House
46 West Bar Street
Banbury, Oxfordshire
OX169RZ England

Customer Service :
Franklin Covey Ltd.
P.O. Box 1000
Newcastle-upon-Tyne
NE85 2BS, U.K.
Tel (44) 1295 274 100
(44) 0870 6000 226
Fax (44) 1295 274 101
(44) 870 6000 212

LICENSEES

BERMUDA

4 Dunscombe Rd.
Warwick, Bermuda WK08
Tel (441) 236-0383
Fax (441) 236-0192

INDONESIA

Jl. Bendungan Jatiluhur 56
Bendungan Hilir
Jakarta, Indonesia 10210
Tel (62-21) 572-0761
Fax (62-21) 572-0762

IRELAND

5 Argyle Square
Donnybrook
Dublin 4, Ireland
Tel (353-1) 668-1422
Fax (353-1) 668-1459

KOREA

6F 1460-1 Seoyang Bldg
Seocho-Dong
Seocho-Ku
Seoul, 137-070 Korea
Tel (82-2) 3472-3360 / 3, 5
Fax (82-2) 3472-3364

LATIN AMERICA

107 N. Virginia Ave.
Winter Park, FL 32789
Tel (407) 644-7117
Fax (407) 644-5919

Argentina Office

Corrientes 861 5to. Piso
2000 Rosario, Argentina
Tel (54-41) 408-765
Fax (54-41) 495-646

Chile Office

Ave. Presidente Errasuriz
#3328 Las Condes
Santiago, Chile
Tel (56-2) 242-9292
Fax (56-2) 233-8143 / 46

Colombia Office

Calle 90 No. 11 A-34
Oficina 206
Santa Fé de Bogotá, Colombia
Tel (57-1) 610-0396 / 0385
Fax (57-1) 610-2723

Curacao Office

Ajaxway 3
Curacao, Netherlands Antilles
Tel (599) 97-371284 / 1286
Fax (599) 97-371289

Ecuador Office
Malecón 305 y Padre Aguirre
Edificio El Fortin 15 B
Guayaquil, Ecuador
Tel (593-9) 752-664
Fax (593-4) 303-006

Panama Office
Centro Aventura
Tumba Muerto, Oficina 113
Panamá, Republic de Panamá
Tel (507) 260-9534 / 8763
Fax (507) 260-0373

Uruguay Office
Avenida 19 de abril 3420
Montivideo, Uruguay 11700
Tel 59-82-601-7194
Fax 59-82-209-8317

MIDDLE EAST

---

493 East 100 South
Hyrum, UT 84319
Tel (435) 245-9399
Fax (435) 245-9802

Saudi Arabia Office
LADA International
P.O. Box 89806
Riyadh, Saudi Arabia 11557
Tel 966-1-4628271
Fax 966-1-4628526

Turkey Office
I.D.E.A., A.S.
Bldg. 7, Cayirova
Istanbul, Turkey 81719
Tel 90-2164-232426
Fax 90-2164-232433

MALAYSIA/ BRUNEI

J-4, Bangunan Khas,
Lorong 8/1E
46050 Petaling Jaya
Selangor, Malaysia
Tel (60-3) 758-6418
Fax (60-3) 755-2589
(60-3) 758-6646

NIGERIA

Plot 1664 Oyin Jolayemi St.
(4 th Floor)
Victoria Island, Nigeria
Tel (234-1) 261-7942
Fax (234-1) 262-0597

MEXICO LICENSEE

Jose Maria Rico 121-402
Colonia del Valle
03100 Mexico D.F. Mexico
Tel (52-5) 534-1925 / 1945
Fax (52-5) 524-5903

PHILIPPINES

G/F Hoffner Bldg.
KATI Punam Ave.
Quezon City, 1108
Philippines
Tel (63-2) 426-5982 / 5910
Fax (63-2) 426-5935

PUERTO RICO

Urb. Altamira
548 Aldebaran Street
Guaynabo, PR 00968-3004

Delivery Address
PMC, Suite 427
B-2 Tabonuco St.
Guaynago, PR 00968-3004
Tel (787) 273-6750 / 8369
Fax (787) 783-4595

SINGAPORE

19 Tanglin Road
#05-18 Tanglin Shopping Ctr.
Singapore 247909
Tel (65) 838-9206

Product Inquiries :
Tel (65) 838-0777
Fax (65) 839-9200

Training Hotline :
(65) 838-9218
Tel (65) 838-8618
Fax (65) 838-9211

China Office
The Gateway, Suite 7-00
10 Yabao Rd.
Chao Yang District
Beijing 100020 China
Tel (8610) 6594-2288 ext.
Fax (8610) 6592-5186

Hong Kong Office
Room 1502 15/F Austin Tower
22-26A Austin Avenue

Tsimshatsui
Kowloon, Hong Kong
Tel (852) 2541-2218
Fax (852) 2544-4311

Taiwan Office
7F-3, 166, Cheng Hsiao E. Rd.
Sec. 4, Taipei
Taiwan, R.O.C.
Tel (8862) 2751-1333
Fax (8862) 2711-5285

SOUTH AFRICA

18 Crescent Road
Parkwood 2193
Johannesburg, South Africa
Tel (27-11) 442-4596
(27-11) 442-4589
Fax (27-11) 706-9042

Johannesburg Office #2
45 De La Rey Rd.
Rivonia 2128
South Africa
Tel (27) 11-807-2929
Fax (27) 11-807-2871

Cape Town Office
20 Krige Street (Courier service)
P.O. Box 3117
Stellenbosch 7600
South Africa
P.O. Box 351 (for letters)
Stellenbosch 7599
South Africa
Tel (27-21) 886-5857
Fax (27-21) 883-8080

TRINIDAD & TOBAGO

#23 Westwood St.
San Fernando
Trinidad, West Indies
Tel (868) 652-6805
Fax (868) 657-4432

UK LICENSEE

4 Bergham Mews
Blythe Road
London W14 0HN England
Tel (44-171) 610-4343
Fax (44-171) 602-6557

VENEZUELA

Calle California Con Mucuchies
Edif. Los Angeles, Piso 2
Ofic. 5-6B, Las Mercedes
Caracas, Venezuela
Tel (58-2) 993-8550 / 3639
Fax (58-2) 993-1763

Cet ouvrage a été achevé d'imprimer en août 1999
dans les ateliers de Normandie Roto Impression s.a.
61250 Lonrai
N° d'imprimeur : 991763
Dépôt légal : août 1999